NORA ROBERTS

Taniec
Bogów

Przełożyła
Xenia Wiśniewska

Prószyński i S-ka

Tytuł oryginału
DANCE OF THE GODS

Projekt okładki
Elżbieta Chojna

Redakcja
Ewa Witan

Redakcja techniczna
Elżbieta Urbańska

Korekta
Grażyna Nawrocka

Łamanie
Ewa Wójcik

ISBN 978-83-7469-538-1

Wydawca
Prószyński i S-ka SA
02-651 Warszawa, ul. Garażowa 7
www.proszynski.pl

Druk i oprawa
Drukarnia Naukowo-Techniczna
Oddział Polskiej Agencji Prasowej SA
03-828 Warszawa, ul. Mińska 65

Taniec
Bogów

Tej samej autorki polecamy:

Dla Logana
Ty jesteś przyszłością.

To, czego się uczymy, utrwalamy
przez praktykę.

Arystoteles

My, garść – szczęśliwy krąg
– gromadka braci

Szekspir, „Henryk V"
tłum. Stanisław Barańczak

Prolog

Gdy słońce zaczęło schodzić w dół, oświetlając ostatnimi promieniami ziemię, dzieci przyszły, żeby posłuchać dalszej części historii. Ich pełne oczekiwania twarzyczki i szeroko otwarte oczy rozświetliły izbę starca. Zmierzch otulał świat, gdy bajarz rozsnuwał opowieść, którą rozpoczął w deszczowe popołudnie.

Ogień trzaskał w kominku, a starzec sączył wino i szukał w głowie odpowiednich słów.

– Wiecie, jak to się zaczęło, od Hoyta Czarnoksiężnika i czarownicy spoza jego czasu. Wiecie, jak powstał wampir, i w jaki sposób dwoje przybyszów z Geallii przeszło przez Taniec Bogów na irlandzką ziemię. Pamiętacie, że stracili przyjaciela i brata, a jego miejsce zajęła wojowniczka.

– Zebrali się wszyscy razem – powiedziało jedno z dzieci – żeby ocalić świat.

– To prawda, tak właśnie było. Tym sześciorgu, tworzącym krąg odwagi i nadziei, bogowie nakazali przez posłankę Morrigan walczyć z armią wampirów dowodzoną przez ambitną Lilith.

– Zwyciężyli wampiry w walce – powiedział jeden z mniejszych chłopców i starzec wiedział, że mały widzi siebie jako członka nieustraszonej drużyny, dzierżącego miecz i kołek, by zniszczyć zło.

– To także prawda, tak właśnie było. Tej nocy, gdy czarnoksiężnik i czarownica odprawili rytuał związania dłoni, gdy przysięgli sobie miłość, którą znaleźli w tym straszliwym czasie, krąg sześciorga odparł atak demonów. Nie można wątpić w ich męstwo, ale to była tylko jedna bitwa, w pierwszym miesiącu z trzech, które im dano na ocalenie światów.

– Ile jest światów?

– Nie można ich policzyć – odpowiedział bajarz. – Więcej niż gwiazd na niebie. I wszystkie były zagrożone, bo jeśli ta szóstka poniosłaby klęskę, światy zostałyby przemienione, tak jak człowiek może zostać przemieniony w demona.

– Ale co się stało potem?

Starzec uśmiechnął się. Ogień rzucał cienie na jego pooraną bruzdami twarz.

– Cóż, zaraz wam opowiem. Po nocy walki nadszedł świt, który zawsze przychodzi po ciemności. Świt miękki i mglisty, cichy po burzy. Deszcz zmył krew, ludzką i nieludzką, ale ziemia nosiła blizny w miejscach, gdzie płonęły miecze. Śpiewały ptaki i szumiał strumyk, a w porannym świetle lśniły mokre od deszczu liście i kwiaty. Właśnie w imię tego – ciągnął. – Dla tych zwykłych, prostych spraw walczyli. Człowiek potrzebuje spokoju i zwykłych rzeczy tak samo jak chwały.

Napił się wina i odstawił kielich na bok.

– Zebrali się, żeby ocalić te proste sprawy. I razem rozpoczęli podróż.

1

Po domu, cichym jak grób, kuśtykał Larkin. Powietrze pachniało słodko, przesycone zapachem kwiatów zebranych na ceremonię związania dłoni, która odbyła się poprzedniego wieczoru.

Starli krew, oczyścili broń. Wznieśli toast za Glennę i Hoyta starym winem, jedli tort, ale za uśmiechami czaił się horror minionej nocy – nieproszony gość.

Ten dzień, jak przypuszczał Larkin, został przeznaczony na odpoczynek i przygotowania, ale ciężko było zachować cierpliwość. Przynajmniej zeszłej nocy walczyli, pomyślał, przyciskając dłoń do uda, które wciąż bolało. Zwyciężyli zastęp demonów i zyskali chwałę.

Dotarł do kuchni, otworzył lodówkę i wyjął butelkę coli. Bardzo polubił ten napój i przedkładał nad poranną herbatę.

Obrócił butelkę w dłoni, podziwiając kształt naczynia – takie gładkie, przejrzyste i twarde. Ale po powrocie do Geallii będzie mu brakowało tego, co w środku.

Musiał przyznać, że nie wierzył swojej kuzynce, Moirze, gdy mówiła o bogach i demonach, o wojnie w obronie światów. Tamtego smutnego dnia, gdy pogrzebano jej matkę, poszedł z Moirą wyłącznie po to, by się nią opiekować. Nie była tylko kuzynką, ale też przyjaciółką, a kiedyś zostanie królową Geallii.

Jednak każde słowo, które wypowiedziała, stojąc o kilka kroków od grobu swojej matki, okazało się prawdziwe. Przeszli przez Taniec, stanęli w środku kręgu i wszystko się zmieniło.

Nie tylko czas i miejsce, rozmyślał, otwierając butelkę i smakując pierwszy, orzeźwiający łyk, ale absolutnie wszystko. W jednej chwili stali pod popołudniowym słońcem Geallii, a w drugiej otoczyła ich noc Irlandii – krainy, której istnienie Larkin zawsze uważał za bajkę.

Nie wierzył ani w bajki, ani w potwory i pomimo swego daru traktował magię z dużą rezerwą.

Jednak teraz musiał przyznać, że magia istniała. Tak samo jak Irlandia i potwory, demony, które ich zaatakowały, wyskakując z ciemności lasu z płonącym oczami i ostrymi kłami. Nieludzie o ludzkiej postaci.

Wampiry.

Egzystowały, żywiąc się ludźmi, a teraz zebrały się pod władzą królowej, żeby zniszczyć światy.

Larkin przybył tu, by je powstrzymać, raz na zawsze i bez względu na wszystko. Był tu na rozkaz bogini, by ocalić ludzkość.

Podrapał się bezmyślnie po bolącym udzie i doszedł do wniosku, że nikt nie może oczekiwać, by wyruszał na ratunek o pustym żołądku.

Ukroił sobie kawałek tortu do porannej coli i zlizał lukier z palca. Jak na razie, dzięki licznym podstępom i fortelom, udało mu się uniknąć lekcji gotowania u Glenny. Lubił jeść, to prawda, ale przygotowywanie posiłków to już zupełnie inna sprawa.

Larkin był wysokim, smukłym mężczyzną z gęstą szopą złotobrązowych włosów i oczach niemal równie dużych jak u kuzynki, o tak samo ciepłym spojrzeniu. Miał szerokie, skore do uśmiechu usta i ruchliwe dłonie.

Ci, którzy go znali, powiedzieliby, że nie żałuje bliźnim pieniędzy ani czasu i dobrze go mieć przy boku i w pubie, i w walce. Był twardy i odważny w boju, ale też zgodny i spokojny.

Miał wyraziste, regularne rysy, mocne plecy i chętną dłoń. A także dar przeistaczania się w każdą żyjącą istotę.

Ugryzł solidny kęs ciasta. W domu było dlań teraz zbyt cicho, potrzebował aktywności, dźwięków, ruchu. I tak nie mógł spać, postanowił więc, że zabierze konia Ciana na poranną przebieżkę.

Cian przecież nie mógł zrobić tego sam, skoro był wampirem.

Larkin wyszedł tylnymi drzwiami przed wielki, kamienny dom. Było chłodno, ale miał na sobie sweter i dżinsy, które Glenna kupiła mu w wiosce, a do tego własne buty. Dla ochrony nosił na szyi krzyż wypalony magią.

Zobaczył porytą ziemię i odciśnięte w błocie ślady własnych kopyt, które zostawił, gdy galopował do bitwy pod postacią konia.

I ujrzał kobietę, która wczoraj jechała na jego grzbiecie, tnąc wroga płonącym mieczem.

Poruszała się teraz we mgle powoli i z gracją, niczym w tańcu. Larkin znał te ruchy, widział, jak Blair ćwiczy, by utrzymać pełną kontrolę nad swoim ciałem, i wiedział, że to nie taniec, lecz przygotowanie do walki.

Długie nogi i ramiona płynęły przez powietrze tak gładko, że prawie nie mąciły mgły. Widział, jak drżą jej mięśnie, gdy trwała w jednej pozycji bez końca, bo miała na sobie białe odzienie, w którym żadna kobieta w Geallii nie wyszłaby poza sypialnię.

Uniosła zgiętą w kolanie nogę do tyłu i sięgając za siebie, chwyciła bosą stopę, a koszula podniosła się, ukazując twardy brzuch.

Żałosny byłby mężczyzna, pomyślał Larkin, który nie podziwiałby takiego widoku.

Miała krótkie, czarne jak smoła włosy i oczy bardziej błękitne niż jezioro Fonn*. W jego świecie nie uznano by jej za piękność – brakowało jej krągłości – ale Larkinowi podobała się siła jej ciała, a rysy twarzy z ostrymi łukami brwi uważał za interesujące i oryginalne.

---

* Jezioro Fonn – słonowodne jezioro na Cape Breton, wyspie na Oceanie Atlantyckim – wszystkie przypisy od tłumaczki.

Opuściła nogę, odstawiła ją daleko w bok i przykucnęła, rozkładając szeroko ramiona.

– Zawsze jesz rano tyle cukru?

Larkin aż podskoczył, słysząc jej głos. Stał cicho, bez ruchu i myślał, że go nie zauważyła. Powinien był wiedzieć, że Blair widzi wszystko. Ugryzł kawałek ciasta, o którym całkowicie zapomniał.

– Jest dobry.

– Nie wątpię. – Blair opuściła ręce i wyprostowała się. – Wcześnie wstałeś jak na ciebie, co?

– Nie mogłem spać.

– Wiem, o czym mówisz. Piekielnie dobra bijatyka.

– Dobra? – Popatrzył na spaloną ziemię, pomyślał o wrzaskach, krwi, śmierci. – To nie był wieczór w pubie.

– Ale i tak było wesoło. Skopaliśmy tyłki kilku wampirom, a jaki może być lepszy sposób na spędzenie wieczoru?

– Parę innych przychodzi mi do głowy.

– Tyle że był cholerny pośpiech. – Potarła zesztywniałe ramiona i popatrzyła na dom. – I nie zaszkodziło wyskoczyć z zaręczyn na bitwę i wrócić, zwyciężywszy potwory. Zwłaszcza jeśli pomyśleć o drugiej możliwości.

– Pewnie masz rację.

– Mam nadzieję, że Glenna i Hoyt uszczkną choć odrobinę miodowego miesiąca, bo większa część przyjęcia była do bani.

Długim, niemal tanecznym krokiem, który tak bardzo urzekał Larkina, podeszła do stołu używanego podczas ćwiczeń do składania jedzenia i broni. Wzięła butelkę wody i pociągnęła długi łyk.

– Masz królewski znak.

– Że co?

Podszedł do Blair i dotknął lekko jej łopatki, na której widniał krzyż taki sam jak ten, który nosił na szyi, tyle że krwistoczerwony.

– To tylko tatuaż.

– W Geallii tylko władca nosi ten znak na ciele. Kiedy staje się królem lub królową, unosi miecz i pojawia się znak. Tutaj. – Poklepał się po prawym bicepsie. – Nie znak krzyża, lecz *claddaugh**, wyryty, jak mówią, palcem bogów.

– W dechę. Wspaniale – wyjaśniła, gdy popatrzył na nią pytająco.

– Ja sam nigdy tego nie widziałem.

Przechyliła głowę.

– A zobaczyć znaczy uwierzyć?

Larkin wzruszył ramionami.

– Moja ciotka, matka Moiry, miała taki znak, ale ona została królową przed moim urodzeniem, więc nigdy nie widziałem, jak pojawia się znak.

– Nigdy nie słyszałam tej części legendy. – Zanurzyła palec w lukrze na cieście i oblizała. – Pewnie nie wszystko do nas doszło.

* *Claddaugh* – symbol noszony przez Irlandczyków na całym świecie, przedstawia dwie dłonie obejmujące serce zwieńczone koroną.

– A ty skąd masz swój?

Zabawny facet, pomyślała Blair. Zainteresowany, bystry, przystojny. Piękne oczy. Czerwona lampka! Taki zestaw aż się prosił o kłopoty, a ona nie była stworzona do radzenia sobie z komplikacjami – i przekonała się o tym w bolesny sposób.

– Zapłaciłam za niego. Dużo ludzi ma tatuaż. Można powiedzieć, że to coś w rodzaju osobistej deklaracji. Glenna ma taki. – Napiła się wody i nie spuszczając wzroku z Larkina, poklepała się po lędźwiach. – Tutaj. Pentagram. Widziałam, kiedy pomagałyśmy się jej ubrać na zaręczyny.

– A więc są dla kobiet.

– Nie tylko. A co, ty też chcesz?

– Chyba nie. – Potarł bezwiednie udo.

Blair przypomniała sobie, jak sama wyrwała mu strzałę z nogi, a Larkin nawet nie pisnął. Facet miał nie tylko piękne oczy i otwartą głowę, ale też jaja. Nie marudził w bitwie, a potem nie narzekał.

– Boli cię noga?

– Jest trochę sztywna, ale Glenna zdziałała cuda. A twoja?

Blair przyciągnęła piętę do pośladka i lekko pociągnęła.

– Nic mi nie jest. Moja rany szybko się goją, to rodzinne. Chociaż nie tak szybko jak u wampirów – dodała. – Ale łowcy demonów zdrowieją szybciej niż wy, zwyczajni ludzie.

Wzięła ze stołu kurtkę i włożyła na siebie.

– Chcę napić się kawy.

– Nie lubię kawy. Wolę colę. – Uśmiechnął się czarująco. – Będziesz przygotowywała dla siebie śniadanie?

– Za chwilę. Mam jeszcze coś do zrobienia.

– Może nie miałabyś nic przeciwko temu, żeby przygotować od razu dla dwojga?

– Może. – Spryciarz, pomyślała nie bez podziwu dla jego manewru. – Masz teraz coś do roboty?

Każdego dnia Larkin starał się spędzić trochę czasu z cudowną maszyną nazywaną telewizorem. Z dumą myślał, że uczy się nowych słów.

– Zabiorę konia na przejażdżkę, a potem go nakarmię i wyszczotkuję.

– Dziś jest bardzo jasno, ale nie powinieneś jechać do lasu nieuzbrojony.

– Będę jeździł po polach. Glenna prosiła, żebym nie jeździł sam po lesie, nie chcę jej martwić. A co, ty chciałaś wziąć konia?

– Wczoraj dzięki tobie wyjeździłam się za wszystkie czasy. – Rozbawiona uderzyła go lekko w pierś. – Rozwijasz niezłą prędkość, kowboju.

– A ty jesteś lekka i dobrze trzymasz się w siodle. – Popatrzył na stratowaną ziemię. – Masz rację. To była dobra walka.

– Cholerna racja. Ale następna nie będzie już taka łatwa.

Brwi Larkina podsunęły się do góry.

– A ta była łatwa?

– W porównaniu z tym, co nas czeka...

– W takim razie niech Bóg ma nas w swojej opiece. A jeśli zechcesz usmażyć jajka na bekonie, to świetnie. Równie dobrze możemy się najeść, skoro mamy jeszcze żołądki.

Pocieszająca myśl, uznała Blair. Nigdy nie znała nikogo, kto tak bezceremonialnie traktował życie i śmierć. W jego podejściu nie było rezygnacji – której nauczono Blair – tylko pewność, że będzie żył tak, jak będzie chciał, aż do końca.

Podziwiała taki punkt widzenia.

Wychowano ją w przekonaniu, że potwory kryjące się pod łóżkiem są prawdziwe i tylko czekają, aż stracisz czujność, a wtedy rozerwą cię na strzępy.

Trenowała, żeby odsunąć ten moment jak najdalej, tak długo, dopóki będzie mogła stanąć do walki, rąbać, palić i niszczyć. Pod jej siłą, mądrością i nieskończoną nauką kryła się świadomość, że pewnego dnia nie będzie wystarczająco szybka i sprytna czy też nie dopisze jej szczęście.

A wtedy potwór zwycięży.

Jednak zawsze była w tym pewna równowaga: demon i łowca, jeden stawał się zdobyczą drugiego. Teraz stawka wzrosła, osiągając niebotyczną skalę, pomyślała, robiąc kawę. Teraz nie chodziło już tylko o obowiązek i tradycję, które przekazywano w jej rodzinie wraz z krwią niemal od tysiąca lat.

Teraz walczyła o ocalenie ludzkości.

Była tutaj, z tą dziwaczną grupką – z której dwoje parało się czarami, a wampir i czarnoksiężnik okazali się jej przodkami – żeby stoczyć największą ze wszystkich bitew.

Dwa miesiące, pomyślała Blair, pozostały do Halloween. Do Samhainu i ostatecznego starcia, przepowiedzianego przez boginię. Będą musieli być gotowi, zdecydowała, nalewając kawę do kubka. Nie ma innego wyjścia.

Zaniosła kawę na górę do swojego pokoju.

Jej kwatera w niczym nie przypominała mieszkania w Chicago, w którym koczowała przez półtora roku. Ogromne łóżko wieńczyła szeroka deska z wyrzeźbionymi smokami – kobieta mogła czuć się w nim jak zaczarowana księżniczka, jeśli miała romantyczną duszę.

Pomimo że dom należał do wampira, w pokoju stało szerokie lustro w mahoniowej ramie. Szafa pomieściłaby trzy razy więcej ubrań, niż przywiozła Blair, więc używała jej jako podręcznego magazynu broni, a ciuchy schowała do szuflad komody.

Ściany pomalowano zgaszonym fioletem i ozdobiono widokami lasu o świcie i przed zmierzchem, tak że przy zaciągniętych zasłonach pokój wydawał się pogrążony w wiecznym półmroku. Ale Blair to nie przeszkadzało, większość życia spędziła wśród cieni.

Teraz jednak odsłoniła zasłony, wpuszczając do środka poranne słońce, i usiadła przy pięknym biureczku, żeby sprawdzić pocztę na laptopie.

Nie potrafiła zgasić maleńkiego płomyka nadziei ani zignorować uczucia rozczarowania, gdy po raz kolejny nie znalazła odpowiedzi od ojca.

Nic nowego, upomniała się i odchyliła razem z krzesłem. O ile wiedziała – i to tylko dzięki bratu – podróżował gdzieś po Afryce Południowej.

Minęło sześć miesięcy, odkąd ostatnio kontaktowała się z ojcem, i w tym także nie było nic nowego. Według niego już dawno temu wypełnił obowiązki wobec córki. I może miał rację. Uczył ją i trenował, ale Blair nigdy nie była wystarczająco dobra, by zasłużyć na jego uznanie.

Po prostu nie miała odpowiedniego wyposażenia. Nie była chłopcem. Nigdy nawet nie starał się ukryć rozczarowania faktem, że to córka – nie syn – odziedziczyła jego dar.

Łagodzenie ciosów nie było w stylu Seana Murphy'ego. W osiemnaste urodziny Blair postanowił, że nie chce mieć już z nią więcej do czynienia.

Teraz zezłościła samą siebie, wysyłając mu drugą wiadomość, pomimo że nie odpowiedział na pierwszą. Napisała tamten mejl przed wyjazdem do Irlandii, żeby powiedzieć ojcu, że coś się szykuje, i poprosić go o radę.

No to tyle, jeśli chodzi o ojcowską troskę i próbę uprzedzenia go, że to, co się szykuje, to poważna sprawa, pomyślała teraz.

Miał własne życie, obrał swój kurs i nigdy nie udawał, że jest inaczej. To był jej problem, jej kompleks, że wciąż potrzebowała aprobaty ojca.

Wyłączyła komputer, włożyła bluzę od dresu i buty. Postanowiła pójść do sali ćwiczeń i wypocić frustrację, zaostrzyć apetyt podnoszeniem ciężarów.

Powiedziano jej, że w tym domu na początku dwunastego wieku urodzili się Hoyt i jego brat, Cian. Oczywiście budynek został zmodernizowany, dodano kilka pomieszczeń, ale Blair w oryginalnej strukturze widziała, że rodzina Mac Cionaoith musiała być zamożna.

Cian miał prawie milenium, żeby dorobić się fortuny i odkupić dom, ale z tego, co słyszała, w ogóle tu nie mieszkał.

Blair nie miała zwyczaju zadawać się z wampirami – tylko je zabijać – lecz dla Ciana zrobiła wyjątek. Z powodów, których nie mogła do końca zrozumieć, stanął po stronie ludzkości, a nawet do pewnego stopnia utrzymywał ich sześcioro.

Poza tym widziała, jak poprzedniej nocy walczył, z bezlitosną furią. Jego lojalność mogła być czynnikiem, który przeważy szalę na ich korzyść.

Poszła kamiennymi schodami do pomieszczenia, które kiedyś było głównym holem, potem salą balową, a teraz służyło jako siłownia.

Zatrzymała się w pół kroku, gdy zobaczyła kuzynkę Larkina, Moirę, podnoszącą dwukilogramowe ciężarki.

Dziewczyna splotła brązowe włosy w gruby warkocz, który sięgał aż do pasa. Po jej czole spływał pot, a biały T-shirt znaczyły wilgotne plamy. Szare jak mgła oczy wbiła w przestrzeń, koncentrując się, jak przypuszczała Blair, na czymkolwiek, co dopingowało ją do wysiłku.

Blair oszacowała, że Moira miała jakieś metr pięćdziesiąt pięć wzrostu i ważyła około pięćdziesięciu kilogramów. Miała też charakter, a ta cecha zajmowała wysokie miejsce na liście Blair. To, co na początku uznała za nieśmiałość, okazało się darem obserwacji. Ta dziewczyna wręcz chłonęła wszystko, co ją otaczało.

– Myślałam, że jeszcze śpisz – powiedziała Blair, wchodząc do sali.

Moira opuściła ciężarki i otarła ramieniem czoło.

– Już dawno wstałam. Chcesz poćwiczyć?

– Tak. Starczy miejsca dla nas obu. – Blair wzięła pięciokilowe ciężarki. – Nie siedzisz dzisiaj w książkach?

– Ja... – Moira z westchnieniem rozprostowała ręce, tak jak ją nauczono. Wciąż było jej daleko do gładkich, rzeźbionych kształtów Blair, ale jej mięśni już nikt nie mógłby nazwać wiotkimi. – Przychodzę tu co rano, przed biblioteką, zanim wszyscy wstaną.

– Okay. – Blair z zaciekawieniem patrzyła, jak Moira wzmacnia triceps. – I trzymasz to w tajemnicy?

– To nie jest tajemnica. Nie do końca. – Moira wzięła butelkę wody, odkręciła korek i znowu go zakręciła. – Jestem z nas wszystkich najsłabsza. Ani ty, ani Cian nie musicie mi tego mówić, chociaż żadne z was nigdy nie przepuści okazji, żeby mi to wypomnieć.

Blair poczuła ucisk w żołądku.

– Zachowywałam się okropnie. Chcę bardzo cię za to przeprosić, bo wiem, jak to jest, gdy wbijają cię w ziemię, kiedy ty robisz wszystko, co w twojej mocy.

– Tylko że moje „wszystko" nie jest wystarczająco dobre, prawda? Nie, nie potrzebuję przeprosin – dodała, zanim Blair zdążyła coś powiedzieć. – Ciężko jest słuchać o własnych brakach, ale właśnie taka teraz jestem – na razie. Dlatego przychodziłam tu wczesnym rankiem i podnosiłam te cholerne ciężarki tak, jak mi pokazywałaś. Nie będę najsłabsza, nie będziecie musieli wszyscy się o mnie martwić.

– Nie masz jeszcze twardych mięśni, ale jesteś szybka. I genialnie radzisz sobie z łukiem. Gdybyś nie była taka dobra wczorajszej nocy, wszystko mogłoby potoczyć się inaczej.

– „Pracuj nad swoimi mocnymi stronami w wolnym czasie". Tak mi powiedziałaś i to mnie zezłościło. Dopóki nie dostrzegłam w tych słowach mądrości. Teraz nie jestem już zła. Jesteś dobrym nauczycielem. King był... Bardziej mi pobłażał, może dlatego że był mężczyzną. I to ogromnym – dodała ze smutkiem. – Który, jak myślę, miał do mnie słabość, bo jestem najmniejsza.

Blair nie poznała Kinga, przyjaciela Ciana, który został schwytany, zabity przez Lilith i przemieniony w wampira.

– Ja nie będę traktować cię ulgowo – obiecała Moirze.

Gdy Blair skończyła trening i wzięła prysznic, poczuła się głodna jak wilk. Postanowiła przygotować swoje ulubione śniadanie, francuskie tosty.

Wrzuciła na patelnię parę plastrów bekonu, żeby dostarczyć organizmowi protein, i znalazła wśród MP trójek płytę Green Day. Dobra muzyka do gotowania.

Nalała sobie drugi kubek kawy i wbiła jajka do miski.

Machała z zapałem trzepaczką, gdy do kuchni wszedł Larkin.

– A co to jest?

– To jest... – Jak mu wytłumaczyć? – Tak jakbyś gwizdał przy pracy.

– Nie, nie mówię o maszynie. Jest ich tyle, że i tak połowy nie mogę spamiętać. Chodzi mi o dźwięk.

– Och, hm... muzyka popularna? Rock, ciężka odmiana.

Larkin przechylił głowę i słuchał z szerokim uśmiechem.

– Rock. Podoba mi się.

– A komu by się nie podobał? Dziś rano nie będzie jajek. Robię francuskie tosty.

– Tosty? – Larkin nie krył rozczarowania. – Pieczony chleb?

– Nie tylko. Poza tym, kiedy ja stoję przy kuchence, dostajesz to, co podam. Albo sam sobie pichcisz.

– Oczywiście, to bardzo miło z twojej strony, że gotujesz.

Miał tak zawiedzioną minę, że Blair o mało się nie roześmiała.

– Wyluzuj i zaufaj mi w tej kwestii. Widziałam, jaki masz apetyt, kowboju. Śniadanie spodoba ci się tak samo jak rock, zwłaszcza jak utopisz tosty w maśle i syropie. Możesz przewrócić bekon?

– Najpierw muszę się umyć. Czyściłem boks Vlada i nie powinienem niczego dotykać.

Larkin pośpiesznie wyszedł, a Blair uniosła brew. Już nie raz widziała, jak sprytnie wymigiwał się od wszelkich kuchennych obowiązków. I musiała przyznać, że nieźle mu to wychodziło.

Zrezygnowana sama przewróciła bekon i podgrzała drugą patelnię. Już miała wrzucić pierwszy kawałek chleba, gdy usłyszała głosy. Nowożeńcy wstali, pomyślała, i wbiła do miski jeszcze kilka jajek.

Elegancja bez wysiłku. Taki styl Glenna miała we krwi, pomyślała Blair, gdy tamta weszła do kuchni, ubrana w butelkowozielony sweter i czarne dżinsy, z rozpuszczonymi, rudymi włosami. Miejski styl w wydaniu country, podsumowała Blair. Gdy dodać do tego ładny rumieniec kobiety, która najwidoczniej spędziła poranek na przytulankach, widok był niczego sobie.

Nie wyglądała na wojowniczkę, która pogoniłaby gromadę wampirów, wznosząc wojenne okrzyki i machając berdyszem – a dokładnie tak zeszłej nocy zrobiła.

– Mmm, francuskie tosty? Chyba czytałaś w moich myślach. – Podchodząc do ekspresu, Glenna lekko uścisnęła ramię Blair. – Pomóc ci?

– Nie, poradzę sobie. Ty przez cały czas stoisz przy garach, a ja i tak jestem lepsza w śniadaniach niż w obiadach. Słyszałam Hoyta?

– Już idzie. Rozmawia z Larkinem o koniu. Chyba Hoyt jest trochę zazdrosny, że Larkin zajął się Vladem przed nim. Dobra kawa. Jak spałaś?

– Jak zabita, przez kilka godzin. – Blair zanurzyła chleb w jajkach i położyła go na patelni. – A potem nie wiem, zaczęło mnie nosić. – Posłała Glennie porozumiewawcze spojrzenie. – I nie miałam gdzie spożytkować nadmiarów energii jak panna młoda.

– Muszę przyznać, że dzisiaj rano jestem całkiem zrelaksowana. Poza tym – krzywiąc się, lekko pomasowała prawy biceps – że czuję się, jakbym całą noc machała berdyszem.

– Berdysz ma swoją wagę. Kawał dobrej roboty.

– „Dobra robota" to ostatnie określenie, jakiego bym użyła, ale nie będę o tym myślała, przynajmniej dopóki się nie najem. – Glenna otworzyła szafkę. – Czy ty wiesz, jak często jadałam takie śniadania – smażony chleb, bekon – zanim to wszystko się zaczęło?

– Nie.

– Nigdy. Absolutnie nigdy – dodała ze śmiechem. – Pilnowałam wagi, jakby od niej zależał los świata.

– Teraz intensywnie trenujesz. – Blair obróciła chleb. – Potrzebujesz paliwa, węglowodanów. Jeśli trochę przytyjesz, to będą to same mięśnie.

– Blair – Glenna zerknęła na drzwi, żeby się upewnić, czy Hoyt jeszcze nie idzie – masz w tym więcej doświadczenia niż my wszyscy. Tak między nami, przynajmniej na razie, jak nam wczoraj poszło?

– Przeżyliśmy – odparła Blair spokojnie, nie przerywając smażenia, i umoczyła w jajku kolejną kromkę. – To najważniejsze.

– Ale...

– Glenna, powiem ci wprost. – Blair odwróciła się i oparła o blat, a zapach smażonego chleba wypełnił kuchnię. – Nigdy nie miałam do czynienia z czymś takim.

– Ale polujesz na nie od lat.

– To prawda. I nigdy nie widziałam tylu wampirów naraz w jednym miejscu, nigdy nie widziałam, żeby były aż tak zorganizowane.

Glenna wypuściła powietrze.

– To może być dobra wiadomość.

– Dobra czy zła, takie są fakty. Według mojego doświadczenia w naturze tych bestii nie leży ani życie, ani praca, ani walka w dużych grupach. Skontaktowałam się z moją ciotką i ona powiedziała to samo. Są zabójcami, mogą podróżować, polować, nawet żyć w grupach. Małych grupach, w których może występować osobnik alfa, męski lub żeński. Ale nie w ten sposób.

– Nie jako armia – wyszeptała Glenna.

– Nie. A wczoraj wieczorem widzieliśmy oddział, małą część armii. Chodzi o to, że one są gotowe dla niej umrzeć, dla Lilith. A to nie żarty.

– Dobrze, dobrze – powiedziała Glenna, nakrywając do stołu. – Sama tego chciałam, jak poprosiłam cię o szczerość.

– Hej, wyluzuj. Przeżyliśmy, pamiętaj. Odnieśliśmy zwycięstwo.

– Dzień dobry – powiedział Hoyt do Blair, wchodząc do kuchni, i natychmiast przeniósł wzrok na Glennę.

– Ale jesteście rozpromienieni – powiedziała Blair, gdy Glenna uniosła twarz na spotkanie ust Hoyta. – Niemal potrzebuję okularów przeciwsłonecznych.

– Osłaniają oczy przed słońcem i są seksownym dodatkiem do stroju – wygłosił Hoyt, a Blair się roześmiała.

– Siadajcie. – Wyłączyła muzykę i postawiła na stole parujący półmisek. – Zrobiłam jedzenia jak dla pułku wojska, w końcu jesteśmy małą armią.

– Wspaniała uczta. Dziękujemy.

– Robię tylko to, co należy do moich obowiązków, w odróżnieniu od tych, którzy unikają pracy w kuchni jak ognia. – Dokładnie w tej chwili wszedł Larkin i Blair potrząsnęła głową. – W samą porę.

Zrobił minę niewiniątka.

– Ach, już gotowe? Zeszło mi trochę dłużej, bo wpadłem do Moiry i powiedziałem jej o śniadaniu. Wygląda wspaniale.

– Popatrz sobie i jedz. – Blair położyła mu na talerz cztery tosty. – A potem ty i twoja kuzynka pozmywacie naczynia.

2

*M*oże to był efekt bitwy, ale Blair wciąż nie mogła się uspokoić. Po kolejnej sesji z Glenną wszystkie rany już się prawie zagoiły i mogli trenować. Może pot i wysiłek przyniosą jej ulgę.

Ale wpadł jej do głowy inny pomysł.

– Myślę, że powinniśmy wyjść.

– Wyjść? – Glenna sprawdziła rozpiskę domowych obowiązków i zauważyła, że – Boże, miej ich w swojej opiece – teraz Hoyt miał robić pranie. – Brakuje nam czegoś?

– Nie wiem. – Blair popatrzyła na kartki przyczepione równo do drzwi lodówki. – Wygląda na to, że masz listy zakupów i obowiązków pod kontrolą, główny kwatermistrzu.

– Mmm, kwatermistrzu... – Glenna puściła oko do Blair. – Podoba mi się ten tytuł. Mogę dostać identyfikator?

– Zobaczę, co da się zrobić. Ale kiedy mówię o wyjściu, mam raczej na myśli zwiady, nie zakupy. Powinniśmy obejrzeć bazę Lilith.

– To świetny pomysł. – Larkin odwrócił się od zlewu, przy którym z nieszczęśliwą miną opróżniał naczynia. – Dla odmiany to my zaskoczymy tę sukę.

– Zaatakujemy Lilith? – Moira przestała ładować zmywarkę. – Dzisiaj?

– Nic nie powiedziałam o ataku. Przyhamuj – poradziła Blair Larkinowi. – Ich jest dużo więcej, a nie sądzę, żeby miejscowi byli zachwyceni krwawą jatką w biały dzień. Ale to właśnie biały dzień jest naszym atutem.

– Pojedziemy na południe do Chiarrai, do klifów i jaskiń – powiedział cicho Hoyt. – Gdy świeci słońce.

– No właśnie. One nie mogą wyjść. Nic nie będą mogły zrobić, a my sobie powęszymy! I to będzie niezłe dopełnienie po tym, jak załatwiliśmy je wczoraj.

– Wojna psychologiczna. – Glenna skinęła głową. – Rozumiem.

– Tak – zgodziła się Blair – a do tego może jeszcze zdobędziemy jakieś informacje. Zobaczymy wszystko, co się da, zaznaczymy na mapie drogi dojazdu i ucieczki i zrobimy, co w naszej mocy, żeby pokazać im, że tam byliśmy.

– Gdyby udało się nam kilka z nich wywabić... Albo wejść tak głęboko do jaskiń, żeby narobić im trochę kłopotu. Ogień – powiedział Larkin. – Musi być jakiś sposób, żeby podłożyć ogień w jaskini.

– Niezły pomysł – uznała Blair po chwili namysłu. – Tej suce przyda się dobre lanie. Przygotujemy się i pojedziemy uzbrojeni, ale cicho i ostrożnie. Nie chcemy, żeby jakiś turysta albo miejscowy wezwał policję, przed którą musielibyśmy się tłumaczyć z furgonetki pełnej broni.

– Zostawcie ogień Glennie i mnie. – Hoyt wstał.

– Dlaczego?

W odpowiedzi Glenna wyciągnęła dłoń, na której pojawiła się kulka ognia.

– Ładne – uznała Blair.

– A Cian? – Moira wróciła do zmywarki. – On nie może wyjść z domu.

– No to zostanie – odpowiedziała Blair spokojnie. – Larkin, jeśli skończyłeś, to idź i zapakuj broń.

– Mamy w wieży kilka rzeczy, które mogą się przydać. – Glenna przesunęła palcami po ramieniu męża. – Hoyt?

– Nie możemy tak go zostawić, nie mówiąc, dokąd jedziemy.

– Chcesz obudzić wampira o tej porze dnia? – Blair wzruszyła ramionami. – No dobrze. Miłej pogawędki.

Cian nie obawiał się, że ktoś mu przerwie wypoczynek. Doszedł do wniosku, że zamknięte na klucz drzwi sypialni są jasnym sygnałem dla każdego, kto chciałby zakłócić mu spokój. Ale takie drobiazgi nigdy nie powstrzymywały jego brata, dlatego teraz siedział, obudzony w środku dnia i słuchał planów Hoyta.

– A zatem, jeżeli dobrze rozumiem, obudziłeś mnie, żeby mi powiedzieć, że jedziecie do Kerry powęszyć po jaskiniach?

– Nie chcieliśmy, żebyś się obudził i zobaczył, że nikogo nie ma.

– Moje największe marzenie. – Cian machnął leniwie ręką. – Najwidoczniej dobra, krwawa walka nie wystarczyła naszej łowczyni.

– Wizyta w jaskiniach to dobry pomysł.

– Ostatnim razem gdy tam byliśmy, nie poszło nam zbyt dobrze, prawda?

Hoyt milczał przez chwilę, myśląc o utracie Kinga.

– Poprzednim razem też nie skończyło się to dobrze, ani dla ciebie, ani dla mnie – dodał Cian. – Ty ledwo mogłeś chodzić, a ja zleciałem na łeb na szyję z pieprzonego klifu. Tamto wszystko nie należy do moich najszczęśliwszych wspomnień.

– Wtedy było inaczej i ty dobrze o tym wiesz. Teraz jest biały dzień, a ona nie wie, że przyjdziemy. Tylko, niestety, ty nie możesz pojechać z nami.

– Jeśli myślisz, że będę cierpiał z tego powodu, to jesteś w błędzie. Mam mnóstwo pracy. Telefony, mejle, które zaniedbywałem przez ostatnich kilka tygodni. Ciągle prowadzę interesy wymagające uwagi i skoro już wyciągnąłeś mnie z łóżka w środku cholernego dnia, to równie dobrze mogę się tym wszystkim zająć. I uwierz mi, pozbycie się z domu na kilka godzin piątki hałaśliwych istot ludzkich to czysta przyjemność.

Wstał, podszedł do biurka i zapisał coś na kartce.

– Jak już wychodzicie, to pojedźcie pod ten adres. To rzeźnik w Ennis, sprzeda wam krew. Świńską – dodał z szyderczym uśmiechem, wręczając bratu kartkę. – Zadzwonię do niego, więc będzie wiedział, że ktoś przyjedzie. Nie musisz mu płacić, mam otwarty rachunek.

Hoyt zauważył, że pismo brata zmieniło się przez te wszystkie lata. Tak wiele rzeczy uległo zmianie.

– Czy on się nie zastanawia dlaczego...

– Nawet jeśli tak, to jest na tyle mądry, by nie pytać. I bez wątpienia nie przeszkadza mu, że zarobi kilka euro. Taka tu jest teraz moneta.

– Wiem, Glenna mi wytłumaczyła. Wrócimy przed zmierzchem.

– Lepiej by było dla was – ostrzegł Cian, gdy Hoyt już wychodził.

Blair wrzuciła tuzin kołków do plastikowego wiadra. Miecze, topory i kosy zostały już zapakowane, wszystkie wzbogacone ogniem. Ciekawe, jak wytłumaczą się z takiego arsenału, jeśli zostaną zatrzymani, ale Blair nie zamierzała węszyć w gnieździe wampirów nieuzbrojona po zęby.

– Kto prowadzi? – zapytała Glennę.

– Ja znam drogę.

Blair stłumiła chęć objęcia dowodzenia i usiadła z tyłu za fotelem kierowcy.

– Hoyt, a ty byłeś kiedyś w tych jaskiniach? Chyba skały nie zmieniają się tak bardzo w ciągu wieków.

– Wiele razy. Ale teraz wyglądają inaczej.

– Razem tam byliśmy – wyjaśniła Glenna. – Z pomocą magii. Hoyt i ja rzuciliśmy czar przed wyjazdem z Nowego Jorku. To było niesamowite przeżycie.

– Opowiedz mi.

Blair słuchała, odtwarzając w myślach drogę, charakterystyczne punkty w terenie, układ skał.

Oczyma duszy widziała wszystko, o czym mówiła Glenna. Labirynt tuneli, komnaty za grubymi drzwiami, ciała rzucone na stosy niczym śmieci. Ludzie zamknięci w klatkach jak bydlęta. I słyszała dźwięki: płacz, krzyki, modlitwy.

– Luksusowe apartamenty dla wampirów – mruknęła. – Ile wejść?

– Nie wiem. Za moich czasów w jaskiniach było mnóstwo grot: jedne tak wąskie, że z trudem mogłoby się do nich wczołgać dziecko, inne tak duże, że z łatwością stanąłby w nich mężczyzna. Teraz jest więcej tuneli, są szersze i wyższe, niż zapamiętałem.

– A zatem kopała. Miała mnóstwo czasu, żeby uwić sobie gniazdko.

– Moglibyśmy je odciąć – zaczął Larkin, ale Moira popatrzyła na niego ze zgrozą.

– W środku są ludzie. Zamknięci w klatkach jak zwierzęta. Ciała rzucone na stos nawet bez łaski pogrzebu.

Larkin przykrył jej dłoń swoją, ale nic nie powiedział.

– Nie uda nam się ich uwolnić. Dlatego on milczy. – Ale trzeba to powiedzieć, pomyślała Blair. – Nawet jeśli kilkoro z nas porwałoby się na samobójczą misję, nic byśmy nie osiągnęli. My umieramy, oni też. Przykro mi, ale ocalenie więźniów jest niemożliwe.

– Możemy rzucić czar – nalegała Moira. – Coś, co oślepi lub unieruchomi wampiry, tylko na chwilę, żebyśmy mogli uwolnić ludzi.

– Próbowaliśmy ją oślepić. – Glenna zerknęła na Moirę w lusterku wstecznym, próbując pochwycić jej spojrzenie. – Nie udało się nam. Może czar alokacji. – Popatrzyła na Hoyta. – Czy potrafilibyśmy przetransportować człowieka?

– Nigdy tego nie robiłem. Ryzyko...

– Oni tam umrą. Wielu już nie żyje. – Moira podskoczyła na fotelu i złapała Hoyta za ramiona. – Jakie ryzyko może być większe niż śmierć?

– Moglibyśmy wyrządzić im krzywdę. Użycie czaru, który rani...

– Możecie ich ocalić. Jak myślisz, jakiego wyboru sami by dokonali? Co ty byś wybrał?

– Ona ma rację. – Jeśliby im się udało, pomyślała Blair, jeśli ocaliliby choć jednego człowieka, byłoby warto. I dokopaliby Lilith. – Jest jakaś szansa?

– Musisz widzieć to, co przenosisz z jednego miejsca w drugie – odpowiedział Hoyt. – I masz większe szanse powodzenia, jeśli znajdujesz się blisko przenoszonego obiektu. My musielibyśmy transportować ich przez skałę, nic nie widząc.

– Niekoniecznie – zaprotestowała Glenna. – Pomyślmy o tym, porozmawiajmy.

Gdy tamci dwoje rozmawiali – kłócili się i dyskutowali – Blair spróbowała się wyłączyć. Ładny dzień, pomyślała. Słońce zalewające promieniami całą zieleń. Rozległy, piękny płat zieleni, a na niej leniwie skubiące trawę krowy. Turyści ruszyli na wycieczki, korzystając z pogody po wczorajszej burzy. Robią zakupy w miasteczkach albo jadą obejrzeć Klify Mohr i robią zdjęcia dolmenom* Burren**.

Kiedyś ona robiła to samo.

– Czy Geallia wygląda podobnie?

– Nawet bardzo – odpowiedział Larkin. – Tu jest prawie tak samo jak u nas, oczywiście oprócz dróg, samochodów i większości budynków. Ale sam krajobraz tak, jest bardzo podobny.

– Co wy tam robicie?

– Z czym?

– No, jakoś trzeba zarabiać na życie, prawda?

– Och. Pracujemy w polu, rzecz jasna. I hodujemy konie na sprzedaż. Piękne zwierzęta. Mojemu ojcu brakuje rąk do pracy. Pewnie nie myśli teraz o mnie zbyt serdecznie.

– Jestem przekonana, że zrozumie, jak się dowie, że ratowałeś świat. – Powinna była się domyślić, że Larkin pracuje rękami, były takie mocne i twarde. Poza tym wyglądał na człowieka, który większość czasu spędzał na powietrzu, z tymi świetlistymi pasmami we włosach i jasnozłotym odcieniem skóry.

* Dolmen – grobowiec z płyt przykrytych masywnym blokiem.
** Burren – wapienny płaskowyż w hrabstwie Clare.

Hej, spokój, hormony. Larkin był tylko jednym z członków drużyny, do której została wciągnięta. Rozsądnie jest wiedzieć wszystko, co możliwe, o kimś, kto ma walczyć u twojego boku, ale musiała stłumić rodzące się pożądanie.

– A zatem jesteś rolnikiem.

– W sumie tak.

– Skąd rolnik umie tak dobrze władać mieczem?

– Ach. – Odwrócił się do niej i na chwilę stracił wątek. Oczy Blair były tak głębokie i błękitne... – Mamy turnieje. Gry. Lubię grać i lubię wygrywać.

To także Blair potrafiła sobie wyobrazić, choć pewnie bardziej w stylu hollywoodzkim niż geallickim.

– Tak, ja też lubię wygrywać.

– A zatem ty także lubisz gry?

W pytaniu krył się zalotny, seksowny podtekst. Musiałaby nie mieć mózgu, żeby tego nie zauważyć. Albo hibernować od miesięcy, żeby nie poczuć lekkiego dreszczu.

– Nie bardzo, ale kiedy już gram, to wygrywam.

Larkin przerzucił ramię przez oparcie fotela Blair.

– W niektórych grach obie strony zwyciężają.

– Być może. Tylko że ja się nie patyczkuję w walce.

– Zabawa pomaga w walce, nie sądzisz? A turnieje mają nas przygotować do tego, co się wydarzy. W Geallii jest wielu mężczyzn i parę kobiet, którzy świetnie sobie radzą z mieczem i kopią. Jeśli nadejdzie wojna – jak nam przepowiedziano – wystawimy armię.

– Będzie nam potrzebna.

– A co ty robisz? Glenna mówiła, że tutaj kobiety muszą zarabiać na życie. W każdym razie większość. Płacą ci monetami za ściganie demonów?

– Nie. – Larkin jej nie dotykał i Blair nie mogła powiedzieć na pewno, że próbował ją poderwać, ale czuła to przez skórę.

– To nie do końca tak. Mamy trochę pieniędzy w rodzinie. Nie tarzamy się w złocie, ale mamy pewne zaplecze. Jesteśmy właścicielami kilku pubów w Chicago, Nowym Jorku, Bostonie.

– Puby? Lubię dobry pub.

– A kto nie? W każdym razie ja trochę kelneruję. I trenuję ludzi.

Zmarszczył brwi.

– Trenujesz? Do walki?

– Niezupełnie, oni ćwiczą raczej dla zdrowia i z próżności. No wiesz, pomagam ludziom schudnąć, wyrzeźbić sylwetkę. Nie potrzeba mi wiele pieniędzy, więc wszystko gra. Mam też trochę swobody, zawsze mogę wyjechać, jeśli muszę.

Zerknęła na Moirę, która wpatrywała się w okno jak we śnie. Z przodu Glenna i Hoyt wciąż dyskutowali o magii. Blair nachyliła się do Larkina i zniżyła głos.

– Słuchaj, może naszym zakochanym gołąbkom uda się ten numer z transportacją, a może nie. Jeśli nie, to będziesz musiał poskromić swoją kuzynkę.

– Nie mogę poskromić Moiry. – Na jego twarzy pojawił się błysk rozbawienia.

– Oczywiście, że możesz. Jeśli nadarzy się szansa na wysadzenie w powietrze którejś z jaskiń, będziemy musieli to zrobić.

Twarze mieli teraz o centymetr od siebie, głosy zniżone do szeptu.

– A ludzie w środku? Spalimy ich albo pogrzebiemy żywcem? Ona tego nie zaakceptuje. Ja też nie.

– Wiesz, jakie tortury teraz znoszą?

– Nie z naszej winy.

– Uwięzieni w klatkach i maltretowani. – Blair nie spuszczała z niego wzroku, jej głos brzmiał głucho. – Zmuszeni patrzeć, jak potwory wyciągają z klatki jednego z nich, żeby stał się żerem dla wampirów. Śmiertelnie przerażeni, nie wiedzą, kto będzie następny. Może mają nadzieję, że umrą i to wszystko wreszcie się skończy.

Z twarzy i głosu Larkina zniknęło rozbawienie.

– Wiem, co wampiry robią z ludźmi.

– Wydaje ci się, że wiesz. Może nie wysysają całej krwi, nie za pierwszym razem. Może nie za drugim. Wrzucają ich z powrotem do klatki. Miejsce ukąszenia pali. Jeśli przeżyjesz, wszystko cię piecze. Ciało, krew, kości przypominają o niemożliwym do zniesienia bólu, gdy te kły zatopiły się w tobie.

– Skąd wiesz?

Blair odwróciła nadgarstek tak, by Larkin mógł zobaczyć bladą bliznę.

– Miałam osiemnaście lat, byłam na kogoś wkurzona i nieostrożna. Czekałam na cmentarzu w Bostonie, aż jeden z nich powstanie. Chodziłam z tym chłopakiem do szkoły, byłam na jego pogrzebie i usłyszałam wystarczająco dużo, żeby się zorientować, że został ukąszony. Musiałam się dowiedzieć, czy został przemieniony, więc tam poszłam.

– On to zrobił? – Larkin przesunął palcem po bliźnie.

– Miał pomoc. Nie ma mowy, żeby nowemu udało się coś takiego. Ale wrócił ten, który go stworzył. Starszy, sprytniejszy, silniejszy. Popełniłam kilka błędów, a on ani jednego.

– Dlaczego byłaś tam sama?

– Tak właśnie poluję: sama – przypomniała mu. – Ale w tym wypadku chciałam coś komuś udowodnić. Nieważne, tyle że dlatego byłam nieostrożna. Ten starszy mnie nie ugryzł, trzymał mnie, a ten drugi pełzł w moją stronę.

– Poczekaj. Możesz mi powiedzieć, po co tworzą następne? Żeby zdobyć...

– Jedzenie?

– Tak, chyba tak to trzeba nazwać, prawda?

To było dobre pytanie, uznała Blair, dobrze, że chciał poznać psychologię wroga.

– Czasami, ale nie zawsze. Według mnie to zależy od wampira, czy tylko wypije krew, czy powoła następnego. One mogą się przywiązać do człowieka albo po prostu potrzebują kumpla do polowania czy kogoś młodszego do czarnej roboty. Rozumiesz, żeby dla nich pracował.

– Rozumiem. A zatem starszy cię trzymał, żeby młodszy mógł napić się pierwszy. – Jakie to musiało być przerażające, pomyślał. Była unieruchomiona, prawdopodobnie ranna, miała osiemnaście lat i znajdowała się tam sama, a potwór o znajomej twarzy pełzł, żeby wyssać z niej krew.

– Był tak młody, że czułam od niego zapach grobu, i zbyt głodny, żeby doskoczyć do gardła, dlatego ugryzł mnie tutaj. I to był błąd ich obu. Ból mnie otrzeźwił. Nie da się go opisać.

Blair zamilkła na chwilę. Sposób, w jaki Larkin dotykał jej blizny, jak gdyby chciał uleczyć starą ranę, zbił ją z tropu. Nie pamiętała, kiedy ostatni raz ktoś tak jej dotykał, próbując przynieść ulgę.

– W każdym razie udało mi się złapać krzyż i wbiłam go prosto w oko sukinsyna, tego, który mnie trzymał. Jezu, ale wrzeszczał! Drugi był tak zajęty jedzeniem, że niczym innym się nie przejmował. To był łatwy łup. Właściwie obaj okazali się łatwą zdobyczą.

– Byłaś jeszcze bardzo młoda.

– Nie. Byłam łowczynią wampirów, a zachowałam się jak idiotka. – Popatrzyła Larkinowi prosto w oczy, chcąc mu pokazać, że współczucie nie miało szans w konfrontacji ze zdrowym rozsądkiem i strategią. – Gdyby skoczył mi do gardła, już bym nie żyła. Byłabym martwa i nie rozmawiałabym z tobą teraz. Wiem, co czułam, gdy ten potwór się do mnie zbliżał. W eleganckim, czarnym garniturze, który matka wybrała mu do trumny. Wiem, co czują ludzie w tych jaskiniach, przynajmniej części tego doświadczyłam. Nie można ich ocalić a, śmierć jest lepsza niż to, co ich czeka.

Larkin zamknął dłoń na jej nadgarstku, zupełnie zakrywając bliznę. Blair była zaskoczona jego delikatnością.

– Kochałaś tego chłopca?

– Tak. Cóż, w każdym razie, tak jak się kocha w tym wieku. – Niemal zapomniała, jaki smutek ogarnął ją wtedy mimo bólu. – Jedyne, co mogłam dla niego zrobić, to zabić jego i potwora, który go stworzył.

– To kosztowało cię dużo więcej. – Larkin uniósł jej dłoń i musnął bliznę ustami. – Więcej niż ból i ranę.

Blair prawie zapomniała, jak rozmawia się z kimś, kto cię rozumie.

– Może tak, ale nauczyłam się też czegoś ważnego. Nie można ocalić wszystkich.

– To smutna lekcja. Nie sądzisz, że nawet jeśli o tym wiesz, i tak powinnaś próbować?

– Gadka amatora. To nie jest gra ani turniej. Ktoś będzie lepszy od ciebie i umierasz.

– No cóż, nie ma tu Ciana, żeby zabrał głos w tej kwestii, ale czy chciałabyś żyć wiecznie?

Blair roześmiała się wesoło.

– Do diabła, nie.

Na rozległym klifie byli ludzie, jednak nie tak wielu, jak spodziewała się Blair. Widok zapierał dech w piersiach, ale przypuszczała, że w okolicy były inne równie piękne, lecz łatwiej dostępne miejsca.

Zaparkowali i wzięli z samochodu tylko te narzędzia i broń, które mogli ukryć. Blair uznała, że ktoś mógłby dostrzec miecz schowany pod długim, skórzanym płaszczem, ale musiałby dokładnie jej się przyglądać. A nawet jeżeli, to co mógłby zrobić?

Notowała w pamięci rozkład terenu, drogę, zaparkowane samochody. Para w średnim wieku wspięła się na skały w miejscu, gdzie klif łączył się z drogą, i wpatrywała w morze nieświadoma koszmaru, który rozgrywał się pod ich stopami.

– No dobrze, to przez murek i w dół. Trochę się zmoczymy – zakończyła, patrząc na wąski kawałek łupku i zęby skał otoczone spienioną wodą, po czym przeniosła wzrok na towarzyszy. – Poradzicie sobie?

W ramach odpowiedzi Larkin przeskoczył przez mur. Blair już miała krzyknąć, żeby zaczekał minutę, ale on bez wysiłku zwiesił się ze skały nad spienionym morzem.

Nie zmienił się w jaszczurkę, jednak poruszał się zupełnie jak ona. Blair musiała postawić mu szóstkę za odwagę i zwinność.

– No dobrze, Moira, powoli. Jeśli się obsuniesz, twój kuzyn powinien zamortyzować upadek.

Moira przeszła przez mur, a Blair popatrzyła na Glennę.

– Nigdy nie wspinałam się na skałki – wymamrotała Glenna. – Nigdy nie wiedziałam, po jaką cholerę. Aż do teraz. Zawsze musi być ten pierwszy raz.

– Nic ci nie będzie. – Blair nie spuszczała oczu z Moiry i zobaczyła z ulgą, że dziewczyna okazała się równie zwinna jak jej kuzyn. – Skała nie jest aż tak stroma, jak wygląda. Nie zabijesz się.

Nie dodała, że gdyby spadła, połamałaby sobie kości, nie musiała. Hoyt i Glenna przeszli przez mur razem, a Blair za nimi.

Okazało się, że mieli nawet czego się chwycić – o ile nie martwiłeś się o manikiur. Blair skupiła się na każdym kroku, ignorując zimne krople, które osiadały na jej skórze.

Ponad metr nad ziemią schwyciły ją w talii czyjeś ręce i postawiły na ziemi.

– Dzięki – powiedziała do Larkina – ale radzę sobie.

– Trochę niewygodnie z mieczem. – Popatrzył w górę na drogę. – Ale i tak niezła zabawa.

– Nie traćmy czasu, one pewnie mają strażników. Może jacyś ludzcy służący, chociaż trudno by było utrzymać ich przy życiu, jeśli w środku jest tyle wampirów, ile udało się wam zobaczyć.

– Nie widziałam, żeby jacyś ludzie byli poza klatkami – powiedziała Glenna. – Nie wtedy, gdy patrzyliśmy.

– Teraz możecie to obejrzeć na żywo, więc jeśli mają ludzi na usługach, to właśnie ich poślą. Hoyt, lepiej ty prowadź, skoro znasz okolicę.

– Jest inaczej, zrozumcie, inaczej niż wtedy. – W jego głosie zabrzmiał żal i smutek. – Droga nad nami, mur, ta wieża ze światłem.

Podniósł wzrok i zobaczył swoje klify, występ, który ocalił mu życie, kiedy walczył z bestią, którą stał się Cian. Kiedyś, pomyślał, stał tutaj i wzywał pioruny z równą łatwością, jak człowiek woła psa.

Wszystko się zmieniło, nie mógł temu zaprzeczyć, ale istota tego miejsca wciąż należała do niego. Ruszył przez skały.

– Tutaj powinna być jaskinia. Ale tu nie ma nic oprócz...

Położył dłoń na skale.

– To nie jest prawdziwe. To magia.

– Może trochę się pogubiłeś... – zaczęła Blair.

– Poczekaj. – Glenna podeszła do skały i też przyłożyła do niej dłoń. – Zapora.

– Wyczarowana – dodał Hoyt – żeby wyglądała i przypominała w dotyku skałę, ale to złudzenie.

– Możecie złamać ten czar? – Larkin uderzył pięścią w kamień.

– Poczekajcie. – Blair zmarszczyła brwi, przeczesując palcami wilgotne włosy. – Ona musi mieć kogoś o wystarczająco dużej mocy, aby zrobił coś takiego, a nie wiemy, jakie jeszcze pułapki zastawiła. Sprytnie. – Blair sama uderzyła ręką w skałę. – Naprawdę sprytnie. Nikt nie wejdzie, chyba że ona pozwoli.

– I co, tak po prostu sobie pójdziemy? – zapytał Larkin.

– Tego nie powiedziałam.

– Są jeszcze inne wejścia, szczeliny w skałach. Były – poprawił się Hoyt. – To potężne zaklęcie.

– I nikt się nie zastanawia – ani turyści, ani mieszkańcy – co się z nimi stało. – Blair skinęła głową. – Ona potrzebuje prywatności. Będziemy musieli ją rozczarować. – Odwróciła się z rękami wspartymi na biodrach. – Hej, Hoyt, moglibyście z Glenną wyryć wiadomość na tej wielkiej skale?

– Możemy.

– Musimy coś wymyślić, bo „kij ci w dupę, suko" wydaje się trochę zbyt wulgarne.

– Drżyj – podpowiedziała Moira i Blair z aprobatą skinęła głową.

– Świetnie. Krótko, na temat i zuchwale. Zajmijcie się tym, dobrze? I przejdziemy do dalszej części programu.

– A jaka ona jest? – chciał wiedzieć Larkin. Sfrustrowany kopnął w skałę. – Jeszcze lepszą wiadomością byłoby złamanie tego czaru.

– Tak, ale w tej chwili Lilith nie wie, że tu jesteśmy, co daje nam przewagę. – Usłyszała odgłos przypominający cichy strzał i ujrzała wyraz „drżyj" wyryty głęboko w skale, a pod nim rysunek, który, jak przypuszczała, przedstawiał królową wampirów.

– Hej, dobra robota. Naprawdę podoba mi się ten rysunek.

– Trochę ozdobny. – Glenna otrzepała ręce. – Ale jestem malarką i nie mogłam się oprzeć.

– Czego potrzebujecie, żeby rzucić czar przeniesienia?

Glenna wypuściła ze świstem powietrze.

– Czasu, przestrzeni, skupienia i cholernie dużo szczęścia.

– Nie stąd. – Hoyt potrząsnął głową. – Bez względu na to, ile czasu upłynęło, klify należą do mnie. Rzucimy czar z góry. – Odwrócił się do Glenny. – Najpierw musimy zobaczyć, inaczej nic nie przetransportujemy. Jest bardzo prawdopodobne, że nas wyczuje i zrobi wszystko, by nas powstrzymać.

– Może nie od razu. Tym razem nie będziemy szukać jej, tylko ludzi. Może nie zorientuje się, co robimy, i da nam trochę czasu. Hoyt ma rację, lepiej to zrobić na klifie. – Glenna odwróciła się do Blair. – Jeśli uda nam się kogoś wydostać, to i tak nie będziemy chcieli przenieść go tutaj.

– Słusznie. – Może nie uda im się zdobyć wielu informacji podczas tej wycieczki, pomyślała Blair, ale też nie odejdą z pustymi rękami. – A co z nimi zrobimy, jeśli nam się uda?

– Zabierzemy w bezpieczne miejsce. – Glenna uniosła dłonie. – Wszystko po kolei.

– Mogę spróbować wam pomóc – zaoferowała się Moira. – Nie mam wiele magii, ale mogę spróbować.

– Przyda się każda odrobina – powiedziała Glenna.

– Dobrze, więc wy troje wracajcie na górę. Larkin i ja zostaniemy tu, na wypadek gdyby... Cóż, na wszelki wypadek. Cokolwiek tędy wyjdzie, żeby przysporzyć nam kłopotów, musi być człowiekiem, a z tym sobie poradzimy.

– To może trochę potrwać – uprzedziła ją Glenna.

Blair popatrzyła na niebo.

– Jeszcze długo będzie jasno.

Poczekała, aż zaczną się wspinać, i powiedziała do Larkina:

– Nie możemy wejść do środka. Jeśli te magiczne sztuczki otworzą jaskinię, nie wolno nam tam wejść. Mówię poważnie. – Uderzyła go w ramię.

– Wiem, o czym myślisz.

– Och, umiesz czytać w myślach?

– Wpaść do środka, złapać pod pachę jedną lub dwie szlochające dziewice i wybiec jako bohater.

– Mylisz się co do bohatera, nie tego bym chciał. Ale mężczyźnie trudno jest oprzeć się szlochającej dziewicy.

– Musisz. Nie znasz tych jaskiń, nie wiesz, gdzie Lilith trzyma więźniów i ile tu jest wampirów ani jak są uzbrojone. Słuchaj, nie mówię, że ja też nie miałabym ochoty wpaść tam, zaatakować potwory, może ocalić komuś życie. Ale nigdy nie wyszlibyśmy stamtąd żywi – ani my, ani nikt inny.

– Mamy miecze zaczarowane przez Glennę i Hoyta. Ogniste miecze.

Blair usiłowała stłumić gniew. Tłumaczenie podstawowych zasad strategii było takie irytujące.

– I pewnie zabilibyśmy kilka wampirów, ale po chwili to one miałyby nas na mieczach.

– Rozumiem, co do mnie mówisz, jednak tak trudno jest stać z boku i nic nie robić.

– Coś zrobimy, jeśli uda się ten magiczny patent. Zbyt dobrze radzisz sobie w walce, żebyśmy mieli cię stracić.

– Och, jaki komplement. Nie szafujesz nimi zbyt często. – Uśmiechnął się szeroko, a w jego włosach zalśniły krople wody. – Nie wejdę do środka. Daję ci na to moje słowo. – Wyciągnął dłoń. Gdy Blair ją ujęła, ścisnął lekko jej palce. – Ale nic nas nie może powstrzymać przed rozpaleniem małego ogniska, jeśli ta cholerna skała stanie otworem. Coś w rodzaju przesłania, jakbyś powiedziała.

- Chyba tak. Tylko się nie zagalopuj, Larkinie.
- Obawiam się, że taki się urodziłem. Co człowiek może na to poradzić? Odwrócił się twarzą do skały i oparł o mokry kamień. Blair zauważyła, że wyglądał na zrelaksowanego, jakby siedział w salonie przy kominku.
- Skoro mamy teraz trochę czasu, to może opowiesz mi, jak to się stało, że zostałaś łowczynią demonów?
- Chcesz usłyszeć historię mojego życia? Teraz?

Larkin wzruszył ramionami.

- Dobry sposób na zabicie czasu. I muszę przyznać, że jestem ciekaw. Gdybym był w Geallii, nie uwierzyłbym w to wszystko, ale teraz... cóż... – Popatrzył w zamyśleniu na ścianę ze skał i ziemi. – Co człowiek może poradzić? – powtórzył.

Blair uznała, że miał rację. Stanęła obok niego tak, by mieć na oku drugi koniec klifu.

- Miałam cztery lata.
- Byłaś mała. Bardzo młoda jak na pojęcie istnienia tak ciemnych sił, zrozumienie, że są prawdziwe, że nie są tylko mrokiem, w którym dziecko widzi potwory.
- W mojej rodzinie jest trochę inaczej. Myślałam, że to będzie mój brat. Byłam zazdrosna, to chyba normalne, rywalizacja między rodzeństwem. – Wsunęła ręce do kieszeni płaszcza i zaczęła się bawić plastikową butelką święconej wody, którą zabrała przed wyjściem. – On musiał mieć z sześć lat, może sześć i pół. Ojciec uczył go podstaw walki wręcz i władania bronią. W domu panowała bardzo napięta atmosfera. Małżeństwo moich rodziców było w przededniu rozpadu.
- Dlaczego?
- To się zdarza. – Może w jego świecie niebo było zawsze błękitne, a miłość trwała wiecznie. – Ludzie czują się sfrustrowani, uczucia ulegają zmianie. Do tego moja matka miała dość takiego życia i tego, co oddalało od niej ojca. Pragnęła normalności i popełniła błąd, wychodząc za kogoś, kto nigdy nie mógł jej tego dać. Ona była zajęta kłótniami z ojcem, a on ignorowaniem jej i uczeniem mojego brata.

Co oznaczało, pomyślał Larkin, że nikt nie zwracał uwagi na Blair. Biedna dziewczynka.

- Ciągle chodziłam za ojcem i prosiłam, żeby ze mną też ćwiczył, albo próbowałam robić to, co mój brat.
- Mój młodszy brat chodził za mną jak cień. Chyba to się nie zmienia bez względu na czasy.
- Męczył cię? Przeszkadzał? – zapytała.
- Och, czasami doprowadzał mnie do szaleństwa. Ale na ogół mi nie przeszkadzał. Łatwiej było go zaczepiać, kiedy znalazł się blisko. I jeszcze inni, cóż, niezła z nas była gromadka.
- Prawie tak samo było ze mną i moim bratem. Tamtego dnia trenowali razem w sali ćwiczeń – większość rodzin ma w tym pokoju salon. – Ale trzeba najpierw być rodziną. – Mieliśmy tam wszystko, ciężarki, worek treningowy, drabinki. Całą jedną ścianę pokrywały lustra.

Blair wciąż widziała to w myślach, odbicie jej ojca i brata ćwiczących razem, podczas gdy ona stała z boku. Sama.

– Patrzyłam na nich w lustrze. Nie wiedzieli, że tam jestem. Ojciec rugał mojego brata, bo Mickowi nic się nie udawało. Przewrót do tyłu – wymruczała – skocz, przeturlaj się przez ramię, rzuć kołkiem do celu. Mick po prostu nie mógł tego zrobić, a mój ojciec się uparł, że go nauczy. W końcu Mick też się wkurzył i rzucił kołkiem przez pokój.

Pamiętała, że drewno niemal otarło się o jej palce, jak gdyby było przeznaczone dla jej dłoni.

– Kołek upadł wprost pod moje stopy. Wiedziałam, że mogę to zrobić. Chciałam pokazać ojcu, że potrafię. Chciałam tylko, żeby na mnie spojrzał, i zawołałam: „Hej, tato, popatrz na mnie". Zrobiłam tak jak on, gdy pokazywał to w nieskończoność Mickowi.

Zamknęła na chwilę oczy, bo wciąż widziała siebie w tamtej chwili, wciąż to czuła. Jak gdyby świat się zatrzymał i przez kilka sekund tylko ona była w ruchu.

– Trafiłam w dziesiątkę. Byłam taka szczęśliwa. Spójrz, co zrobiłam! Mickowi oczy wyszły z orbit, a potem... uśmiechnął się lekko, tylko trochę. Wtedy nie wiedziałam, co oznaczał ten uśmiech. Myślałam, że brat cieszył się z mojego sukcesu, bo byliśmy ze sobą dosyć blisko. Mój ojciec nic nie mówił przez kilka sekund i pomyślałam, że na mnie nakrzyczy.

– Za to, że zrobiłaś coś dobrze?

– Że im przeszkodziłam. No, niezupełnie nakrzyczy. Ojciec nigdy nie podnosił głosu, zawsze miał wszystko pod kontrolą. Przypuszczałam, że każe mi iść do matki. Wiesz, odsunie mnie. Ale nie zrobił tego. Powiedział Mickowi, żeby poszedł na górę, i zostaliśmy sami. Tylko mój ojciec i ja – i wreszcie na mnie patrzył.

– Musiał być z ciebie bardzo dumny.

– Do diabła, nie. – Roześmiała się krótko i niewesoło. – Był rozczarowany. To właśnie zobaczyłam, kiedy ojciec w końcu na mnie spojrzał. Był zawiedziony, że to ja, a nie Mick. Teraz był na mnie skazany.

– On na pewno... – Larkin zamilkł, gdy Blair odwróciła się i popatrzyła mu w oczy. – Przepraszam. Przykro mi, że tak cię potraktował.

– Nie możesz zmienić tego, jaki jesteś. – Kolejna lekcja, której nauczyła się w bolesny sposób. – Zaczął ze mną trenować, a Mick grał w baseball. To dlatego wtedy się uśmiechnął. Czuł ulgę, radość. Mick nigdy nie chciał tego, czego pragnął dla niego ojciec. Był bardziej podobny do matki. Kiedy odeszła i złożyła pozew o rozwód, zabrała Micka, a ja zostałam z ojcem. Dostałam to, czego chciałam, mniej więcej.

Zesztywniała, gdy Larkin ją objął, ale kiedy próbowała się odsunąć, on tylko zacisnął dłoń na jej ramieniu.

– Nie znam twojego ojca ani brata, ale wiem, że wolę być tu z tobą niż z którymkolwiek z nich. Walczysz jak anioł zemsty. I ładnie pachniesz.

Tak ją zaskoczył, że Blair roześmiała się serdecznie i zrelaksowana oparła głowę o mokrą skałę, nie odtrącając jego ramienia.

3

*N*a klifach krąg był gotowy. Od czasu do czasu słyszeli samochód przejeżdżający biegnącą niżej drogą, ale na górę nikt nie wchodził, nie robił zdjęć ani nie podziwiał krajobrazu.

Być może, pomyślał Hoyt, bogowie robili, co w ich mocy.

– Jakie dzisiaj czyste niebo. – Moira popatrzyła do góry. – Ani jednej chmurki.

– Powietrze jest tak przejrzyste, że widać przez wodę Gallimh.

– Gallway. – Glenna zbierała moc i odwagę. – Zawsze chciałam tam pojechać, zobaczyć zatokę, powłóczyć się po uliczkach.

– Pojedziemy. – Hoyt ujął jej dłoń. – Po Samhainie. Teraz będziemy szukać i znajdziemy. Wiesz na pewno, dokąd mamy przenieść ludzi, jeśli damy radę kogoś uwolnić?

Glenna skinęła głową i wzięła Moirę za rękę.

– Skup się – poleciła jej. – I powtarzaj zaklęcie.

Poczuła to od Hoyta, pierwszą falę mocy, i schwyciła ją, pchając w tę samą stronę Moirę.

– W tym dniu i w tej godzinie wzywam Morrigan boginię i błagam, by przyszła z odsieczą, swą mocą i swą wiedzą. Pozwól nam zobaczyć, matko, w twoje imię, a w drodze do światła niech żadne z nas nie zginie.

– Pani – przemówił Hoyt. – Wbrew woli wroga pokaż nam więzionych pod tą ziemią. Pomóż nam odnaleźć maltretowanych.

– Oślep bestie, które łakną krwi. – Moira usiłowała się skupić, gdy powietrze zaczęło drgać wokół niej. – Nie pozwól niewinnym płacić za nie swoje winy.

– Bogini i matko – zawołali wszyscy razem – łączymy swe siły, by nocne potwory w dzień się objawiły. Szukamy, by dzięki twojej pomocy zobaczyć to, co kryje się w nocy.

Ciemność, wilgotne powietrze przesycone wonią zgnilizny i śmierci. Migoczące światło nagle wydobywające cienie z mroku. Szloch tak rozpaczliwy, tak ludzki, jęki i zawodzenie tych, którym zabrakło już łez.

Płynęli labiryntem tuneli, czując zimno, jakby były tam także ich ciała, a ich umysły drżały od tego, co widzieli.

Klatki, ustawione po trzy w rzędzie i po cztery do góry, upchnięte w jaskini skąpanej w sinozielonym świetle. Ich umysły widziały, mimo ciemności, kałuży krwi na podłodze, twarze przerażonych i oszalałych ludzi.

Patrzyli, jak wampir otworzył jedną z klatek i wyciągnął z niej kobietę. Jej płacz przypominał żałobne zawodzenie płaczek, a oczy wydawały się martwe.

– Lora się nudzi – powiedziała wampirzyca, ciągnąc ofiarę za włosy po brudnej podłodze. – Chce mieć nową zabawkę.

W jednej z klatek mężczyzna zaczął walić w pręty, wrzeszcząc:

– Wy sukinsyny! Skurwiele!

Po policzku Glenny spłynęła zimna łza.

– Hoyt.

– Spróbujemy. Tego, który krzyczy. Jest silny, to może nam pomóc. Skup się na nim, zobacz jego i nic więcej.

Glenna potrzebowała zaklęć tak samo jak widoku, więc zaczęła recytować, a Moira przyłączyła się do niej.

Ziemia zadrżała.

Larkin śpiewał. Coś o czarnowłosej pannie z Dara. Blair to nie przeszkadzało, miał czysty, miły dla ucha głos. Głos mężczyzny, pomyślała, który lubi śpiewać w pubie lub podczas przechadzki po polach. Melodia ją uspokajała, tak jak rytmiczny szum morza i ciepłe promienie słońca.

Do tego towarzystwo Larkina było miłą odmianą, zwykle czatowała sama.

– Nie masz przypadkiem przy sobie tej małej rzeczy z muzyką?

– Nie, przykro mi. Następnym razem kupię sobie parę ray-banów z wbudowanym odtwarzaczem MP trójek. Okulary przeciwsłoneczne. – Pokazała mu gestem, jak wyglądają, i doszła do wniosku, że Larkin wyglądałby cholernie seksownie w ciemnych okularach. – Z tym małym przedmiotem z muzyką w środku.

– Można nosić muzykę? – Twarz mu się rozjaśniła. – Macie świat pełen cudów.

– Nie byłabym taka pewna tych cudów, ale to na pewno świat technologii. Szkoda, nie pomyślałam, żeby zabrać odtwarzacz. – Łatwiej byłoby słuchać muzyki, niż rozmawiać. Do cholery, Blair była przyzwyczajona do samotnego polowania, a nie do pogaduszek i opowiadania swojego życiorysu.

To ją denerwowało.

– Szkoda, że nie mam swojej fajki.

– Fajki? – Odwróciła głowę. Fajka nie pasowała do tej złotej twarzy irlandzkiego boga. – Palisz fajkę?

– Czy palę? Nie, nie. – Uniósł ręce do twarzy i pomachał palcami. – Gram na fujarce, tak ją nazywam.

– Och, rozumiem. – Jego tęczówki miały kolor ciemnego, słodkiego miodu. Może i wyglądałby seksownie w okularach przeciwsłonecznych, pomyślała, ale szkoda by było zasłaniać takie oczy.

– A ty grasz na jakimś instrumencie?

– Ja? Nie. Nigdy nie miałam czasu się nauczyć. Chyba że liczyć bębnienie w wampiry. – Znowu pokazała, o co jej chodzi – wyglądało na to, że ciągle bawią się w rebusy – uderzając w powietrzu pięściami.

– Cóż, bez wątpienia twój miecz śpiewa. – Uderzył ją po przyjacielsku w ramię. – Nigdy niczego takiego nie słyszałem. I myślę sobie, że to dobre miejsce na bitwę. – Popukał rytmicznie palcami w rękojeść miecza. – Morze, skały, jasne słońce. Tak, to dobre miejsce.

– Pewnie, jeśli lubisz walczyć, nie mając drogi ucieczki, albo poślizgnąć się na skałach i utonąć.

Popatrzył na nią ze współczuciem i westchnął.

– Nie bierzesz pod uwagę atmosfery, jej dramatyzmu. Czy wampiry mogą utonąć?

– Nie bardzo. One... Czułeś to? – Oderwała się od skały, gdy ziemia pod ich stopami zadrżała.

– Czułem. Może czar zaczyna działać. – Larkin wyciągnął miecz i wbił wzrok w skałę przed nimi. – Może zaraz zobaczymy jaskinię.

– Jeśli nawet, to nie wchodzisz do środka. Dałeś słowo.

– I go dotrzymam – powiedział zirytowany. W miejsce grającego na fujarce romantyka pojawił się żołnierz. – Ale jeśli któryś z nich wystawi głowę, choćby trochę... Widzisz coś? Ja nie widzę żadnych zmian.

– Nie, nic. Może to magiczne trio na górze. Chyba mieli dosyć czasu, żeby coś zrobić. – Z dłonią na zatkniętym za pasek kołku podeszła tak blisko do urwistego krańca skały, jak mogła. – Nie widzę stąd. Potrafisz zmienić się w ptaka? Sokoła czy coś w tym stylu? Zobaczyć, co się tam dzieje?

– Oczywiście, że mogę, ale nie chciałbym zostawiać cię tu samej.

Blair poczuła, jak ogarnia ją złość. Znowu musiała tłumaczyć mu podstawowe zasady.

– Jestem na słońcu, wampiry nie mogą tu wyjść. Poza tym pracuję sama od dawna. Sprawdźmy, jak idzie naszym magikom, chciałabym wiedzieć, na czym stoimy.

Mógłby zrobić to szybko, pomyślał. Pofrunie w górę i z powrotem, a z nieba będzie mógł widzieć i ją, i to, co się dzieje na skałach.

Podał Blair swój miecz i przywołał w myślach sokoła. Jego obraz, wzrok, serce. Oblało go światło, a wtedy ręce Larkina zamieniły się w skrzydła, usta w dziób, palce w zakrzywione szpony. Poczuł krótki, zapierający dech w piersi ból.

A potem wolność.

Wystrzelił w górę, złoty sokół szybujący w przestworzach, i z okrzykiem triumfu zatoczył koło nad Blair.

– Kurczę. – Patrzyła, jak frunie, majestatyczny i wolny. Widziała już, jak zmieniał postać, i sama jechała na jego grzbiecie, gdy przeistoczył się w konia, ale i tak odebrało jej mowę.

– Ale to jest seksowne.

Ziemia wciąż drżała. Blair zacisnęła dłoń na mieczu Larkina i wyciągnęła własny. Morze ryczało za jej plecami, gdy wpatrywała się w skałę przed sobą.

Sokół pragnął fruwać i polować, ale człowiek w nim starał się przezwyciężyć instynkt drapieżnika. Zatoczył koło po niebie i wrócił.

Widział ich w dole, swoją kuzynkę, czarownicę i czarnoksiężnika, jak stali na wibrującej ziemi. W nich i wokół nich lśniło światło, potężne i białe, unosiło się spiralami do góry, wprawiając w drżenie powietrze tak samo jak ziemię.

Pochwycił go podmuch wiatru, szarpiący za pióra niczym chciwe palce. Słyszał głosy złączone w jeden i czuł ich moc, gorący strumień w wirującym powietrzu.

Nagle wiatr uderzył go z ogromną siłą, obrócił wokół własnej osi, kazał nurkować w dół.

Blair usłyszała krzyk sokoła i zobaczyła, jak Larkin spiralami leciał w stronę ziemi. Serce podeszło jej do gardła, gdy pikował, i zostało tam, nawet gdy wzbił się w górę, rozkładając skrzydła. Po chwili z gracją wylądował u jej stóp.

Przez moment widziała, jak mieszają się oba cienie, człowieka i sokoła, po czym stanął przed nią blady Larkin, próbując złapać oddech.

– Co to, do diabła, było? Co się stało? Myślałam, że spadniesz. Krew ci leci z nosa.

Jej głos dzwonił mu w uszach i Larkin potrząsnął głową.

– Nic dziwnego. – Wytarł krew. – Tam na górze coś się dzieje, coś naprawdę potężnego. Światło niemal mnie oślepiło, a wiatr był nie do zniesienia. Nie mogłem zobaczyć, czy nic im nie jest, lepiej chodźmy sprawdzić.

– Dobrze. – Już miała podać mu miecz, gdy ziemia się uniosła. Blair straciła równowagę i poleciała do przodu. Larkinowi udało się ją złapać, ale sam upadł na skały i mało brakowało, żeby oboje wpadli do morza.

– Przepraszam, przepraszam. – Ale gdyby się go nie schwyciła, toby spadła. – Jesteś ranny?

– Nie, tylko znowu straciłem przez ciebie oddech.

Chluśnięcie kolejnej fali przemoczyło ich do suchej nitki.

– Do diabła z tym. Wynośmy się stąd.

– Jestem za. Ostrożnie.

Objęli się nawzajem w pasie, próbując zachować równowagę. Z klifu zaczęły się toczyć kamienie i ziemia i wspinaczka stawała się coraz trudniejsza.

– Mogę nas zabrać do góry – powiedział Larkin. – Będziesz tylko musiała się mocno trzymać i...

Przerwał, bo skała zaczęła migotać i zmieniać się, otwierać.

– Proszę, proszę – wymruczał. – Co my tu mamy?

– Chyba czar zadziałał. Zbliżają się kłopoty.

– Mam nadzieję.

– Popieram w stu procentach.

Nie skończyła jeszcze mówić, gdy wybiegli. Potężnie zbudowani i krzepcy, uzbrojeni w miecze.

– Jak one mogą...

– To nie wampiry. – Blair odsunęła się od Larkina i stanęła mocno obiema stopami na ziemi. Pomyślała, że drżąca skała jest takim samym utrudnieniem dla wroga, jak dla niej i dla Larkina. – Teraz walcz, później ci wytłumaczę.

Podniosła miecz i zablokowała pierwszy cios. Ból przeszył jej ramię, a ziemia zatrzęsła się pod stopami. Przykucnęła, znowu zablokowała cios i wyciągnęła zza paska kołek.

Przebiła nim nogę napastnika, który potknął się, zawył i nie obronił się przed jej mieczem.

Jeden z głowy, pomyślała i odegnała żal. Obróciła się, niemal upadając, gdy ziemia się uniosła, i skrzyżowała broń z napastnikiem, który próbował zaatakować ją z tyłu.

Kątem oka dostrzegła Larkina, walczącego z dwoma wrogami naraz.

– Łapa niedźwiedzia! – krzyknęła.

– Dobry pomysł. – Jego ramię stało się grubsze i dłuższe, w miejsce palców wystrzeliły czarne szpony.

Udawało im się utrzymać pozycje, pomyślała Blair, ale nic ponadto. Nie mieli miejsca na żaden manewr, bo każdy nieostrożny krok mógł się zakończyć upadkiem do morza.

Roztrzaskają się o skały i zmyje ich fala. Już lepiej zginąć od miecza. Ale teraz i tak nie mogli się wspinać, jedynym wyjściem było stać, gdzie stali, i walczyć.

Blair upadła, przeturlała się, a ostrze miecza uderzyło w ziemię centymetr od jej twarzy. Skoczyła na równe nogi i silnym kopnięciem posłała napastnika do wody.

Zbyt wielu ich jest, pomyślała, zbyt wielu. Ale mogłoby być gorzej, mogłoby...

Światło zmieniło się w zmierzch, a razem ze zmrokiem nadeszły pierwsze krople deszczu.

– Jezu Chryste, ona przywołała ciemność!

Wraz z nią z jaskini zaczęły wypełzać wampiry. Śmierć w zimnych odmętach morza nagle wydała się Blair wcale nie najgorszą perspektywą.

Licząc szybko napastników, posłała ogień wzdłuż ostrza miecza. Płomieniem będą mogli je zatrzymać, może niektóre zniszczyć, ale z jaskini wyłaziło ich coraz więcej.

– Nie uda nam się wygrać, Larkin. Zamień się w sokoła, leć do reszty. Powstrzymam je tak długo, jak będę mogła.

– Nie bądź głupia. Wsiadaj. – Rzucił jej swój miecz. – Trzymaj.

Zmienił postać, ale to nie sokół stanął koło Blair. Smok rozpostarł złote skrzydła, odwrócił się i zmiótł ogonem pierwszy zastęp, który wypełzł z jaskini.

Blair bez zastanowienia wskoczyła na jego grzbiet i ścisnęła nogami wrzecionowate ciało. Machnęła mieczem na lewo i ścięła głowę wampirowi, a po chwili już leciała ku górze przez mrok i mgłę.

Nie mogła się powstrzymać, krzyknęła z czystej rozkoszy, odrzuciła głowę w tył i w triumfalnym geście uniosła oba miecze w niebo, aż zapłonęły.

Poczuła silny podmuch wiatru, a ziemia stawała się coraz mniejsza pod jej stopami. Schowała jeden miecz do pochwy i mocno objęła smoka za szyję. Lśniące złotem łuski przypominały w dotyku polerowane klejnoty, ogrzane słońcem i gładkie. Popatrzyła w dół na ziemię i morze, na mgłę kłębiącą się wokół skał.

I nagle na wysokim klifie ujrzała trzy postacie leżące na mokrej trawie.
– Sfruń na dół! Na dół, szybko! – Wiedziała, że Larkin słyszy ją i rozumie, ale i tak mogła oszczędzić sobie zachodu.

Pęd powietrza omal jej nie strącił, bo smok już pikował ku ziemi. Blair zeskoczyła, zanim jeszcze wylądował i zaczął się przeistaczać.

Poczuła na sercu lodowate palce strachu, ale zobaczyła z ulgą, że Hoyt usiadł z trudem i wyciągnął rękę do Glenny. Obojgu krew leciała z nosa. Larkin podbiegł do Moiry, przewrócił ją na plecy i Blair zobaczyła, że dziewczyna także ma krew na ustach.

– Musimy uciekać. One mogą nas gonić, a jeśli chcą, potrafią być bardzo szybkie. – Blair pomogła Glennie wstać. – Musimy się pośpieszyć.

– Jestem zamroczona. Przepraszam, ja...

– Oprzyj się o mnie. Larkin...

Ale on już znalazł rozwiązanie. Blair odgarnęła mokre włosy i popchnęła Glennę w stronę konia, którym się stał.

– Wskakujcie, ty i Moira. Hoyt i ja będziemy zaraz za wami. Możesz iść? – spytała Hoyta.

– Mogę. – Nawet jeśli nogi mu drżały, to i tak ruszył szybko za galopującym Larkinem. – Minęło tyle czasu, już się zmierzcha.

– Nie, to robota Lilith. Ma większą moc, niż przypuszczałam.

– Nie, to nie ona. – Hoyt musiał wesprzeć się na ramieniu Blair, żeby nie stracić równowagi. – Ona ma kogoś, kto potrafił to zrobić.

– Zastanowimy się nad tym. – Na wpół go zaniosła, na wpół zaciągnęła do furgonetki. Larkin już pomagał tamtym dwóm wsiąść do auta. – Glenna, kluczyki. Ja prowadzę.

Glenna wyciągnęła kluczyki z kieszeni.

– Potrzebuję tylko kilku minut, parę chwil i poczuję się lepiej. To było... potworne. Moira?

– Nic mi nie jest, tylko trochę kręci mi się w głowie. I jest mi niedobrze. Ja nigdy... nigdy nie widziałam czegoś takiego.

Blair pędziła jak szatan, nie spuszczając oczu z tylnego lusterka.

– Trzęsienie ziemi, fałszywy zmrok, parę piorunów. Niezła zabawa. – Zwolniła trochę, gdy słońce znowu zaczęło przeświecać przez chmury. – Chyba dała sobie spokój. Na razie. Nikt nie jest ranny?

– Nie. – Hoyt przytulił Glennę do siebie i scałował łzy z jej twarzy. – Nie, *a ghra*, nie płacz.

– Było ich tak wielu. Tak wielu. Cierpieli.

Blair wzięła głęboki oddech.

– Nie rób sobie wyrzutów. Próbowaliście, zrobiliście, co w waszej mocy. Od początku wiedzieliśmy, że trudno wam będzie wydostać stamtąd kogokolwiek.

– Ale udało się nam. – Glenna wtuliła twarz w ramię Hoyta. – Wyciągnęliśmy pięcioro, niestety, dłużej już nie mogliśmy wytrzymać.

Osłupiała Blair skręciła na pobocze i zatrzymała auto.

– Wyciągnęliście pięcioro? I gdzie oni są?

– W szpitalu. Pomyślałam...

– Glenna pomyślała, że jeśli uda nam się kogoś wyciągnąć, powinniśmy przetransportować go gdzieś, gdzie będzie bezpieczny i pod opieką. – Moira wbiła wzrok w puste dłonie.

– Mądrze. Naprawdę sprytnie. Lekarze natychmiast się nimi zajmą, a my nie będziemy musieli odpowiadać na kłopotliwe pytania. Gratuluję.

Glenna podniosła głowę, miała puste oczy.

– Było ich tak wielu. Tylu, że...

– A pięcioro z nich jest bezpiecznych i będzie żyło.

– Wiem, masz rację, wiem. – Wyprostowała się i przesunęła dłońmi po twarzy. – Jestem roztrzęsiona.

– Zrobiliśmy to, po co pojechaliśmy. Nawet więcej.

– Kto to był? – zapytał Larkin. – Z kim walczyliśmy tam na dole? Mówiłaś, że to nie wampiry.

– Półwampiry, ale wciąż ludzie. Zostali ukąszeni, i to pewnie kilka razy, ale potwory nie wyssały z nich całej krwi ani ich nie przemieniły.

– No to dlaczego z nami walczyli?

– Są do tego przeznaczeni. Chyba najlepsze określenie to „niewolnicy". Robią to, co im każą ich panowie. Doliczyłam się siedmiu, same wielkie chłopy. Zabiliśmy czterech. Nie sądzę, żeby miała więcej niewolników, a jeśli nawet, to niewielu. Niełatwo jej utrzymać ich pod kontrolą.

– Walczyliście? – spytała Glenna.

Blair włączyła się z powrotem do ruchu.

– Jaskinia stanęła otworem. Na pierwszy rzut Lilith posłała półwampiry, a potem zrobiła ten mały trik z pogodą.

– Myślałaś, że cię tam zostawię – przerwał jej Larkin. – Myślałaś, że zostawię cię na ich pastwę.

– Najważniejsze to zachować życie.

– Może i tak, ale ja nie zostawiam przyjaciół ani kompanów w walce. Jak myślisz, kim ja jestem?

– Dobre pytanie.

– Odpowiedź brzmi: na pewno nie tchórzem – powiedział szorstko.

– Wiem, że nie. – Czy ona by go zostawiła? Musiała przyznać, że nie, i czułaby się urażona, gdyby kazał jej odejść. – Nie miałam innego pomysłu, jak utrzymać nas wszystkich przy życiu, co zrobić, żeby one nie zwyciężyły. Skąd miałam wiedzieć, że masz smoka w repertuarze?

Glenna aż gwizdnęła na tylnym siedzeniu.

– Smoka?

– Szkoda, że tego nie widzieliście. To było niesamowite. Jezu, Larkin, smok! Ktoś musiał go widzieć. Oczywiście wszyscy pomyśleli, że zwariowali, ale i tak.

– Dlaczego?

– Dlaczego? Wyobraź sobie, że smoki nie istnieją.

Zafascynowany Larkin obrócił się w fotelu.

– Nie macie tu smoków?

Blair popatrzyła na niego.

– Nie-e – odpowiedziała przeciągle.

– A to szkoda. Moira, słyszałaś? W Irlandii nie ma smoków!

Moira podniosła ciężkie powieki.

– Blair chyba chciała powiedzieć, że w tym świecie w ogóle nie istnieją smoki.

– Nie, to niemożliwe. Naprawdę?

– Nie ma tu żadnych smoków – potwierdziła Blair. – Żadnych jednorożców ani pegazów, ani centaurów.

– No cóż. – Poklepał ją lekko po ramieniu. – Macie za to samochody, są całkiem interesujące. Umieram z głodu – dodał po chwili. – A wy? Te wszystkie zmiany postaci kosztują mnie mnóstwo energii. Myślicie, że możemy się gdzieś zatrzymać i kupić takie chrupki w torebce?

Trudno było to nazwać ucztą zwycięzców: słone chipsy o smaku octu popijane oranżadą z butelki, ale dzięki przekąsce droga do domu szybciej minęła.

Gdy dojechali, Blair schowała kluczyki do kieszeni.

– Wy troje idźcie do domu. Larkin i ja zajmiemy się bronią. Wciąż jesteście strasznie bladzi.

Hoyt uniósł torebki z krwią, przywiezione od rzeźnika.

– Zaniosę to Cianowi.

Blair odczekała, aż wejdą do domu.

– Będziemy musieli z nimi porozmawiać – powiedziała do Larkina. – Określić pewne granice.

– Tak, będziemy musieli. – Oparł się o furgonetkę i popatrzył na dom. To było wygodne, pomyślał, i trochę niesamowite, jak czasem rozumieli się z Blair bez słów. – Mówimy o tym samym? Nie mogą używać takiej magii, w każdym razie niezbyt często i tylko jeżeli nie ma innego wyjścia.

– Krew z nosa, zawroty i ból głowy. – Wyciągnęła broń z bagażnika. Masz drużynę, pomyślała, to musisz się martwić o jej członków. – Wystarczyło popatrzeć na Moirę, żeby zauważyć, jak strasznie boli ją głowa. To może się odbić na ich zdrowiu.

– Na początku myślałem, kiedy zobaczyłem ich na ziemi, pomyślałem...

– Tak. – Blair wypuściła głośno powietrze. – Ja też.

– Bardzo się przywiązałem do Glenny i Hoyta. W sumie do Ciana też. To uczucie głębsze od przyjaźni, może nawet głębsze niż więzy pokrewieństwa. Moira... Wiesz, ona zawsze była moja. Nie wiem, jak mógłbym żyć, gdyby coś jej się stało. Gdybym jej nie obronił.

Blair odłożyła broń na bok i przysiadła na bagażniku.

– Tak nie może być. Jeśli przydarzyłoby się jej coś złego, czy któremukolwiek z nas, nie ty ponosiłbyś winę. Każdy z nas musi robić wszystko, co może, żeby przeżyć i pomagać pozostałym, ale...

– Nie rozumiesz. – Oczy mu zapłonęły. – Ona jest częścią mnie.

– Nie, nie rozumiem, bo nigdy w życiu nie miałam kogoś tak bliskiego. Ale chyba znam ją na tyle dobrze, żeby wiedzieć, że byłaby urażona, a nawet zła, gdyby wiedziała, że czujesz się za nią odpowiedzialny.

– Nie odpowiedzialny. To brzmi jak zobowiązanie, którym nie jest. To miłość. Wiesz, co to miłość, prawda?

– Tak, wiem. – Zirytowana, już miała zeskoczyć, ale Larkin zablokował ją swoim ciałem.

– Myślisz, że ja nic do ciebie nie czułem, absolutnie nic, kiedy tam staliśmy, mając morze za plecami, a banda wampirów wyłaziła na nas z ciemności? Nic nie czułem i mógłbym cię zostawić, pójść sobie, bo tak mi kazałaś?

– Nie wiedziałam, że wyciągniesz smoka z kapelusza, więc...

Zamilkła i zesztywniała, gdy uniósł jej podbródek.

– Myślisz, że nic nie czułem? – zapytał jeszcze raz, a spojrzenie miał głębokie i zamyślone. – Że nie czuję nic teraz?

Do diabła, pomyślała i zebrała się w sobie.

– Nie pytam o twoje uczucia... – zaczęła.

– Ale ja ci mówię bez względu na to, czy pytasz, czy nie. – Przysunął się jeszcze bliżej, nie spuszczając wzroku z jej twarzy. – Nie mogę powiedzieć, że znam to uczucie, bo nigdy niczego takiego nie zaznałem. Ale to coś, co czuję teraz, kiedy na ciebie patrzę... Kiedy widzę cię w walce. Albo kiedy patrzyłem na ciebie dziś rano, gdy poruszałaś się we mgle jak czysta magia.

Tak jak ona to czuła, musiała przyznać, kiedy pędziła na jego grzbiecie do walki. Gdy patrzyła, jak jego twarz rozświetla się przy dźwiękach muzyki.

– To jest naprawdę zły pomysł.

– Jeszcze nie powiedziałem, że mam jakiś pomysł. Ale mam uczucia, tak wiele, że nie potrafię odróżnić jednego od drugiego i dobrze im się przyjrzeć. I dlatego...

Larkin nachylił się nad nią, a Blair odrzuciła głowę i zacisnęła dłoń na jego nadgarstku.

– Och, nie poruszaj się przez chwilę – powiedział ze śmiechem. – I pozwól mi spróbować. Chyba nie boisz się czegoś tak niewinnego jak pocałunek.

Nie bała się, ale była ostrożna. I ciekawa. Siedziała bez ruchu z jedną ręką zaciśniętą na metalowej krawędzi bagażnika i drugą wokół nadgarstka Larkina.

Poczuła jego miękkie usta na swoich wargach, jedynie cień dotyku. Muśnięcie, lekkie, zalotne skubnięcie. Miała moment, żeby pomyśleć, że w tej grze był bardzo dobry, zanim jej umysł utonął we mgle.

Jest silna, uznał Larkin. Wiedział, że miała w sobie siłę, ale znalazł też słodycz, której się nie spodziewał. Ich pocałunek burzył mu krew niczym wino, stawał się coraz gorętszy i Larkin usłyszał westchnienie rozkoszy Blair. Poczuł, jak jej piękne ciało tuli się do niego, poddaje mu.

Chciał położyć ją na plecach pośród mieczy i toporów, ale Blair powstrzymała go, kładąc mu dłoń na piersi.

– Nie.

– Usłyszałem to wyraźnie, ale czuję coś innego.

– Może tak, ale mówię „nie".

Przesunął palcem od jej ramienia do nadgarstka, patrząc pytająco w oczy.

– Dlaczego?

– Nie jestem pewna dlaczego. Nie jestem pewna i dlatego mówię „nie".
Odwróciła się i zaczęła zbierać broń.

– Chciałbym cię o coś zapytać. – Uśmiechnął się, gdy spojrzała przez ramię. – Nosisz takie krótkie włosy, żebym mógł podziwiać twój kark? To
wgłębienie, tutaj, sprawia, że mam ochotę... je polizać.

– Nie. – Tylko posłuchaj jego głosu, pomyślała sobie. Pewnie kobiety
w Geallii biegają za nim jak szczenięta. – Noszę krótkie włosy, żeby wróg
nie miał za co złapać i pociągnąć, jeśli zechce walczyć w babski sposób. –
Odwróciła się. – I do twarzy mi w tej fryzurze.

– O tak, to prawda. Wyglądasz jak królowa wróżek. Zawsze myślałem,
że jeśli wróżki istnieją, to w ich rysach widać odwagę i siłę.

Znowu się ku niej pochylił i Blair przyłożyła ostrze miecza do jego piersi.

Popatrzył na miecz, a następnie z powrotem na nią i uśmiechnął się wesoło.

– To trochę silniejszy argument niż „nie". Chciałem tylko znowu cię pocałować. Nie prosiłbym o nic więcej. Tylko jeden pocałunek.

– Jesteś cholernie słodki – powiedziała po chwili. – I skłamałabym, gdybym powiedziała, że nie czuję pokusy, ale właśnie dlatego że jesteś taki
cholernie słodki i pociągający, poprzestaniemy na jednym.

– No dobrze, skoro tak musi być. – Sięgnął ponad jej ramieniem po topór
i kubeł z kołkami. – Ale i tak będę myślał o następnym. Tak samo jak ty.

– Może. – Ruszyła w stronę domu obładowana bronią. – Niewielka frustracja doda mi wigoru.

Potrząsnął głową, patrząc za Blair, i pomyślał, że jest najbardziej fascy-
nującą kobietą, jaką spotkał w życiu.

4

*B*lair poszła prosto na górę, żeby odnieść broń do sali ćwiczeń, po czym zeszła tylnymi drzwiami do kuchni. Niech Larkin wyczyści miecze, pomyślała, wykorzysta trochę tej seksualnej energii.

W kuchni była już Glenna, stawiała czajnik na gazie.

– Zaparzę herbatę, mieszankę, która pomoże nam złagodzić napięcie.

– Słyszałam, że alkohol pomaga. – Blair otworzyła lodówkę w poszukiwaniu piwa.

– To później. Na razie jestem jeszcze zbyt roztrzęsiona. Hoyt poszedł do Ciana, wyjaśnić mu, co się stało.

– Dobrze. Musimy porozmawiać, Glenna.

– Jeśli chcesz, mogę ci później opowiedzieć dokładnie, jakich czarów użyliśmy. Na razie wspomnienia są jeszcze zbyt bolesne.

– Nie, nie muszę tego wiedzieć. To twoje terytorium. – Blair usiadła na stole i patrzyła, jak Glenna szuka zajęcia dla rąk. – Naprawdę, w tej dziedzinie jestem kompletną ignorantką. W rodzinie mamy kilka osób utalentowanych magicznie i dosyć biegłych w tej dziedzinie, ale nie dorastają wam do pięt.

– Mam teraz więcej mocy niż kiedyś. A może po prostu jestem na nią bardziej otwarta. – Glenna wyjęła z kieszeni kilka szpilek i upięła włosy. – Może to sprawiła bliskość z Hoytem, a może więź, która połączyła nas wszystkich. Ale cokolwiek to sprawiło, czuję w sobie magię, o której nigdy nawet nie marzyłam.

– I ładnie z nią wyglądasz. Musisz zrozumieć, że to, co wy troje dzisiaj zrobiliście, było niesamowite, potężne i ocaliło kilkorgu ludziom życie. Ale bez względu na wszystko nie możecie tego powtarzać. W każdym razie nie w najbliższym czasie.

– Myślę, że moglibyśmy uwolnić ich więcej – powiedziała Glenna, nie odwracając głowy. – Może należało przenosić tylko jednego lub dwóch naraz. Byliśmy zachłanni, chcieliśmy złapać, ile tylko osób mogliśmy, i ogień magii płonął zbyt długo.

– Glenna, tak jak powiedziałam, to twoje terytorium, ale ja widziałam, jak wszyscy troje leżeliście bez życia. Larkin i ja myśleliśmy, że umarliście. Byliście kompletnie wyssani.

– Tak, to doskonałe określenie, tak właśnie się czułam.

– Następnym razem możecie nie wrócić.

– Czy nie po to tutaj jesteśmy? – Ręce Glenny już nie drżały, gdy odmierzała porcję herbaty. – Żeby zaryzykować wszystko? Każdy z nas może nie wrócić za każdym razem, gdy wychodzimy za drzwi, bierzemy broń do ręki. Ile razy stawałaś do walki, robiąc użytek ze swojego daru, i ryzykowałaś życie?

– Niezliczoną ilość razy, ale to co innego i wiesz o tym. Larkin i ja... potrzebujemy was, zdrowych i silnych.

– O mało dzisiaj nie zginęłaś, prawda?

– Gdyby nie smok...

– Blair. – Glenna odwróciła się i mocno zacisnęła dłonie na rękach dziewczyny.

Więź, powiedziała Glenna i Blair teraz poczuła. Nie można ukrywać prawdy przed kimś tak blisko z tobą związanym, pomyślała.

– No dobrze, tak, było źle. Bardzo źle. Nie byłam pewna, czy przeżyjemy. Ale mogło być gorzej. Wszyscy zrobiliśmy, co do nas należało, i teraz ja piję piwo, a ty parzysz herbatę. Udało się nam!

– Jesteś w tym lepsza niż ja – przyznała Glenna.

– Nie, jestem tylko bardziej przyzwyczajona i dlatego mogę teraz pić piwo, bo wiem, że nie tylko zwyciężyliśmy ją dzisiaj, Glenno, ale też upokorzyliśmy, i ta świadomość sprawia, że czuję dreszcz rozkoszy. Wiesz, czego bym chciała?

– Chyba tak. Myślę, że chciałabyś tam wrócić i zrobić to jeszcze raz.

– Możesz dać za to głowę. Ale to byłoby głupie, samolubne i prawdopodobnie wszyscy byśmy zginęli. Ciesz się ze zwycięstwa, Glenno, bo cholernie ciężko na nie zapracowałaś. I przyjmij do wiadomości, że następnym razem może ci się nie udać.

– Wiem. – Glenna odwróciła się do kuchenki, bo woda zaczęła się gotować. – Wiem, że masz rację, ale tak trudno mi to zaakceptować. Przez tych kilka ostatnich tygodni miałam do czynienia z silniejszą magią, niż kiedykolwiek sobie wyobrażałam. To fascynujące... i bardzo wyczerpujące. Wiem, że potrzebujemy więcej czasu i lepszego przygotowania, jeśli mamy zrobić to jeszcze raz.

Nalała wody do imbryka.

– Myślałam, że straciliśmy Moirę – powiedziała cicho. – Czułam, jak się odłącza, wymyka. Nie ma tak silnej magii jak ja, a już na pewno nie tak jak Hoyt. – Odwróciła się do Glenny. – Puściliśmy ją. Pozwoliliśmy jej odejść na sekundę przed eksplozją. Nie wiem, co by się stało, gdyby została z nami.

– Czy bez niej udałoby się wam uwolnić tylu ludzi?

– Nie, potrzebowaliśmy jej.

– Ciesz się więc ze zwycięstwa. To był dobry dzień. Ale mam jedno pytanie: skąd wiedziałaś, dokąd ich posłać? Nie chodzi mi o magię, tylko o stronę logistyczną.

– Och, miałam mapę. – Glenna uśmiechnęła się lekko. – Już wcześniej sprawdziłam najkrótszą drogę do szpitala, na wypadek gdyby któreś z nas potrzebowało pomocy lekarskiej, więc musiałam tylko... podążać za mapą.

- Mapa. - Blair pociągnęła długi łyk. - Jesteś niezła, Glenna. Naprawdę dobra. Gdyby ta wampirza suka miała cię po swojej stronie, bylibyśmy ugotowani. Co za dzień. - Westchnęła. - Jechałam na cholernym smoku!

- To było takie słodkie, jak Larkin się dziwił, że u nas nie ma żadnych smoków. - Zrelaksowana, uśmiechnięta już Glenna wyjęła z szafki filiżanki i spodki. - Jak on wyglądał? Czasami je maluję.

- Chyba tak, jak byś się spodziewała. Był złoty, miał niesamowity, długi ogon, skosił nim kilka wampirów. I ciało bardziej obłe niż podłużne, nie przypominał węża. Złote oczy. Boże, ależ był piękny. I skrzydła, rozłożyste, spiczaste, przezroczyste. Łuski wielkie jak moja dłoń, ciemnozłote. A jaki był szybki! Słodki Boże, pędził jak wiatr. Czułam się, jakbym dosiadła słońca. To było po prostu...

Zamilkła, gdy zobaczyła, jak Glenna opiera się o blat z dziwnym uśmiechem.

- Co?

- Zastanawiam się tylko, czy ten błysk w twoim oku pojawił się na myśl o smoku czy o mężczyźnie.

- Mówimy o smoku. Ale mężczyzna też nie jest gorszy.

- Przystojny, uroczy i z sercem bohatera.

Blair uniosła brwi.

- Hej, czy ty aby przypadkiem niedawno nie wyszłaś za mąż - za kogoś innego?

- Nie oślepłam od tego. Tak dla twojej informacji, Larkin też ma ten błysk w oku, jak patrzy na ciebie.

- Może i tak i może kiedyś z tego skorzystam. Ale na razie... - Zeskoczyła ze stołu. - Idę na górę i wezmę długi, naprawdę gorący prysznic.

- Blair? Czasami serce bohatera jest kruche.

- Nie zamierzam łamać niczyjego serca.

- Mówiłam także o twoim - odparła Glenna, gdy została sama.

Blair usłyszała głosy dochodzące z biblioteki i podeszła do zamkniętych drzwi. Zadowolona, że Larkin rozmawia z Moirą, ruszyła w stronę schodów. Jedyne, czego pragnęła, to zmyć z siebie morską sól, krew i śmierć.

Zatrzymała się na ostatnim stopniu, bo w cieniu korytarza dostrzegła Ciana. Wiedziała, że jej palce zacisnęły się na zatkniętym za pasek kołku, i nie próbowała nawet ukryć tego gestu. Odruch. Łowca i wampir. Oboje będą musieli zaakceptować tę sytuację.

- Trochę wcześnie jak na ciebie, prawda?

- Mój brat nie ma szacunku dla mojego rozkładu dnia.

Pomyślała, że było coś nienaturalnie seksownego w wampirzych oczach błyszczących w półmroku. A może to dotyczyło tylko tego wampira.

- Hoyt ma za sobą ciężkie przejścia.

- Widziałem. Wyglądał na chorego. Ale w końcu... - Uśmiechnął się z rozmysłem. - Jest człowiekiem.

- Pracujesz nad tym? Aksamitny głos, niebezpieczny uśmiech...

- Taki się urodziłem. I taki umarłem. Czy my dwoje zawrzemy pokój?

- Chyba już zawarliśmy. - Widziała, że przeniósł wzrok na kołek i zaciśniętą na nim dłoń. – Nie mogłam się powstrzymać. – Ale puściła drewno i wsunęła kciuk za pasek. – To wrodzone.

– Lubisz swoją pracę?

– Chyba tak. W pewnym sensie. Jestem w tym dobra, a na ogół lubi się to, w czym odnosi się sukcesy. Takie mam zajęcie. Taka jestem.

– Tak, wszyscy jesteśmy tacy, jacy jesteśmy. – Podszedł bliżej. – Ona musiała wyglądać tak, jak ty teraz, kiedy była w twoim wieku. Chociaż pewnie była młodsza, nasza Nola, kobiety wtedy szybciej się starzały.

– Wampiry często szukają swoich pierwszych ofiar w rodzinie.

– Myślisz, że ktoś w tym domu byłby jeszcze żywy, gdybym zadecydował inaczej?

– Nie. – A zatem nadeszła chwila prawdy. – Myślę, że bawiłbyś się nimi przez kilka dni, może tydzień, poczekałbyś, aż ci zaufają i przestaną być czujni. Wtedy byś ich zamordował.

– Myślisz jak wampir – ocenił. – To dlatego jesteś taka dobra. A zatem dlaczego ich nie zamordowałem?

Nie spuszczała wzroku z jego oczu, czując się, jakby patrzyła w swoje własne. Ten sam kolor, identyczny kształt.

– Jesteśmy tym, czym jesteśmy. Ty chyba nie jesteś taki, już nie.

– Swego czasu też zabijałem. Ale poza tym, że próbowałem zamordować brata, nigdy nie tknąłem nikogo z rodziny. Nie wiem dlaczego, po prostu nie pragnąłem ich życia. Ty także należysz do rodziny, bez względu na to, jak trudno nam obojgu zaakceptować ten fakt. Pochodzisz z rodu mojej siostry, a kiedyś ją kochałem, nawet bardzo.

Blair poczuła coś – nie litość, Cian nie prosił o współczucie – ale pewnego rodzaju empatię. Wiedziona impulsem wyciągnęła kołek zza paska i podała mu. Cian popatrzył na drewno z rozbawieniem.

– Nie będę musiała nazywać cię wujkiem Cianem, prawda?

Jego uśmiech był pełen bólu.

– Proszę, nie.

Ruszyli każde w swoją stronę, Blair do siebie, a Cian do kuchni. Zastał tam Glennę, która ustawiała filiżanki na tacy. Wyglądała na wyczerpaną, miała podkrążone oczy.

– Nie myślałaś kiedyś, że może ktoś inny pobawiłby się w mamę?

Podskoczyła na dźwięk jego głosu, upuszczając filiżankę na spodek.

– Chyba jeszcze nie doszłam do siebie. – Poprawiła talerzyk. – Co powiedziałeś?

– Zastanawiam się, dlaczego od czasu do czasu ktoś inny nie może się zająć kuchnią.

– Zajmują się. Larkin trochę się miga, ale reszta pomaga. Przynajmniej mam jakieś zajęcie.

– Z tego, co wiem, ostatnio zajmowałaś się mniej pokojowymi sprawami.

– Rozmawiałeś z Hoytem.

– On chyba lubi budzić mnie w środku dnia. Dlatego marzę o kawie – dodał, podchodząc do ekspresu. Wzruszył ramionami, gdy Glenna zmarszczyła brwi na widok kołka, który położył na blacie. – Coś w rodzaju gałązki oliwnej od Blair.

– Och, to dobrze, prawda?

Odwrócił się i ujął ją pod brodę.

– Idź się położyć, Ruda, zanim upadniesz.

– Właśnie po to robię herbatę. Ma właściwości regenerujące. Potrzebujemy jej, nasze baterie są na wyczerpaniu. – Uśmiechnęła się z trudem, ale zaraz spoważniała. – Ona przywołała burzę, Cian. Jest z nią ktoś, kto ma wystarczająco dużo mocy, by przywołać burzę i zaćmić słońce, więc naprawdę trzeba naładować baterie. Hoyt i ja musimy zabrać się do pracy, zwłaszcza z Moirą. Musimy wyciągnąć z niej dar, który ma, pomóc jej go wzmocnić.

Odwróciła się i zaczęła układać ciastka na ślicznych, małych talerzykach, byle tylko zająć czymś ręce.

– Rozdzieliliśmy się dzisiaj, my troje byliśmy wysoko na skałach, a Larkin i Blair zostali na dole. Mogli zginąć, a my nic byśmy nie wiedzieli i nie moglibyśmy im pomóc. Nie widzieliśmy zagrożenia, bo byliśmy zbyt skupieni na transportacji. Rzuciliśmy czar, którego moc powaliła nas na ziemię, pozbawiła świadomości.

I teraz za to cierpisz, pomyślał. Ludzie zawsze cierpią przez to, co zrobili lub czego nie zrobili.

– Teraz lepiej znacie swoje ograniczenia.

– Nie wolno nam mieć ograniczeń.

– Och, do cholery, Glenna. – Wziął ciastko. – Oczywiście, że macie ograniczenia. Rozszerzyliście pole działania i pewnie pójdziecie jeszcze dalej. Zapominasz jednak, że ona też ma swoje ograniczenia. Lilith ma słabości, nie jest wszechwładna i można ją zranić. Dowiedliście tego dzisiaj, gdy sprzątnęliście jej pięć ofiar sprzed nosa.

Ugryzł ciastko i wyciągnął kubek z szafki.

– Wiem, że powinnam myśleć o tych pięciorgu, których uratowaliśmy. Blair kazała mi się cieszyć ze zwycięstwa.

– I miała rację.

– Wiem. Wiem. Ale, Boże, tak bardzo chciałabym przestać myśleć o tych, których zostawiliśmy. Wciąż widzę ich twarze, ich krzyki wciąż rozbrzmiewają w mojej głowie. Nie możemy uratować wszystkich, dokładnie tak powiedziałam Hoytowi w Nowym Jorku. Wtedy łatwo mi było tak mówić. – Potrząsnęła głową. – Masz rację, muszę odpocząć. Zaniosę tacę na górę i przypilnuję, żeby wypili herbatę. Możesz coś dla mnie zrobić?

– Pewnie mogę.

– Zanieś tę drugą tacę Moirze do biblioteki.

– Pomyśli, że herbata jest zatruta, jeśli to ja ją przyniosę.

– Och, przestań.

– Dobrze, już dobrze. Ale nie miej do mnie pretensji, jeśli wyleje ją do zlewu. – Wziął tacę i mamrocząc pod nosem, wyszedł z kuchni. – Jestem wampirem, na litość boską. Dzieckiem cholernej nocy, pijącym krew, a oto bawię się w lokaja jakiejś geallickiej królewny.

I on chciał spędzić sam trochę czasu w bibliotece, z książką przy kominku.

Zirytowany wszedł do środka z ciętym komentarzem na czubku języka, ale mógł oszczędzić sobie wysiłku, bo Moira spała zwinięta na sofie.

I co teraz miał, do diabła, zrobić? Zostawić ją w spokoju czy obudzić i wlać herbatę prosto do gardła?

Stał niezdecydowany i przyglądał się dziewczynie.

Była dosyć ładna, pomyślał, miała zadatki na prawdziwą piękność, gdyby trochę się postarała. Przynajmniej podczas snu nie było widać tych ogromnych, przenikliwych oczu.

Kiedyś bawiło go brukanie takiej niewinności, deprawacja krok po kroku, aż nic nie zostało.

Teraz jednak wolał prostotę bardziej doświadczonych kobiet, które szukały tego samego co on – kilku gorących godzin w ciemności.

Istoty takie jak ta dziewczyna wymagały ogromnego wysiłku. Już nie pamiętał, kiedy ostatnio któraś z nich poruszyła go na tyle, by się z nią zabawić.

W końcu postanowił zostawić tacę na stole. Jeśli się obudzi, wypije herbatę, a jeśli nie – cóż, sen jest najlepszym lekarstwem.

Tak czy owak on wykona swoje zadanie.

Podszedł do stołu i postawił tacę z ledwo słyszalnym brzęknięciem porcelany, ale Moira i tak się poruszyła. Cichy jęk, westchnienie. Cian cofnął się o kilka kroków, nie spuszczając oczu z jej twarzy i był na tyle nieostrożny, że wdepnął w promień słońca.

Przeszywający, nagły ból kazał mu zakląć siarczyście. Zły na Glennę, na samego siebie i na śpiącą królewnę odwrócił się do wyjścia.

Moira zaczęła się kręcić niespokojnie, wydając ciche, pełne przerażenia jęki. Drżąc cała, zwinęła się w kłębek i zaczęła mówić przez sen.

– Nie, nie, nie – powtarzała bez przerwy, aż przeszła na geallicki.

Obróciła się i wygięła w łuk, eksponując odsłonięte gardło.

Cian podszedł do niej szybko, pochylił się i mocno nią potrząsnął.

– Obudź się – rozkazał. – Natychmiast się obudź, bo nie mam do tego cierpliwości.

Była szybka – ale Cian szybszy, schwycił kołek, który chciała wbić mu w serce, i odrzucił daleko od siebie.

– Nie rób tego. – Złapał Moirę za nadgarstek i poczuł pod palcami jej puls, walący niczym młot. – Następnym razem, gdy spróbujesz, złamię ci rękę jak patyk, obiecuję.

– Ja... ja... ja...

– Cóż za treściwa odpowiedź. Rozumiesz mnie?

Moira omiotła pokój ogromnymi oczami pełnymi lęku.

– Ona tu była, była tu. Nie, nie tutaj. – Uklękła i wolną ręką złapała Ciana za ramię. – Gdzie ona jest? Gdzie? Wciąż czuję jej zapach, zbyt słodki, zbyt ciężki.

– Przestań. – Puścił nadgarstek dziewczyny, złapał ją za ramiona i potrząsnął nią tak, że aż zadzwoniły jej zęby. – Spałaś, to ci się tylko śniło.

– Nie, ja... Spałam? Nie wiem. Jest jasno, a było już ciemno... – Położyła mu dłonie na piersi, ale zamiast go odepchnąć, złożyła na nich głowę. – Przepraszam. Przepraszam, daj mi chwilę.

Już miał pogłaskać ją po włosach, po tym długim, grubym warkoczu w kolorze ciemnego owsa, ale opuścił dłoń.

– Zasnęłaś na kanapie – wyjaśnił beznamiętnie. – Miałaś sen. Teraz już nie śpisz.

– Myślałam, że Lilith... – Odsunęła się od niego. – O mało cię nie zabiłam.

– Nie byłaś nawet bliska.

– Nie chciałam... Nigdy bym tego nie zrobiła. – Zamknęła oczy, z wyraźnym wysiłkiem próbując zebrać myśli. Gdy je otworzyła, wyglądała już na bardziej skupioną i przytomną. – Bardzo przepraszam, ale właściwie co ty tu robisz?

Cofnął się trochę i wskazał na stół, a na twarzy Moiry odbiło się czyste zaskoczenie.

– Ty... Przygotowałeś dla mnie herbatę i ciastka?

– Glenna – poprawił ją, dziwnie zawstydzony sugestią, że to on sam. – Ja jestem tylko lokajem.

– Aha. I tak to bardzo miło z twojej strony. Nie zamierzałam spać, pomyślałam, że trochę poczytam, ale...

– Wypij herbatę, poczujesz się lepiej. – Moira skinęła głową, ale nie wykonała żadnego ruchu, więc Cian wzniósł oczy do nieba i nalał jej filiżankę naparu. – Cytryna czy mleko, wasza wysokość?

Przechyliła głowę.

– Jesteś na mnie zły i kto może cię winić? Przyniosłeś mi herbatę, a ja próbowałam cię zabić.

– W takim razie nie marnuj mojego czasu, tylko wypij. Proszę. – Wcisnął jej filiżankę w dłonie. – Do dna. Rozkaz Glenny.

Wypiła trochę, nie spuszczając z niego wzroku.

– Bardzo dobra. – Nagle Moira zadrżała, a jej oczy napełniły się łzami. Cian zesztywniał.

– Zostawię cię zatem z herbatą i łzami.

– Nie byłam wystarczająco silna. – Łzy nie popłynęły, tylko lśniły w jej oczach niczym deszcz we mgle. – Nie potrafiłam pomóc im utrzymać czaru, nie mogłam i zaklęcie przestało działać, rozpadło się niczym szkło na tysiące kawałków. Nie mogliśmy wydobyć nikogo więcej z klatek.

Zastanawiał się, czy powinien jej powiedzieć, że Lilith zastąpi tych, których uratowali, i to prawdopodobnie podwójnie.

– Tracisz czas, obarczając się winą i użalając nad sobą. Gdybyście mogli zrobić więcej, tobyście zrobili.

– We śnie powiedziała mi, że nie będzie zawracała sobie mną głowy. Nie chce pić mojej krwi, bo jestem najmniejsza i najsłabsza, niewarta zachodu.

Cian usiadł na stole i wziął sobie ciastko.

– Kłamała.

– Skąd wiesz?

– Sam jestem wampirem, pamiętasz? Najmniejsze stworzenia są zawsze najsłodsze. Taki aperitif, jeśli wybaczysz określenie. Gdybym wciąż to robił, ukąsiłbym cię w samo serce.

Postawiła filiżankę i popatrzyła na niego spod zmarszczonych brwi.

– Czy to był najdziwniejszy komplement, jaki w życiu słyszałam?

– Traktuj to, jak chcesz.

– Cóż, dziękuję... chyba.

– Dokończ herbatę. – Cian wstał. – I poproś Glennę o coś na koszmary.

– Cian – powiedziała Moira, gdy ruszył w stronę drzwi. – Jestem ci wdzięczna. Za wszystko.

Nie zatrzymując się, skinął głową. Tysiąc lat, pomyślał, a on nadal tak naprawdę nie rozumiał ludzi – a zwłaszcza kobiet.

Blair wypiła herbatę Glenny i postanowiła wyciągnąć się na godzinkę i posłuchać muzyki. To powinno oczyścić jej umysł i pomóc naładować baterie. Ale nawet zmysłowy głos Patty Griffin nie przegonił z jej głowy dramatycznych obrazów.

Morze, skały, bitwa. Chwila, w której niebo pociemniało i Blair była absolutnie pewna, że to koniec. I to maleńkie, lodowate ziarenko ulgi, że to wszystko wreszcie się skończy.

Nie chciała umrzeć, nie chciała, ale gdzieś głęboko, w najdalszym zakamarku jej serca, była zmęczona, tak potwornie zmęczona samotnością spowodowaną tym, kim była i co miała.

Sam na samą z krwią, śmiercią i niekończącą się przemocą.

Kosztowało ją to miłość mężczyzny, którego tak bardzo pragnęła, i ich wspólną przyszłość, w którą uwierzyła. Czy właśnie wtedy powstało? zastanawiała się. Czy to właśnie wtedy zaczęło kiełkować małe ziarenko? Tej nocy, gdy Jeremy od niej odszedł?

Żałosne, pomyślała i zdjęła słuchawki. Melodramatyczne. Ma pozwolić, żeby o stanie jej psychiki decydował mężczyzna – i to taki, który nie miał dość siły, by z nią zostać? Miałaby zaakceptować śmierć tylko dlatego, że on nie potrafił zaakceptować tego, kim była?

Po prostu głupota. Przewróciła się na bok i ściskając poduszkę, wpatrywała się w zapadający za oknem zmrok.

Pomyślała o Jeremym tylko dlatego, że Larkin coś w niej poruszył. Nie chciała znowu rozkleić się przez mężczyznę, zostać porwaną i zatopioną przez te wszystkie emocje.

Seks był w porządku, o ile nie chodziło o nic więcej. Nie mogła znowu przeżywać tego bólu, rozdzierającej świadomości porzucenia, która zamieniała jej serce w drżącą, krwawą masę.

Wszyscy odchodzą, pomyślała, zamykając oczy. Nic nie jest wieczne.

Odpłynęła przy szmerze muzyki sączącej się ze słuchawek.

Nagle jej głowę wypełniła inna muzyka, szybki rytm bijącego serca. Nadchodził świt po nocy ciężkiej pracy, ale Blair była tak pełna energii, tak podekscytowana, że mogłaby w ogóle się nie kłaść.

Popatrzyła po sobie, skręcając w ostatnią przecznicę w drodze do domu. Zniszczyła kolejną koszulę. Przez tę robotę, pomyślała, straci całą garderobę. Materiał był podarty i zakrwawiony, a lewe ramię pokrywały bolesne siniaki.

Ale miała tyle energii!

Uliczka na przedmieściu była śliczna i spokojna, wszyscy bezpiecznie spali w swoich łóżkach. W pierwszych promieniach słońca pyszniły się derenie i różowe tulipanowce. Poczuła zapach hiacyntów i głęboko zaczerpnęła powietrza pełnego słodkiej wiosny.

Był poranek jej osiemnastych urodzin.

Umyje się, odpocznie, a potem spędzi mnóstwo czasu, robiąc się na bóstwo przed gorącą urodzinową randką.

Otworzyła drzwi domu, w którym mieszkała z ojcem, i rzuciła torbę na podłogę. Musi wyczyścić broń, ale najpierw wypije hektolitr wody.

Wtedy zauważyła walizkę stojącą przy drzwiach i dobry humor ulotnił się jak kamfora.

Ojciec zszedł po schodach, już w płaszczu. Był taki przystojny, wysoki i ciemny, miał rzeźbione rysy i przenikliwe oczy. Zalała ją fala miłości i żalu.

– Wróciłaś. – Popatrzył na jej koszulę. – Jeśli pozwalasz, żeby ich krew na ciebie tryskała, to bierz ubranie na zmianę. Chodząc tak, zwracasz na siebie uwagę.

– Nikt mnie nie widział. Dokąd jedziesz?

– Do Rumunii. Chcę trochę powęszyć.

– Do Rumunii? A ja nie mogłabym pojechać z tobą? Tak bardzo chciałabym zobaczyć...

– Nie. Zostawiłem książeczkę czekową. Powinno ci wystarczyć pieniędzy, żeby przez kilka miesięcy utrzymać dom.

– Miesięcy? Ale... kiedy wracasz?

– Nie wracam. – Zarzucił na ramię torbę podręczną. – Zrobiłem dla ciebie wszystko, co mogłem. Masz osiemnaście lat, jesteś pełnoletnia.

– Ale... ty nie możesz... Proszę cię, nie jedź. Co ja takiego zrobiłam?

– Nic. Przepisałem na ciebie dom. Zostań tu albo go sprzedaj i jedź, dokąd chcesz. To twoje życie.

– Dlaczego? Jak możesz mnie tak zostawiać? Jesteś moim ojcem.

– Wytrenowałem cię najlepiej, jak umiałem, i nic więcej nie mogę dla ciebie zrobić.

– Możesz ze mną zostać. Możesz mnie kochać, choć trochę.

Otworzył drzwi i wziął walizkę. Na jego twarzy nie malował się smutek, najwyraźniej ojciec myślał zupełnie o czymś innym. Blair zdała sobie sprawę, że on już odszedł.

– Zaraz mam samolot. Jeśli będę jeszcze czegoś potrzebował, to kogoś przyślę.

– Czy ja w ogóle coś dla ciebie znaczę?

W końcu popatrzył jej prosto w oczy.

– Jesteś moim spadkiem – odpowiedział i wyszedł.

Blair zaczęła szlochać, stała tam sama owiewana wiosenną bryzą. Odwołała randkę i spędziła urodziny samotnie w domu. Kilka dni później siedziała, znowu sama, na cmentarzu, szykując się do unicestwienia tego, czym stał się chłopiec, na którym jeszcze tak niedawno jej zależało. Przez resztę życia będzie zadawała sobie pytanie, czy żyłby nadal, gdyby nie odwołała tej randki.

Teraz stała w sypialni mieszkania w Bostonie twarzą w twarz z mężczyzną, któremu zaoferowała całą swoją miłość, w którym pokładała nadzieję.

– Jeremy, proszę, usiądźmy. Musimy o tym porozmawiać.

– Porozmawiać? – Popatrzył na nią, wciąż zszokowany, nie przestając pakować ubrań do torby. – Nie mogę o tym rozmawiać. Nie chcę o tym wiedzieć. Nikt nie powinien o tym wiedzieć.

– Popełniłam błąd. – Dotknęła go, ale zrzucił jej dłoń ruchem tak pełnym obrzydzenia, że poczuła lód w sercu. – Nie powinnam była cię tam zabierać, pokazywać ci tego. Ale nie uwierzyłbyś mi, gdybym spróbowała ci powiedzieć.

– Że zabijasz wampiry? No pewnie, jakże mógłbym ci uwierzyć?

– Musiałam ci pokazać. Nie moglibyśmy się pobrać, gdybyś o wszystkim nie wiedział. Nie byłabym wobec ciebie w porządku.

– W porządku? – Obrócił się do niej i Blair zobaczyła to wyraźnie na jego twarzy: nie strach, nie gniew, lecz obrzydzenie. Odrazę. – A to jest w porządku? Że kłamałaś i oszukiwałaś mnie przez cały czas?

– Nie kłamałam. Pomijałam tę sprawę i przepraszam. Boże, tak strasznie cię przepraszam, ale nie mogłam ci o tym powiedzieć, kiedy pierwszy raz... a potem nie wiedziałam, jak mam ci wytłumaczyć, co robię, kim jestem.

– Jesteś wariatką.

Blair odskoczyła, jak gdyby ją uderzył.

– Nie jestem wariatką. Wiem, że jesteś zdenerwowany, ale...

– Zdenerwowany? Nie wiem, kim jesteś. Chryste, z kim ja sypiałem przez te wszystkie miesiące? Ale wiem jedno: nigdy więcej się do mnie nie zbliżaj, ani do mnie, ani do mojej rodziny, ani do przyjaciół.

– Potrzebujesz czasu. Rozumiem, ale...

– Poświęciłem ci go wystarczająco dużo. Na twój widok robi mi się niedobrze.

– Wystarczy.

– Nawet więcej niż wystarczy. Myślisz, że mógłbym być z tobą, dotykać cię po tym, co dziś widziałem?

– Co się z tobą dzieje? – zapytała. – To, co zrobiłam, ocaliło ludziom życie. Ten wampir zabijałby dalej, Jeremy. Prześladowałby i zabijał niewinnych ludzi. Ja go powstrzymałam.

– Wampiry nie istnieją. – Ściągnął torbę z łóżka, które dzielili przez ostatnich sześć miesięcy. – Kiedy stąd wyjdę, ty także przestaniesz dla mnie istnieć.

– Myślałam, że mnie kochasz.

– Chyba oboje się pomyliliśmy.

– Więc idź – powiedziała cicho – a ja przestanę istnieć.

– Tak zrobię.

I nie ty pierwszy, pomyślała, o nie. Jedyny mężczyzna, którego poza Jeremym kochała, zrobił to samo. Powoli zsunęła z palca pierścionek z diamentem.

– Lepiej weź to z powrotem.

– Nie chcę. Nie chcę niczego, czego dotykałaś. – Podszedł szybko do drzwi, rzucając spojrzenie przez ramię. – Jak ty możesz ze sobą żyć?

– Mam tylko siebie – odpowiedziała pustemu pokojowi. Położyła pierścionek na komodzie, osunęła się na kolana i zaczęła szlochać.

– Mężczyźni to naprawdę podłe kreatury. Używają kobiet, a potem je zostawiają, same i złamane. Lepiej, żebyśmy zostawiały ich pierwsze, prawda? A jeszcze lepiej odpłacać im pięknym za nadobne. Masz serdecznie dosyć bycia tą, która zostaje sama, prawda? I ta ciągła walka, wszechobecna śmierć. Mogę ci pomóc. Tak bardzo chciałabym ci pomóc. A może o tym porozmawiamy, tylko ty i ja? Tak między nami dziewczynami. Wypijemy kilka drinków i pogadamy o męskiej podłości. Nie zaprosisz mnie do środka?

Blair stała oparta o parapet, a kobieca twarz zza szyby uśmiechała się do niej. Ręce Blair powędrowały do okna i zaczęły je otwierać.

– Pośpiesz się. Otwórz. Zaproś mnie do środka, Blair. Nic więcej nie musisz robić.

Otworzyła usta, żeby wypowiedzieć słowa, które już rozbrzmiewały w jej głowie.

Nagle ktoś skoczył na nią z tyłu, powalając ją na podłogę.

5

*P*otwór unoszący się za oknem ryknął z wściekłości, aż szyba niemal zadrżała i wybrzuszyła się od wrzasku, po czym zniknął. Blair poczuła, że pokój wiruje wokół niej.

– O nie, nic z tego. – Larkin złapał ją mocno za ramiona i podniósł na kolana. – Coś ty, do cholery, robiła?

Jego twarz stawała się coraz bardziej zamglona.

– Zaraz zemdleję. Przepraszam.

Gdy odzyskała przytomność, leżała na łóżku, a Larkin klepał ją po policzkach.

– Ach, jesteś. Nie odpływaj już więcej, dobrze, *muirnin?* Pójdę po Glennę.

– Nie, poczekaj, daj mi chwilę. Trochę mi niedobrze. – Przełknęła i przycisnęła dłoń do brzucha. – Jakbym wypiła za dużo margarity. Musiałam śnić... Myślałam, że... czy to mi się śniło?

– Stałaś przy oknie i już miałaś je otworzyć, a ona była po drugiej stronie. Ta Francuzka.

– Lora. O mało nie zaprosiłam jej do środka. – Przerażona Blair spojrzała na Larkina. – Och, mój Boże, chciałam ją zaprosić! Jak to się mogło stać?

– Wyglądałaś... inaczej. Powiedziałbym, że spałaś, ale miałaś otwarte oczy.

– Somnambulizm. Trans. Weszły do mojej głowy i coś mi zrobiły. Pozostali!

Przycisnął ją do łóżka, gdy chciała zeskoczyć.

– Wszyscy są na dole, w kuchni, Glenna zrobiła kolację, niech Bóg jej błogosławi. Poprosiła, żebym po ciebie poszedł. Pukałem, ale nie odpowiadałaś. – Popatrzył na okno, a twarz mu się zachmurzyła. – Już miałem odejść, pomyślałem, że śpisz i sen jest ci bardziej potrzebny niż posiłek. Ale wydawało mi się, że usłyszałem... jak ona z tobą rozmawia.

– Gdybym ją wpuściła... Nigdy nie słyszałam, żeby potrafiły kontrolować umysły, jeśli wcześniej cię nie ukąsiły. To coś nowego. Lepiej chodźmy na dół i powiedzmy pozostałym.

Larkin musnął lekko dłonią jej włosy.

– Drżysz. Mogę cię zanieść.

– Jestem pewna, że mógłbyś. – Uśmiechnęła się. – Może następnym razem. – Usiadła, nachyliła się do niego i dotknęła wargami jego ust. – Dziękuję za ocalenie.

– Bardzo proszę. – Pomógł jej wstać i otoczył ją ramieniem, gdy się zachwiała.

– Rety, kręci mi się w głowie. One coś ze mną zrobiły, wykorzystały dawne wspomnienia i emocje. Bardzo osobiste przeżycia. To mnie naprawdę wkurza.

– Byłabyś jeszcze bardziej wkurzona, gdybyś wpuściła ją do środka.

– Masz rację. No dobra, chodźmy na dół i... – Znowu się potknęła i zaklęła pod nosem.

– Jednak zrobimy tak, jak mówiłem. – Wziął ją na ręce.

– Daj mi jeszcze chwilkę, muszę odzyskać równowagę.

– Jak dla mnie jesteś wystarczająco zrównoważona. – Popatrzył na nią z leniwym uśmiechem. – Masz piękne kształty. I podoba mi się, że nosisz ubrania, które tego nie ukrywają. A do tego ślicznie pachniesz. Jakby zielonym jabłkiem.

– Chcesz odwrócić moje myśli od tego, że nieomal zaprosiłam wampira na kolację?

– Działa?

– Trochę.

– W takim razie bardziej się postaram. – Przystanął, pochylił głowę i nakrył jej usta swoimi.

Pocałunek nie był tak beztroski jak poprzedni i Blair poczuła w nim złość i lęk o nią samą. Nie pamiętała, kiedy ostatni raz ktoś się o nią bał. Oddała pocałunek, zanim zdążyła się powstrzymać, przycisnęła się do Larkina, wplotła palce w jego włosy. Chciała wypełnić nim tę bolesną pustkę, która została po śnie.

– Dosyć skuteczne – wymruczała, gdy uniósł głowę.

– Przynajmniej wróciły ci kolory, więc na razie wszystko w porządku.

– Lepiej mnie postaw. Przestraszysz ich, jeśli mnie tam wniesiesz. I tak będą wystarczająco przerażeni, kiedy powiemy im, co się stało.

Postawił ją na podłodze, nie wypuszczając jednak z uścisku.

– Nie kręci ci się już w głowie?

– Nie, wszystko w porządku, naprawdę.

Ale i tak nie zdjął ręki z jej ramienia, gdy szli korytarzem w stronę kuchni.

– Jeśli potrafią to zrobić, to czemu nie spróbowały wcześniej? – Hoyt siedział u szczytu stołu w jadalni, na kominku za jego plecami trzaskał ogień. Popatrzył na siedzącego na drugim końcu Ciana.

– Nigdy nie słyszałem, żeby robiły coś takiego. – Cian wzruszył ramionami i spróbował przygotowanej przez Glennę ryby. – Jeśli istnieje związek między wampirem a człowiekiem, wtedy owszem, mogą pochlebstwem wybłagać zaproszenie, ale zwykle dzięki instynktownemu brakowi wiary człowieka w to, co widzi. Tu mamy inny przypadek i z tego, co oboje z Larkinem mówicie, wynika, że spałaś.

– Zawsze musi być pierwszy raz. – Blair nie miała apetytu, ale jadła, żeby dostarczyć organizmowi paliwa. – My mamy w drużynie magików i najwyraźniej ona też. Rzuciła na mnie jakiś czar.

– Ja zasnęłam w bibliotece i... – Moira napiła się wody, bo zaschło jej w gardle. – Coś się wydarzyło. Nie tak, jak tobie, Blair, ale czułam się, jakby ona tam ze mną była. Lilith. A właściwie ja byłam z nią, nie w bibliotece, tylko w mojej komnacie, w Geallii.

– I co się stało? – zapytała Glenna. – Pamiętasz?

– Ja... – Moira nie odrywała wzroku od talerza. Na jej policzki wypłynął krwisty rumieniec. – Ja spałam, a ona była koło mnie i wydawała się tak realna, jak wy teraz. Położyła się obok mnie na łóżku i... dotknęła mnie. Mojego ciała. Czułam na sobie jej dłonie.

– To się zdarza. – Blair bawiła się jedzeniem. – Wampiry są bardzo zmysłowe, często biseksualne. Wygląda na to, że sprawdzała, na ile może sobie z tobą pozwolić.

– Ja też miałam podobne doświadczenie zaraz po naszym przyjeździe – powiedziała Glenna. – Potem powzięłam środki ostrożności, zaczęłam chronić się we śnie. Byłam głupia, głupia, że nie pomyślałam, aby was wszystkich też zabezpieczyć.

– Cóż, dzisiaj nauczyłaś się nowej lekcji. – Blair wycelowała w nią widelec. – Glenna nie może myśleć o wszystkim.

– Doceniam twoje poczucie humoru, ale powinnam była o tym pomyśleć.

– Musimy pomyśleć o tym teraz, bo nie możemy pozwolić, żeby ogłupiły któreś z nas i wparowały do tego domu.

– Mają kogoś o wielkiej mocy. To nie jest wampir. – Moira zerknęła na Ciana, szukając potwierdzenia, a on skinął lekko głową. – Czytałam, że niektóre wampiry mogą wprowadzać ludzi w trans, ale muszą znajdować się blisko ofiary albo wcześniej ją ukąsić. Ugryzienie tworzy między nimi więź, tak że wampir może sprawować kontrolę nad człowiekiem.

– Nikt z nas nie został ugryziony – przypomniała Blair.

– Tak, a ty spałaś i ja też, i Glenna. Nie mogą cię opanować wzrokiem, jeśli śpisz.

– Wampir musi dać sporo czadu, żeby zakręcić człowieka. Mnóstwo energii – wyjaśniła Blair. – I praktyki.

– To prawda – potwierdził Cian.

– Musieli przemienić czarownicę lub czarnoksiężnika – powiedział Hoyt.

– Nie. – Moira zagryzła wargę. – Nie sądzę. Jeśli to, co czytałam, jest prawdą, wampir może zdobyć moc, pijąc krew człowieka, który ją posiada, ale magia nie jest już taka silna. A jeśli władający magią zostanie przemieniony w wampira, traci większość mocy lub nawet całą. Cena za nieśmiertelność. Demon, którym się staje, nie ma już daru.

– A zatem prawdopodobnie Lilith ma wiedźmę czy kogoś w tym stylu na swojej liście płac, że tak powiem – rozważała Blair, wracając do jedzenia. – Kogoś, kto przeszedł na ciemną stronę mocy. Albo może trzyma kogoś takiego w niewoli, potężnego półwampira.

– Nie wiem, czy tak musi być. – Odwrotnie niż wszyscy, Larkin już wyczyścił swój talerz i wstał po dokładkę. – Słuchałem wszystkiego, co mówiliście.

– Jak twoje uszy mogą działać, kiedy masz tak pełne usta? – zdziwiła się Blair.

Larkin tylko się uśmiechnął i nałożył sobie dokładkę ryżu i ryby.

– Dobre jedzenie – pochwalił Glennę. – Gdybym nie jadł z apetytem, to skąd byś wiedziała, że mi smakuje?

– Chciałabym wiedzieć, gdzie ty chowasz ten cały swój apetyt. Ale zamierzałeś nam coś powiedzieć – przypomniała mu Blair.

– To wszystko przydarzyło się wam we śnie, więc można wnioskować, że czar nie działa na świadomy umysł. Czy nie wymagałoby więcej mocy, żeby... – użył sformułowania Blair – zakręcić kogoś, kto jest przytomny i czujny?

– Wymagałoby. – Hoyt skinął głową. – Oczywiście, że tak.

– A wy nie tylko spałyście. Moira była skrajnie wyczerpana wypadkami dzisiejszego dnia, Blair też. Nie wiem, w jakim stanie byłaś wtedy ty, Glenno, ale...

– Byłam zmordowana i rozbita. Dlatego między innymi nie podjęłam żadnych środków ostrożności, tylko padłam na łóżko.

– Sami widzicie. Nie chodzi o sam sen, lecz o stan, gdy ciało jest słabe, a umysł bezbronny. Dlatego wydaje mi się, że ten, kto jej pomaga, nie jest aż tak silny jak ci, którzy siedzą przy tym stole.

– Rzeczywiście dobrze słuchałeś – przyznała Blair. – Nasz smok ma rację. Uderzyła, kiedy byłyśmy bezbronne, i była cholernie blisko zwycięstwa. Co z tym zrobimy?

– Hoyt i ja popracujemy nad ochroną. Dotychczas stosowałam najprostsze czary. – Glenna popatrzyła na niego. – Podrasujemy je.

– Dobrze by było, gdybyśmy mieli też coś wokół domu – uznała Blair. – Takie ogólne zaklęcie, żeby nie mogły wejść do środka, nawet po zaproszeniu.

– Zaproszenia nie da się zniwelować. – Cian odchylił się na krześle z kieliszkiem wina w dłoni. – Można je odwołać, ale nie zablokować.

– No dobrze, może nie. A gdyby tak stworzyć wokół domu pas bezpieczeństwa?

– Próbowaliśmy. – Hoyt przykrył ręką dłoń Glenny. – Nie znaleźliśmy sposobu.

– Musicie nad tym popracować, mielibyśmy kolejną warstwę ochronną. Im więcej przeszkód będą musiały pokonać, tym lepiej. Myślę o takiej strefie wampirodpornej.

– Może powinienem się przeprowadzić do jakiegoś przytulnego pensjonatu – zasugerował Cian, a Blair już miała go zbesztać, gdy nagle zrozumiała.

– Och. Och, prawda. Przepraszam. Zapomniałam. Nie można mieć strefy wampiro-ochronnej w domu wampira.

– Nie udało nam się znaleźć sposobu, żeby go wykluczyć – wyjaśniła Glenna. – Mamy kilka pomysłów. A właściwie dopiero koncepcji – przyznała. – Hoyt pracował przez pewien czas nad ochroną dla ciebie, Cian, żebyś mógł wychodzić na zewnątrz w ciągu dnia.

– Inni też próbowali i ponieśli klęskę. To niewykonalne.

– Kiedyś ludzie wierzyli, że Ziemia jest płaska – przypomniała mu Blair.

– Też prawda. – Cian wzruszył ramionami. – Ale myślę, że gdyby to było możliwe, to w ciągu tysięcy lat naszej egzystencji stworzono by taką tarczę. A w tej chwili eksperymenty na tym polu wydają mi się stratą czasu.

– To mój czas – powiedział Hoyt cicho.

– Przydałbyś nam się dzisiaj – odezwała się Glenna po długiej chwili ciszy. – W Kerry, na klifach. To nie jest strata czasu. Wydaje mi się, że mielibyśmy większe szanse na sukces, gdybyś dał nam trochę swojej krwi.

– Och? – zapytał Cian oschle. – To wszystko?

– Pomyśl o tym. I tak będziemy pracować przede wszystkim nad ochroną. – Ścisnęła dłoń Hoyta. – Może od razu się do tego zabierzemy?

– Na razie nikomu nie wolno spać. Mam u siebie parę dodatkowych krzyży i święconą wodę. – Blair wstała od stołu. – Cian, jeżeli nigdzie się nie wybierasz, to chciałabym zabezpieczyć okna i drzwi.

– Bardzo proszę. Ale takie sztuczki nie powstrzymają zaproszonych.

– Warstwy ochronne – powiedziała Blair.

– Pomogę ci. – Larkin odsunął talerz. – W tym domu jest mnóstwo okien i drzwi.

– No dobrze, wygląda na to, że dzielimy się na grupy. Hoyt i Glenna do magii, Larkin i ja zabezpieczymy wejścia, a Moira i Cian sprzątają po kolacji.

Nie mogła powiedzieć, że nie ufa Hoytowi i Glennie – nigdy nikogo nie darzyła takim zaufaniem. Była otwarta na magię – musiała być – ale nawet z amuletem pod poduszką, zapaloną świecą i drugim amuletem wiszącym wraz z krzyżem koło okna Blair spała bardzo czujnie tej nocy.

I następnej też.

Treningi pomagały, dawały poczucie celowości i czyste, fizyczne zmęczenie. Blair nie odpuszczała ani na chwilę, nikt, w tym ona sama, nie kończył dnia bez siniaków i bolących mięśni, ale też nikt – także ona sama – nie kończył dnia trochę szybszy i odrobinę silniejszy.

Patrzyła, jak Moira rozkwita – tak to nazywała. Tam, gdzie brakowało jej siły, nadrabiała szybkością, gibkością i determinacją.

Nikt nie mógł się z nią równać, gdy miała w rękach łuk.

Glenna doskonaliła swoje umiejętności oparte na instynkcie i sprycie. I coraz lepiej radziła sobie z toporem i mieczem.

Hoyt robił wszystko z pełnym zaangażowaniem. Bez względu na to, czy walczył szpadą, łukiem czy gołymi rękami, poświęcał temu całą uwagę. Blair uważała go za żołnierza, na którym najbardziej mogła polegać.

Cian zaś był najbardziej elegancki i niebezpieczny. Miał ogromną siłę swego gatunku i zwierzęcy spryt, ale nie brakowało mu dobrego stylu. Blair uznała, że pewnie nawet zabija z morderczą gracją.

Larkin sprawdzał się w każdej dyscyplinie. W walce wręcz był niezmordowany i nigdy się nie poddawał. W starciu na miecze brakowało mu skupienia Hoyta i precyzji Ciana, ale walczył uparcie, aż powalił przeciwnika lub po prostu go zamęczył. Miał dobre oko do łuku – nie aż tak dobre jak Moira, ale ona była mistrzynią w tej dziedzinie.

I nigdy się nie wiedziało, kiedy sięgnie po którąś ze swoich sztuczek, więc często kończyło się pojedynek, walcząc z mężczyzną o głowie wilka lub z łapami niedźwiedzia czy ogonem smoka.

Umiejętność przydatna i efektywna.

I cholernie seksowna.

Czasami irytował Blair. Był trochę zbyt impulsywny i lubił się popisywać. A takie popisy mogły skończyć się w grobie.

Ale gdyby miała wybierać ludzi, z którymi chciałaby stanąć do walki, nie wybrałaby nikogo innego.

Jednak nawet żołnierze szykujący się do walki o los światów musieli jeść, prać i wywozić śmieci.

Blair sama się zgłosiła, żeby pojechać po zakupy, bo desperacko pragnęła wyjść z domu. Dwudniowy deszcz ograniczył pobyt na zewnątrz do minimum i była podminowana. Jeśli choć jedna osoba powiedziałaby jej, że to dzięki częstym opadom Irlandia jest zielona, Blair była gotowa roztrzaskać temu komuś głowę toporem.

Poza tym od jej bliskiego spotkania z Lorą nie zauważyli ani śladu wroga i ów pozorny spokój jeszcze bardziej ją drażnił.

Coś się szykowało.

Wolałaby jechać sama, mieć kilka godzin tylko dla siebie, ale Larkin się uparł, że podejmowałaby zupełnie niepotrzebne ryzyko.

Jednak w drodze do Ennis postawiła stanowcze weto w sprawie nauki jazdy samochodem.

– Dlaczego nie mogę spróbować? – marudził Larkin. – Patrzyłem, jak Glenna prowadzi. Nauczyła Hoyta.

– Hoyt prowadzi jak ślepy staruszek z Florydy.

– Nie wiem, co to znaczy, ale chyba go obraziłaś. Ja poradziłbym sobie lepiej z tym wozem albo z tamtym cudeńkiem, które Cian trzyma w stajni.

– W garażu. Samochody trzyma się w garażu, a Cian powiedział wprost, że wyssie krew z każdego, kto tknie jego jaguara.

– Możesz mnie uczyć na tym. – Przesunął palcem wzdłuż jej szyi. – Byłbym bystrym studentem.

– Twój czar nic tu nie zdziała. – Włączyła radio. – Posłuchaj muzyki i ciesz się przejażdżką.

Larkin przekrzywił głowę.

– Ta melodia wydaje mi się znajoma.

– To irlandzka stacja, grają muzykę folkową.

– To cudowne, że możecie mieć muzykę na zawołanie. I przemieszczać się tak szybko z jednego miejsca w drugie.

– Chyba że utkniesz w korku w Chicago. Wtedy wcale się nie przemieszczasz, tylko siedzisz i klniesz.

– Opowiedz mi o twoim Chicago.

– To nie jest „moje" Chicago, po prostu mieszkałam tam przez ostatnich kilka lat.

– A wcześniej w Bostonie.

– Tak. – Ale Boston przypominał jej Jeremy'ego i musiała się przeprowadzić. – Chicago. To jest... miasto. Największe na środkowym zachodzie Stanów Zjednoczonych. Nad ogromnym jeziorem.

– Łowisz ryby w tym jeziorze?

– Ryby? Ja? Nie, ale pewnie ludzie łowią. Ach... i żeglują po nim. Uprawiają sporty wodne i tak dalej. Zimą jest tam diabelnie zimno, wieje lodowaty wiatr. Ale w Chicago dużo się dzieje, są restauracje, fantastyczne sklepy, muzea, kluby. I wampiry.

– To duże miasto? Większe niż Ennis?

– O wiele większe. – Próbowała sobie wyobrazić Larkina w Chicago i nie mogła.

– Jeśli to takie wielkie miasto i mieszka w nim tylu ludzi, to dlaczego nie zebrali się razem, żeby walczyć z wampirami?

– Bo nie wierzą w nie albo udają, że nie wierzą. Jeśli ktoś zostanie zaatakowany lub ginie, obwiniają gangi albo psychopatów. Na ogół wampiry starają się nie wychylać, przynajmniej tak było dotychczas. Polują na bezdomnych lub uciekinierów – na ludzi, których nikt nie będzie szukał.

– W Geallii opowiadano legendy o potworach, które dawno temu polowały w ciemnościach na ludzi i karmiły się nimi. Nigdy w to nie wierzyłem, dopóki nie zabiły królowej – mojej ciotki. I nawet wtedy...

– Trudno uwierzyć w coś, co przez całe życie uważałeś za fantazję, więc nadal sobie wmawiasz, że to nieprawda. To naturalne.

– Ale ty tak nie robisz. – Popatrzył na jej profil. Twarz Blair miała w sobie siłę i piękno, a kruczoczarne włosy stanowiły intrygujący kontrast z białą skórą. – Ty zawsze wiedziałaś. Wolałabyś, żeby było inaczej? Żebyś była taka jak inni ludzie i nigdy nie wiedziała?

– Nie ma sensu marzyć o czymś, czego nie można mieć.

– A po co marzyć o czymś, co jest do zdobycia?

Miał rację, uznała Blair. Zwykle ją miał, jeśli wysłuchało się go do końca.

Znalazła wolne miejsce na parkingu i szukała drobnych na parkomat, a Larkin stał z rękami w kieszeniach dżinsów, które kupiła mu Glenna, i przyglądał się wszystkiemu ciekawie.

Blair cieszyła się, że nie zadawał jej tysięcy pytań. Wiedziała, że był już kiedyś w Ennis, ale przypuszczała, że każda kolejna wizyta jest dla niego jak przechadzka po Disneylandzie.

– Trzymaj się blisko mnie, dobrze? Nie chcę szukać cię po całym mieście.

– Nie zostawiłbym cię. – Wziął ją za rękę, ściskając mocniej, gdy próbowała mu ją wyrwać. – Powinnaś mnie trzymać – powiedział, patrząc na nią oczami niewiniątka. – Mógłbym się zgubić.

– Co za brednie.

– Absolutnie nie. – Splótł palce z palcami Blair i ruszył przed siebie leniwym krokiem. – Przy tych wszystkich ludziach, widokach i dźwiękach mogę stracić orientację. U nas nie ma aż tak dużych miast i nie mieszka w nich tylu ludzi. Chociaż w dzień targowy bywa całkiem tłoczno i kolorowo. Ale tam jestem w domu.

– Ty wszędzie czujesz się jak w domu – powiedziała pod nosem, ale Larkin miał dobre uszy i usta mu drgnęły.

– W dzień targowy do miasta przyjeżdżają ludzie z całej okolicy. Jest wspaniałe jedzenie...

– A to dla ciebie najważniejsze.

– Człowiek musi jeść. Ale sprzedają też ubrania i różne ciekawe przedmioty, gra muzyka. Są piękne kamienie z gór i muszle znad morza. I możesz się targować, to najlepsza zabawa. Kiedy wrócimy do domu, kupię ci prezent na targu.

Zatrzymał się, żeby obejrzeć biżuterię wyłożoną w witrynie sklepu z pamiątkami.

– Nie mam nic na wymianę, a Hoyt mówił, że nie mogę tu używać monet, które przywiozłem ze sobą. Lubisz błyskotki – wskazał palcem na mały kolczyk w uchu Blair – więc kupię ci coś takiego w dzień targowy.

– Obawiam się, że będziemy zbyt zajęci, by mieć czas na kupowanie błyskotek. Chodź. – Pociągnęła go za rękę. – Przyjechaliśmy po zapasy, nie po biżuterię.

– Nie musimy się śpieszyć. Możemy się trochę rozerwać, skoro już tu jesteśmy. Z tego co widzę, rzadko pozwalasz sobie na zabawę.

– Jeśli przeżyjemy do listopada, będę fikała koziołki na ulicy. Nago.

Larkin posłał jej szeroki uśmiech.

– To dla mnie kolejny ważny powód, żeby walczyć. Nie myślałem o fikołkach, ale raz czy dwa wyobrażałem sobie ciebie nago. Och, popatrz tam! Ciastka!

Seks i jedzenie, pomyślała Blair, dodaj jeszcze piwo i mecz i masz esencję faceta.

– Nie. – Przewróciła oczami i opierała się bez przekonania, gdy Larkin ciągnął ją przez ulicę. – Nie przyjechaliśmy tu na ciastka. Mam listę zakupów, naprawdę długą.

– Zaraz się tym zajmiemy. Ach, popatrz tylko na tamto! Widzisz to długie, z czekoladą?

– Eklerka.

– Eklerka – powtórzył, a w jego ustach zabrzmiało to jak nazwa wyjątkowo przyjemnej zabawy erotycznej. – Oboje powinniśmy zjeść po jednej. – Popatrzył na nią tymi złocistymi oczami. – Blair, bądź tak kochana, dobrze? Oddam ci pieniądze.

– Powinieneś być gruby jak świnia – wymamrotała, ale weszła do cukierni po dwie eklerki.

I wyszła jeszcze z tuzinem babeczek.

Nie miała pojęcia, jak ją na nie namówił, tak samo jak na wizytę w kolejnych sześciu sklepach. Zwykle miała – do diabła, zawsze miała – silniejszą wolę.

Wtedy zauważyła, jak patrzą na niego sprzedawczynie i kobiety na uli-cy, i uznała, że i tak wykazuje się wystarczającą siłą woli.

Przez Larkina zmitrężyli ponad godzinę, zanim Blair w końcu udało się go zmusić do koncentracji na liście zakupów.

– No dobrze, koniec tego dobrego. Niesiemy torby prosto do samocho-du i jedziemy do domu. Żadnego oglądania wystaw, żadnych flirtów ze sprzedawczyniami.

– Naprawdę powinnaś się wstydzić za czar, który rzuciłaś na tę biedną dziewczynę.

Blair popatrzyła na niego z szyderczym podziwem.

– Ty to jesteś egzemplarz. – Wskazała podbródkiem kierunek. – W tam-tą stronę. Żadnych przystanków.

– Wiesz, to miasteczko jest zbudowane zupełnie jak moje. Rozkład ulic, sklepy obok siebie. I to też przypomina mi dom.

Zanim zdążyła go powstrzymać, Larkin otworzył drzwi pubu.

– Ach, znajomy zapach i muzyka. Wejdźmy na chwilę.

– Larkin, musimy wracać.

– Wrócimy. Ale najpierw napijemy się piwa. Lubię piwo.

Blair miała ręce pełne toreb i nie mogła stawić należytego oporu, gdy wciągnął ją do środka.

– Będzie miło – przekonywał – usiąść po całym tym chodzeniu i wychy-lić kielich. Ach, nie macie kielichów – przypomniał sobie.

– Kufle. Zwykle podają piwo w kuflach. – To z powodu zmęczenia się poddała. Ten facet był niezmordowany. I zabawny.

Położyła zakupy na krześle i usiadła przy niskim stole.

– Jedno piwo – uniosła palec – i ani kropli więcej. Nie chcę mieć przez ciebie żadnych kłopotów.

– A sprawiłem ci jakieś kłopoty? – Wziął ją za rękę i ucałował palce. – Naprawdę nie chciałem.

Blair popatrzyła na niego zmrużonymi oczami.

– Poczekaj no chwilkę, poczekaj. Czy ty aby cały czas mnie nie nabie-rałeś? Czy ta nasza wyprawa miała być randką?

Larkin zmarszczył brwi.

– Nie wiem, co to randka. Nie nadążam za waszymi czasami.

– Miałam na myśli... Nieważne. Jeden guinness – powiedziała kelnerce, która podeszła do stolika – i harp.

– Jak się pani dziś miewa? – zapytał Larkin dziewczynę, a ona obdarzy-ła go promiennym uśmiechem.

– Bardzo dobrze, dziękuję. A pan?

– Spędziliśmy cudowny dzień. Mieszka pani w miasteczku?

– Tak, w Ennis. A państwo przyjezdni?

– Tak. Moja dama jest z Chicago.

– Och, mam tam kuzynów. W takim razie witamy w Irlandii. Mam na-dzieję, że państwu się u nas spodoba. Zaraz podam piwo.

Blair postukała palcem w stół, nie spuszczając wzroku z Larkina.

– Nawet nie musisz specjalnie się starać, to po prostu w tobie jest.

– Nie rozumiem, o czym mówisz.

– Nie, pewnie nie. Czy dziewczęta w Geallii też tak na ciebie reagują? Rumienią się i trzepoczą rzęsami?

Przykrył jej dłoń swoją.

– Nie musisz być zazdrosna, kochana. W moich myślach jest miejsce tylko dla ciebie.

– Daruj sobie. – Ale musiała się roześmiać. – Nie uwierzyłabym ci, nawet gdybyś wytatuował to sobie na plecach.

– Żadna kobieta, ani tutaj, ani w domu, nie zrobiła na mnie takiego wrażenia jak ty. I zastanawiam się, czy kiedykolwiek będzie inaczej, teraz, kiedy spotkałem ciebie. Nie jesteś podobna do żadnej kobiety, jaką znam.

– Nie jestem podobna do żadnej kobiety na ziemi.

Larkin spoważniał.

– Myślisz, że to jakaś ułomność, skaza albo... przeszkoda. Coś, co sprawia, że jesteś mniej atrakcyjna od innych. To nieprawda. Kiedy powiedziałem, że nie jesteś podobna do żadnej innej kobiety, miałem na myśli, że jesteś od nich wszystkich bardziej interesująca, bardziej podniecająca. Bardziej pociągająca. Przestań.

Nagła i niespodziewana irytacja w jego głosie sprawiła, że Blair uniosła głowę.

– Ale co?

– Robisz minę, jakbyś mówiła „bzdury". Lubię czarować damy i nikomu nie wyrządzam tym krzywdy. – Odczekał chwilę i Blair zauważyła, że tym razem uśmiech do kelnerki kosztował go trochę wysiłku. – Dziękujemy. – Uniósł kufel i pociągnął długi łyk.

– Jesteś wkurzony – mruknęła, rozpoznając błysk w jego oku. – Dlaczego?

– Złości mnie, że tak bardzo się nie doceniasz.

– Ja siebie nie doceniam? Oszalałeś?

– Och, bądź cicho. Powiedziałem, że lubię czarować damy, bo tak jest. Lubię poflirtować od czasu do czasu i poromansować, jeśli nadarzy się okazja. Ale nie krzywdzę kobiet ani rękami, ani słowem. Nie kłamię. I dlatego jeśli ci mówię, jak cię widzę, to mówię prawdę. Uważam, że jesteś wspaniała.

Pociągnął kolejny łyk i skinął głową, a Blair tylko patrzyła na niego w milczeniu.

– No, to zamknęło ci buzię. Wspaniała – powtórzył. – Mówię i o urodzie, i o figurze, sercu i duszy. Wspaniała, bo każdego dnia robisz to, co robisz, i zajmujesz się tym od małego. Nigdy nie znałem nikogo takiego jak ty i na pewno nie poznam. Mówię ci, jeśli mężczyzna patrzy na ciebie i nie widzi, jakim jesteś cudem, to coś jest nie tak z jego oczami, nie z tobą.

6

Wrócili do stałego rozkładu zajęć. Z huków i błysków dobiegających z wieży Blair wywnioskowała, że magia też nie próżnuje.

Ale wszystko to było tylko przykrywką dla oczekiwania.

– Musimy coś zrobić. – Blair wymierzała kolejne ciosy w ciężki wór, który podwiesili u sufitu w dawnej sali balowej. – Już wystarczająco długo siedzimy cicho, trzeba nią trochę potrząsnąć.

– Jestem za. – Larkin patrzył na Blair, zastanawiając się, ile frustracji wyładowuje w tych ciosach. – Myślałem o ataku na jaskinie, w ciągu dnia.

– Próbowaliśmy. – Uderzała zaciekle: lewa, lewa, prawa. – I nic z tego nie wyszło.

– Byliśmy tam, ale nie zaatakowaliśmy, prawda?

Popatrzyła na niego spode łba zirytowana, że miał rację. Dobrze, że nie wspomniał o tym, jak sama Blair o mało nie wpuściła wampirzycy do domu.

– Wchodzimy tam i jesteśmy martwi. W każdym razie większość z nas.

– Niewykluczone, ale zapewne i tak zginiemy, zanim to wszystko dobiegnie końca.

Niełatwa prawda, pomyślała, jednak trzeba się z nią pogodzić.

– Tak, to bardzo możliwe.

– Możemy dać im trochę do myślenia, nie musimy od razu wchodzić do środka i narażać się na najgorsze. Chociaż dla odmiany chętnie bym ich dopadł na ich własnym terytorium. – Wziął do ręki kołek i rzucił nim w kukłę do ćwiczeń.

Blair rozumiała jego pragnienie, sama czuła tak samo. Ale była rozsądna.

– Jeśli to tylko jest możliwe, nie walczysz według ich reguł ani na ich terenie. Wejście do jaskiń to samobójstwo.

– Dla nich, jeśli ich podpalimy.

Blair uderzyła po raz ostatni i odwróciła się do niego.

– Podpalimy?

– Tak, ale musielibyśmy zrobić to tylko we dwójkę. Pozostali, zwłaszcza Moira, nigdy się na to nie zgodzą.

Blair, zaintrygowana, zaczęła odwijać bandaże z dłoni.

– Miałam zapytać cię już wcześniej, jak jesteś smokiem, to zioniesz ogniem?

Popatrzył na nią zdumiony.

– Czy zionę ogniem?

– Tak. Smoki zioną ogniem, prawda?

– Nie. Po co miałyby to robić? I jak?

– Tu nasuwa się pytanie, jak człowiek może się zmienić w smoka, ale nieważne, następna fantazja rozwiana. Zatem jak zamierzasz podpalić jaskinie?

Larkin uniósł miecz.

– Tylko jedno z nas musiałoby wejść do środka, dosłownie parę kroków. Chętnie bym to zrobił. Ale... – Odłożył miecz. – Bardziej rozsądnym rozwiązaniem byłyby płonące strzały.

– Strzelanie płonącymi strzałami do jaskini w biały dzień. Tak, to nie powinno zwrócić niczyjej uwagi. Nie chcę cię zniechęcać – dodała szybko, zanim zdążył coś powiedzieć. – Widok smoka i trzęsienie ziemi nikogo nie zdziwiły. Ludzie dostrzegają tylko to, co chcą. Ale jest jeszcze jedna sprawa: w środku wciąż są uwięzieni ludzie.

– Wiem o tym. Czy możemy ich uratować?

– Bardzo mało prawdopodobne.

– Gdybym był zamknięty w klatce i czekał, aż stanę się posiłkiem dla któregoś z tych potworów lub zamienią mnie w jednego z nich, to wolałbym spłonąć. Sama tak mówiłaś.

– Myślę, że masz rację, ale to musi być doskonale przygotowany atak, jeśli mamy coś osiągnąć. I zgadzam się z tobą, nie możemy mówić o tym pozostałym. – Podeszła i popatrzyła mu prosto w oczy. – Tyle że ty o tym mówisz, ale nigdy nie byłbyś w stanie tego zrobić.

Podszedł do kukły i wyrwał tkwiący w niej kołek. Chciał być do tego zdolny, w głowie, ale w sercu... to była zupełnie inna sprawa.

– A ty byś mogła?

– Tak, mogłabym. Potem musiałabym z tym żyć i żyłabym dalej. Uczestniczę w tej wojnie od dziecka, Larkin. Nie można wyjść z niej bez szwanku, lekkich urazów i skutków ubocznych. Gdybym myślała, że w ten sposób możemy to zakończyć albo wyrządzić Lilith poważną krzywdę, już dawno bym to zrobiła.

– I uważasz, że ja nie.

– Nie mógłbyś.

– Bo jestem słaby?

– Bo nie jesteś twardy.

Larkin obrócił się i rzucił kołkiem prosto w serce kukły.

– A ty jesteś?

– Muszę być. Nie widziałeś tego, co ja, i mimo wszystko wciąż nie wiesz tak dużo jak ja. Muszę być twarda. Robiąc to, co robię, nie mam innego wyjścia.

– To, że jesteś wojowniczką, łowczynią wampirów, to dar i obowiązek, ale twardość stanowi twój wybór. Jestem w stanie zrobić wszystko, co trzeba, i jeśli musiałbym poświęcić tych ludzi, nauczyłbym się z tym żyć. Bolałoby mnie to i mi ciążyło, jednak wypełniłbym swój obowiązek.

Pod zbyt wielkim ciężarem albo twardniejesz, albo się łamiesz, pomyślała Blair, gdy została sama.

Dlatego pracowała i żyła samotnie. Nie musiała się przed nikim tłumaczyć, usprawiedliwiać. Po doświadczeniu z Jeremym nauczyła się, że tylko w pojedynkę może robić to, po co się urodziła.

Usłyszała stłumiony wybuch w wieży na górze i podniosła wzrok. Niektórzy ludzie potrafili znaleźć tę bliskość, intymność i wykorzystać ją w pracy. Lecz najpierw musieli dobrze się zrozumieć i zaakceptować swoje ciemne strony. Nie tylko je tolerować, ale pochylić się nad nimi z czułością.

W jej wypadku to nie wchodziło w rachubę. Owinęła z powrotem dłonie ochraniaczami i znowu zaczęła boksować ciężki worek.

– Ktoś, kogo znasz? – zapytał Cian, stając w drzwiach.

Ledwo na niego spojrzała. Teraz waliła już nie tylko rękami, ale i nogami. Kopnięcia bokiem, tyłem, z półobrotu. Walczyła tak zaciekle, że trudno jej było złapać oddech.

– Nauczyciel algebry z dziesiątej klasy.

– Nie wątpię, że zasłużył na dobre lanie. Kiedykolwiek przydała ci się ta cała algebra?

– Nigdy.

Patrzył, jak Blair się rozpędziła i z wyskoku kopnęła worek tak, że o mało nie oberwał się z łańcucha.

– Jesteś w dobrej formie. Dziwne, ale ja tu widzę twarz Larkina. – Uśmiechnął się lekko, gdy przystanęła, żeby złapać oddech i napić się wody. – Minąłem go na schodach, wyglądał na zirytowanego, co rzadko mu się zdarza. To dosyć pogodny chłopak, prawda?

– Umiem irytować ludzi.

– Święta prawda. Da się lubić tego Larkina.

– Ja też go lubię.

– Hmm.

Cian przeciął salę, wziął kilka noży i zaczął rzucać nimi w tarczę wiszącą na przeciwległej ścianie.

– Kiedy masz do czynienia z ludźmi tak długo jak ja, uczysz się rozpoznawać pewne symptomy i sygnały. Poza tym jestem bardzo ciekaw motywacji ludzkich wyborów, dlatego zastanawiam się, dlaczego wy dwoje po prostu nie rzucicie się w płomienny romans. Niebezpieczne czasy, zbliżający się koniec świata i tak dalej.

Blair wyprostowała się jak struna.

– Wiedz, że nie mam zwyczaju puszczać się z każdym kolesiem, który jest pod ręką – o ile to w ogóle jest twoja sprawa.

– Twój wybór – wyciągnął noże z tarczy i podał je Blair – ale wydaje mi się, że w wypadku Larkina chodzi o coś więcej niż tylko o to, że jest wolny i pod ręką.

Podrzuciła nóż w dłoni, po czym wymierzyła nim w tarczę.

– Skąd to nagłe zainteresowanie moim życiem seksualnym?

– Studia nad ludzkimi reakcjami. Mój brat opuścił swój świat i wszedł w obecny. Bogini wskazała mu kierunek, a on ruszył na jej wezwanie.

– Nie wykonywał tylko ślepo jej rozkazów.

– Tak – przyznał Cian po chwili. – Przybył tu, żeby mnie odnaleźć. W końcu jesteśmy bliźniakami, wiele nas łączy. Poza tym z natury jest obowiązkowy i lojalny.

Tym razem Blair poszła wyjąć noże.

– Jest też odważny i włada wielką mocą.

– Tak, to prawda. – Cian wziął od niej noże i znów rzucił. – Najprawdopodobniej będę patrzył na jego śmierć. Nie takiego dokonałbym wyboru. Nawet jeśli Hoyt teraz przeżyje, później się zestarzeje, ciało odmówi mu posłuszeństwa, aż w końcu umrze.

– Optymista z ciebie, co? To może nastąpić, gdy będzie spokojnie spał, po długim i satysfakcjonującym życiu, może nawet po fantastycznym seksie.

Cian uśmiechnął się lekko, ale uśmiech nie rozjaśnił jego lodowatobłękitnych oczu.

– Czy to stanie się z przyczyn naturalnych, czy nie, efekt będzie ten sam. Widziałem więcej śmierci, niż ty kiedykolwiek mogłabyś zobaczyć, chociaż i tak widziałaś więcej niż zwykli ludzie. I to nas odróżnia, ciebie i mnie, od pozostałych.

– W tej kwestii nie mamy wyboru.

– Oczywiście, że mamy. Wiem trochę o samotności i o lekarstwach na nią, działających choćby przez chwilę.

– Zatem powinnam się rzucić na Larkina, bo jestem samotna?

– To byłaby jedna z odpowiedzi. – Cian wyciągnął noże z tarczy, ale tym razem położył je na stole. – Inna mogłaby brzmieć: przyjrzyj się lepiej jemu i temu, co widzi, gdy na ciebie patrzy. A na razie napięcie i frustracja dają ci niezłego kopa. Masz ochotę na rundkę lub dwie?

– Jakże mogłabym odmówić.

Zarobiła kilka siniaków, ale poczuła się lepiej. Nie ma lepszego sposobu, żeby oczyścić umysł, niż dobra bójka z wampirem – nawet z takim, który nie chce cię zabić. Postanowiła zejść na chwilę na dół, żeby coś przekąsić przed wieczornym treningiem.

Ale najpierw wstąpi do swojego pokoju i natrze siniaki magicznym kremem Glenny.

Weszła do swojej sypialni i nagle znalazła się na wzgórzu nad Doliną Ciszy.

– Och cholera, cholera, cholera. Nie muszę tego znowu oglądać.

– Ależ musisz. – Stała obok niej Morrigan, bladobłękitna suknia bogini trzepotała na wietrze. – Musisz poznać tu każdy kamień, każde wzgórze, każde źdźbło trawy. To wasze pole walki, tu rozstrzygną się losy ludzkości. Nie w jaskiniach Kerry.

– Więc mamy po prostu czekać?

– Nie tylko. To, co robisz, jakiego wyboru dokonasz, przywiedzie cię bliżej do tego miejsca.

– Jedna bitwa. – Blair poczuła się nagle potwornie zmęczona. Przeczesała palcami włosy. – Wszystko inne to tylko zabawa, prawdziwe rozstrzygnięcie nastąpi tutaj. Czy ta bitwa zakończy wojnę?

Morrigan popatrzyła na Blair szmaragdowymi oczami.

– Wojna nigdy się nie skończy, w głębi duszy dobrze o tym wiesz. Ale jeśli na tym polu Lilith was zwycięży, światy popadną w chaos. Po wieczne czasy będą nimi władały cierpienie i śmierć.

– Pojęłam. A jaka jest ta dobra wiadomość?

– Wszystko, co musicie tu przynieść, macie przy sobie. Wasz krąg posiada wystarczającą moc, by wygrać tę wojnę.

– Ale nie żeby ją zakończyć. – Blair znowu popatrzyła na przyszłe pole bitwy. – Dla mnie to nigdy się nie skończy.

– Wybór należy do ciebie, dziecko, zawsze tak było.

– Tak bardzo żałuję, że nie potrafię odejść. Są dni, kiedy bardzo bym tego chciała, a kiedy indziej... myślę, kurczę, pomyśl tylko, co robisz, co potrafisz zrobić. I wtedy czuję się... cóż, chyba praworządna. W każdym razie jest mi z tym dobrze. Jednak czasami, gdy wracam z polowania do pustego domu, to wszystko wydaje mi się zbyt trudne.

– Ktoś powinien był się tobą zaopiekować – powiedziała Morrigan łagodnie. – Jednak to, kim jesteś, zawdzięczasz wszystkiemu, co przeszłaś i co dzieje się teraz. Przed tobą więcej niż jedna bitwa do wygrania i zawsze masz wybór, dziecko.

– Nie mogłabym tak po prostu zrezygnować. A zatem pójdziemy tam i zwyciężymy, bo musimy to zrobić. Nie boję się śmierci. Nie mogę powiedzieć, żebym na nią czekała, ale nie boję się.

Popatrzyła na mgły wypełniające zagłębienia w ziemi i spowite nią skały i ten widok, jak zawsze, przejął ją drżeniem. Po raz kolejny ujrzała siebie, jak leży tam zakrwawiona, bez życia.

Już miała zapytać, czy to prawda, czy tylko wyobraźnia płata jej figle, ale wiedziała, że bogini nie udzieliłaby odpowiedzi na takie pytanie.

– Nawet jeśli zginę – powiedziała Blair – to zabiorę ze sobą tabuny tych cholernych krwiopijców.

– Za tydzień krąg uda się do Tańca Bogów, a stamtąd do Geallii.

Blair odwróciła się, żeby popatrzeć Morrigan w oczy.

– Za tydzień?

– Tak, licząc od dnia dzisiejszego. Zrobiliście, co mieliście tu do zrobienia, zebraliście się i teraz razem udacie się w podróż do Geallii.

– Jak?

– Dowiesz się. Musisz ufać tym, którzy są z tobą, i temu, co jest w tobie. Jeśli krąg nie dotrze do Geallii i nie przybędzie tam w wyznaczonym dniu, twój świat i wszystkie inne ogarnie ciemność.

Nagle zgasło słońce i Blair usłyszała wrzaski, jęki i szlochy dobiegające z ciemności. Powietrze wypełniła woń krwi.

– Nie jesteś sama – przypomniała jej Morrigan. – Nawet tutaj.

Blair ocknęła się i spojrzała prosto w oczy Larkina. Poczuła, jak jego palce wbijają się w jej ramiona.

– Och jesteś, w końcu jesteś.

Była zbyt oszołomiona, by się bronić, gdy otoczył ją mocno ramionami i zanurzył twarz w jej włosach.

– Wróciłaś. Czy to była ta wampirzyca?

– Nie. Kurczę. Puść mnie.

– Za chwilę. Cała drżysz.

– Chyba nie ja, tylko ty.

– Bardzo możliwe. Śmiertelnie mnie przeraziłaś. – Odsunął ją, ale ledwie na kilka centymetrów. – Stałaś bez ruchu i wpatrywałaś się w coś. Przemówiłem do ciebie, ale mnie nie słyszałaś ani nie widziałaś, chociaż byłem tuż przed tobą. A twoje oczy... – Przycisnął mocno usta do jej czoła niczym matka, która sprawdza, czy dziecko nie ma gorączki. – Takie ciemne, tak głębokie.

– To była Morrigan. Zabrała mnie na małą wycieczkę. Nic mi nie jest.

– Chcesz położyć się na chwilę i odpocząć? Uspokoisz się trochę. Zostanę z tobą.

– Nie, powiedziałam, że wszystko w porządku. Myślałam, że jesteś na mnie zły.

– Byłem... i jeszcze trochę jestem. Jesteś skomplikowaną istotą, Blair, i jeszcze nigdy oczarowanie kobiety nie kosztowało mnie tyle pracy.

– Oczarowanie? – Blair poczuła ucisk w gardle. – Nie podoba mi się ten pomysł.

– Nie mam co do tego wątpliwości, ale mnie tak. A mężczyzna musi sprawiać sobie przyjemność, tak samo jak kobiecie, która wpadła mu w oko, prawda? Jednak bez względu na to, jak bardzo byłbym sfrustrowany czy zły, nigdy nie zostawiłbym cię samej.

Oni zawsze zostawią cię samą, odpowiedział cichy głos w głowie Blair. Wcześniej czy później.

– Nic mi nie jest, po prostu trochę mną wstrząsnęła ta wiadomość ze świata bogów.

– Jaka wiadomość?

– Lepiej zbierzmy wszystkich razem, żebym nie musiała się powtarzać. W bibliotece, to najlepsze miejsce.

Blair chodziła z kąta w kąt, czekając na Hoyta i Glennę. Najwidoczniej magii nie mogła przeszkodzić nawet wiadomość od bogów. Walcząc ze zniecierpliwieniem, bawiła się dwoma krzyżami, które miała na szyi. Jeden z nich nosiła niemal przez całe swoje życie, jej rodzina przekazywała go sobie przez pokolenia, od czasów Noli i Hoyta. Krzyż Morrigan, podarowany mu przez boginię na samym początku drogi, jeszcze w jego czasie.

Drugi Hoyt i Glenna wypalili w ogniu ze srebra i magii. Był nie tylko tarczą, ale i emblematem drużyny, którego żadne z nich – oprócz Ciana – nigdy nie zdejmowało.

Ten pierwszy kiedyś ocalił jej życie, więc chyba jednak magia musiała wygrać z niecierpliwością.

Jednak kiedy Moira zaproponowała herbatę, Blair potrząsnęła przecząco głową.

W myślach już analizowała wszystko, co będą musieli zrobić – i większość tych zadań bardzo się jej nie podobała. Ale wreszcie wykonają jakiś ruch, a tego właśnie chcieli. Tego potrzebowali.

– Dwa są na zewnątrz – powiedziała Moira cicho. – Nie widzieliśmy ich od paru dni, a teraz pojawiły się dwa, tam, na skraju lasu.

Blair podeszła do okna i wpatrzyła się w ciemność.

– Tak, ledwo je widać.

– Mam pójść po łuk?

– To trudny cel w ciemności. – Blair wzruszyła ramionami. – Ale w sumie dlaczego nie? Nawet jeśli żadnego nie trafisz, pokażemy im, że nie śpimy.

Moira wyszła, a Blair rozejrzała się dookoła. Cian siedział rozciągnięty w fotelu, z kieliszkiem wina i książką w rękach, Larkin sączył piwo i nie spuszczał z niej wzroku.

Nie chciała, żeby herbata Moiry ukoiła jej nerwy, nie miała ochoty na alkohol, więc przemierzyła bibliotekę jeszcze kilka razy i wróciła do okna.

Zobaczyła, jak wampir stojący po lewej stronie zamienia się w pył. Nie widziała nawet strzały, ale drugi strażnik dał nura do lasu.

Nie, nie śpimy, pomyślała.

– Przepraszam, że to tak długo trwało, ale nie mogliśmy przerwać w połowie. Herbata. Świetnie. – Glenna podeszła do stołu i nalała po filiżance dla siebie i Hoyta. – Coś się stało?

– Tak. Moira zaraz wróci, poszła tylko zastrzelić wampira, który czaił się na zewnątrz.

– Och. – sapnęła cicho Glenna, siadając. – A więc wróciły. Cóż, miło było.

– Zniszczyłam tylko jednego. – Moira weszła z łukiem w dłoni. – Było zbyt ciemno, żebym zobaczyła tego drugiego, i pewnie zmarnowałabym strzałę. – Ale postawiła łuk i kołczan pod oknem, na wypadek gdyby trafiła się następna okazja.

– No dobrze, jesteśmy wszyscy. Morrigan złożyła mi wizytę – a właściwie ja jej.

– Miałaś widzenie? – zapytał Hoyt.

– Tak, chyba można to tak nazwać. Byłyśmy na pustym polu bitwy, tylko wiatr i mgła. Morrigan mówiła samymi zagadkami, ale głównie chodziło o to, że za tydzień mamy wyruszyć do Geallii.

– Wracamy? – Moira podeszła do Larkina i zacisnęła mu dłoń na ramieniu. – Wrócimy do Geallii.

– Tak powiedziała bogini – potwierdziła Blair. – Mamy tydzień, żeby się do tego przygotować, pomyśleć, co będzie nam potrzebne, spakować się, dokończyć dzieło w magicznej wieży. Pojedziemy do kamiennego kręgu, tak samo jak wy kiedyś – powiedziała, kiwając głową w stronę Larkina i Moiry. – Przejdziemy tak, jak zrobił to Hoyt. Nie wiem, jak to działa, ale...

– Mamy klucze – przerwała jej Moira. – Morrigan dała jeden mnie i jeden Hoytowi.

– Musimy się zająć przygotowaniami do podróży. Zabierzemy całą broń, jaką zdołamy udźwignąć, napoje, eliksiry – cokolwiek wy, Hoyt i Glenna, uznacie za potrzebne. Największy problem będzie z Cianem, musimy mieć nadzieję, że będzie bardzo pochmurno, albo opuścimy dom po zmroku. Znowu mamy czujki, więc będą wiedziały, że coś knujemy.

– Powiedzą Lilith, że wyjeżdżamy – dodała Glenna.

– A ona będzie wiedziała dokąd. Zabierzemy ją ze sobą do Geallii. – Moira zacisnęła palce na ramieniu kuzyna. – Sprowadzę tę plagę na mój lud.

– Nie masz innego wyjścia... – zaczęła Blair.

– Mówisz tak, bo jesteś do tego przyzwyczajona. Chcę wrócić do domu – odparła Moira. – Pragnę tego bardziej niż czegokolwiek na świecie, ale jak mam przywieźć ze sobą coś tak potwornego? Gdyby udało nam się znaleźć jej portal i w jakiś sposób go zamknąć. Moglibyśmy zmienić przeznaczenie.

Zdaniem Blair nigdy nie należało igrać z przeznaczeniem.

– Wtedy bitwa odbędzie się tutaj i nasze szanse na wygraną zmaleją.

Larkin wstał, obszedł kanapę i stanął twarzą w twarz z kuzynką.

– Moiro, kocham Geallię tak samo jak ty, ale to jedyny sposób. O to cię poproszono i o to ty poprosiłaś mnie.

– Wiem.

– Plaga, o której mówisz, już się rozprzestrzenia w Geallii. Zabrała twoją matkę. Chciałabyś, żebym teraz zostawił swoją, zaprzepaścił pokładane we mnie zaufanie? Wszystko zaryzykował?

– Nie, przepraszam. Nie boję się o siebie, już nie, ale widzę, jak twarze ludzi w klatkach otrzymują rysy moich współbraci. To o nich się boję. – Próbowała się uspokoić. – Wiem, że chodzi o coś więcej niż tylko Geallia. Pojedziemy za tydzień.

– Kiedy tam dotrzemy, stworzymy armię. – Hoyt popatrzył na Moirę. – Wezwiesz swoich ludzi do walki, zbierzesz ich pod wodzą kręgu.

– Będą walczyć.

– Czeka nas trudne zadanie – zauważyła Blair. – To będzie dużo bardziej skomplikowane niż treningi, a jest nas tylko sześcioro. Będziemy musieli zebrać mnóstwo ludzi i zrobić coś więcej, niż tylko wetknąć im w dłonie kołki. Będziemy musieli nauczyć ich, jak zabijać wampiry.

– Z jednym wyjątkiem. – Cian uniósł kieliszek w toaście.

– Nikt nie tknie cię nawet palcem – zapewniła go Moira, na co odpowiedział leniwym uśmiechem.

– Mała królewno, gdybym przypuszczał, że może być inaczej, kupiłbym konfetti i życzył wam *bon voyage*.

– No dobrze, jeszcze jedna sprawa. – Blair kolejny raz podeszła do okna, żeby sprawdzić, czy jeszcze jakieś wampiry odważyły się zbliżyć do domu. – Nie wiemy, czy Lilith już nie wyruszyła, może nawet będzie na miejscu przed nami. Czy moglibyśmy rzucić jakiś czar wokół przejścia, żebyśmy wiedzieli, czy ktoś... otworzył drzwi?

– To powinno być możliwe. – Glenna popatrzyła na Hoyta. – Tak, chyba uda nam się coś takiego stworzyć.

– Nie musicie. Ona nie może przejść przez Taniec Bogów. – Larkin sięgnął po piwo. – Kiedy przechodziliśmy tutaj, Moira mówiła, że demon nie może wejść do kręgu.

– Bo krąg jest czysty – zgodziła się Moira – i dlatego wampiry nie mogą wejść w jego obręb, nie mówiąc już o przemieszczaniu się między światami.

– No to mamy problem.

Cian przyjął komentarz Blair kolejnym toastem.

– Chyba jednak pójdę po konfetti.

– A to dopiero kłopot. Zapomniałem. – Larkin wydął usta, po czym napił się znowu. – Spróbujemy jakoś to obejść. Rozumiem, że cała nasza szóstka ma się znaleźć w Geallii, więc musi być jakiś sposób. Tylko trzeba go znaleźć.

– Albo przejdziemy wszyscy razem – powiedział Hoyt, odstawiając filiżankę – albo nikt.

– Tak. – Larkin skinął głową. – Nikogo nie zostawiamy. I tym razem zabierzemy konia. – Opamiętał się i uśmiechnął promiennie do Ciana. – Oczywiście jeśli nie masz nic przeciwko temu.

– Pomyślimy o tym. Przychodzą ci do głowy jakieś magiczne pomysły? – Blair zwróciła się do Hoyta.

– Bogini musi się wstawić za nami. Jeśli spróbowalibyśmy z Glenną sami otworzyć przejście dla Ciana, moglibyśmy wszystko zmienić, odwrócić moc i zamknąć portal, tak że nikt nie mógłby wejść – ani wyjść.

– Trzeba się liczyć z konsekwencjami za każdym razem, gdy zmienia się naturę rzeczy – wyjaśniła Glenna. – Tak naprawdę magia ma bardzo dużo wspólnego z fizyką. Krąg jest uświęconym miejscem i nie możemy tam interweniować. Jednak Cian też ma z nami wyruszyć, to polecenie bogini, dlatego spróbujemy coś wymyślić.

– Jeżeli istnieje jakieś inne przejście, którego używa Lilith, to może Cian też powinien z niego skorzystać. – Blair zmarszczyła brwi. – Ale przystałabym na to jedynie w ostatecznym wypadku, nie chciałabym, żebyśmy się rozdzielali.

– Poza tym – przypomniał Cian – nie mamy bladego pojęcia, gdzie jest owo przejście.

– Tak, ale tego moglibyśmy się dowiedzieć.

– Kolejne magiczne poszukiwania? – Glenna sięgnęła po dłoń Hoyta. – Możemy spróbować.

– Nie, nie myślałam o magii. Nie do końca. – Blair przekrzywiła głowę i wpatrzyła się w Larkina. – Jakiekolwiek żywe stworzenie, tak?

Larkin odstawił piwo i rozciągnął usta w uśmiechu.

– Tak jest. O czym myślisz?

– Jesteś pewien, że chcesz to zrobić? – Blair stała obok Larkina w wieży. – Wiem, że to był mój pomysł, ale...

– I to bardzo dobry. Czyżbyś martwiła się o mnie, *a stór*?

– Posyłam cię nieuzbrojonego do gniazda wampirów strzeżonego magią. Nie, o cóż miałabym się martwić?

– Nie będę potrzebował broni i niełatwo byłoby mi ją nieść w postaci, w jakiej się tam wybieram.

– Jeśli zauważysz cokolwiek niepokojącego, znikaj. Nie zgrywaj bohatera.

– Urodziłem się bohaterem.

– Mówię poważnie, Larkin, nie przeholuj. – Już czuła ucisk w żołądku. – Chodzi nam tylko o informacje. Jakieś sygnały, że szykują się do drogi, ile ich jest, jaki mają arsenał...

– Mówiłaś mi to już ze dwa razy. Czy ja wyglądam na idiotę?

– Powinniśmy poczekać do rana, wtedy moglibyśmy podjechać samochodem aż pod klify. Bylibyśmy na miejscu, gdybyś miał kłopoty.

– Jest dużo bardziej prawdopodobne, że w dzień znowu zablokują jaskinie, sama tak mówiłaś. Na pewno w nocy niczego się nie spodziewają. Jeśli mam być żołnierzem w tej wojnie, Blair, muszę robić to, co do mnie należy.

– Tylko nie zrób nic głupiego. – Wiedziona impulsem, schwyciła go obiema rękami za włosy i przyciągnęła jego twarz do swojej.

Starała się, by w jej pocałunku nie wyczuł strachu, nie chciała posyłać z nim lęku. Przelała w niego nadzieję i ciepło i tuliła się do niego, gdy całe jej ciało wibrowało od dotyku ich ust.

– Nie tak szybko – powiedział, kiedy próbowała się odsunąć, i przycisnął ją plecami do ściany wieży. – Niektórzy z nas jeszcze nie skończyli.

Właśnie tych płomieni szukał: były jak płynny ogień wlewający się w jego żyły. Larkin pozwolił, by w nim zapłonął, a potem dotknął jej bioder i przesunął dłońmi po całym ciele Blair, tak by móc zabrać ze sobą wspomnienie jej kształtów.

– Cian zwabił je przed... – Moira stanęła jak wryta, otwierając szeroko oczy na widok swego kuzyna i Blair w gorącym uścisku. – Przepraszam.

– Nie ma sprawy. Dostałem właśnie gorącego buziaka na pożegnanie. – Ujął twarz Blair w dłonie. – Wrócę rano. – Odwrócił się i rozłożył ramiona przed Moirą, a ona przycisnęła się do niego i objęła go za szyję.

– Uważaj na siebie. Nie mogę cię stracić, nie zniosłabym tego, Larkinie. Pamiętaj o tym, pamiętaj, że my wszyscy na ciebie czekamy, i wróć cały.

– Będę o pierwszym brzasku. – Ucałował ją w oba policzki. – Zapal dla mnie świecę.

– Będziemy cię obserwować – Blair zmusiła się do otwarcia okna – w kuli Glenny. Tak długo, jak będziemy mogli.

– Nie miałbym nic przeciwko tym francuskim tostom, jak wrócę. – Popatrzył Blair prosto w oczy.

I to oczy zmieniły się najpierw. Nigdy wcześniej tego nie zauważyła, ale pierwsze przeistaczały się białka i tęczówki, a po nich następował błysk światła.

Sokół popatrzył na nią tak samo jak przed chwilą człowiek i odleciał w noc bezszelestnie niczym wiatr.

– Nic mu nie będzie – powiedziała Blair cicho. – Zupełnie nic.

Moira wzięła ją za rękę i razem patrzyły, dopóki sokół nie zniknął im z oczu.

7

Wzbił się ku niebu. Z tej wysokości i z sokolim wzrokiem mógł widzieć potwory, które czaiły się wokół domu. Naliczył osiem – małe przyjęcie, pewnie tylko czujki, tak jak powiedziała Blair. Na wszelki wypadek obleciał dom po raz drugi, aby się upewnić, że to tylko zwiadowcy, a nie atak.

Zatoczył większe koło i na końcu alejki, zaraz za zakrętem, zauważył furgonetkę. No jasne, pomyślał, przecież muszą jakoś się przemieszczać tam i z powrotem. Ale to, że zostawiły samochód tak blisko domu, było denerwujące i w sumie trochę obraźliwe.

Zrobił jeszcze jedno koło, oceniając sytuację, i zanurkował w dół.

Przypomniał sobie, co Glenna mówiła o samochodzie, jak działa i że potrzeba klucza, żeby włączyć... jak to się nazywało? Silnik. Jaka szkoda, że nie zostawili klucza w środku.

Ale przypomniał też sobie, że koła, na których toczył się pojazd, miały w środku powietrze. Jeśli któreś zostanie przebite i uchodzi z niego powietrze, robi się kapeć. I samochód jest do dupy, powiedziała.

Pomyślał, że zabawne by było, gdyby wampiry po powrocie zastały swój samochód do dupy.

Przeistoczył się w jednorożca o białej sierści ze złotym połyskiem. Pochylił głowę i wbił spiczasty róg w oponę. Usłyszał satysfakcjonujące ciche „puf" i syk uciekającego powietrza. Chcąc mieć całkowitą pewność, przebił ją po raz drugi.

Zadowolony obiegł samochód dookoła i przebił pozostałe opony, aż auto osiadło na sflaczałych gumach. Spróbujcie teraz uruchomić tę maszynę, sukinsyny, pomyślał, po czym znowu wzniósł się na skrzydłach w powietrze i poszybował na południe.

Prowadziło go światło księżyca, a chłodny wiatr dodawał mu siły. Larkin widział rozciągającą się w dole ziemię, łagodne zbocza wzgórz i szachownicę pól.

We wsiach i miasteczkach migotały światła.

Pomyślał o tętniących życiem pubach, pełnych muzyki, zapachu piwa i pięknych kobiet. Przekrzykujące się głosy, donośny śmiech. Kiedy to wszystko się skończy, usiądzie wieczorem w pubie z przyjaciółmi, pięcioma najbliższymi jego sercu istotami, i wzniesie szklanicę wśród hałasu i muzyki.

Postanowił trzymać się tej wizji w czasie długiego lotu do gniazda potworów.

W dole ujrzał długą, piękną wstęgę rzeki, którą nazywali tu Shannon. To piękny kraj, pomyślał, zielony jak Geallia i tak blisko morza. Skręcił na południowy zachód i usłyszał ryk fal.

Wiedział, że smok byłby szybszy, ale zgodził się na sokoła. Chciałby kiedyś pofrunąć tędy jeszcze raz jako smok, z Blair na grzbiecie. Mogłaby mu wymieniać nazwy mijanych miasteczek i ruin, jezior i rzek. Czy wiedziałaby, jak nazywa się wodospad, który właśnie minął, tak wysoki i potężny jak Wodospad Wróżek w Geallii? Przypomniał sobie dotknięcie jej nóg, którymi go ściskała, gdy wzbijali się w powietrze, a także jej śmiech. Nigdy nie znał nikogo takiego jak ona, wojowniczka i kobieta, tak silna i tak wrażliwa. O twardej pięści i miękkim sercu.

Podobało mu się to, jak mówiła, szybko i z dużą pewnością siebie. I to, jak się śmiała, kiedy najpierw unosił się jeden kącik jej ust, a potem drugi.

Pragnął jej, a to uczucie wydawało mu się równie naturalne jak oddychanie. Ale było w nim coś jeszcze, czego nie umiał nazwać.

Przefrunął nad wodospadem i gęstym lasem, który go otaczał. Przemknął nad lśniącymi jeziorami odbijającymi w wodzie gwiazdy i skierował się w kierunku snopu światła rzucanego przez stojącą na klifach latarnię morską.

I zanurkował w dół, cichy jak cień.

Na wąskim występie skalnym dostrzegł dwie postacie, kobietę i małego chłopca. Poczuł, jak strach ściska mu serce. Pewnie zgubili się i błądzą w ciemności tuż obok jaskiń. Zostaną schwytani, uwięzieni i zamordowani. A on nie miał żadnej broni, żeby ich ocalić.

Wylądował w cieniu skały i już miał się przeistoczyć w człowieka, ale kobieta odwróciła się ze śmiechem do chłopca i na jej twarz padło zimne światło księżyca.

Larkin widział ją wcześniej tylko raz, gdy stała na wysokiej skale, ale nigdy nie mógłby zapomnieć tych rysów.

Lilith. Samozwańcza królowa wampirów.

– Proszę, mamo, proszę, ja chcę polować.

– Nie, Davey, pamiętaj, co ci mówiłam. Nie polujemy blisko domu. W środku jest mnóstwo jedzenia i skoro byłeś taki grzeczny... – pochyliła się i delikatnie popukała chłopca palcem w nos – sam będziesz mógł sobie wybrać przekąskę.

– Ale to żadna zabawa, kiedy oni po prostu tam są.

– Wiem. – Westchnęła i potargała lśniące złotem włosy chłopca. – To przypomina bardziej pracę domową niż zabawę. Ale już niedługo, jak przeniesiemy się do Geallii, będziesz mógł polować co noc.

– Kiedy?

– Już niedługo, moje jagniątko.

– Mam dosyć tego miejsca. – Rozdrażniony malec kopnął w skałę.

Larkin widział, że chłopiec miał twarz chochlika, okrągłą i słodką.

– Chciałbym mieć kotka. Proszę, czy mógłbym mieć kotka? Nie zjadłbym go tak jak ostatnim razem.

– To samo mówiłeś przy szczeniaku – przypomniała mu ze śmiechem Lilith – ale zobaczymy. A co powiesz na to? Wypuszczę dla ciebie jednego i pozwolę mu uciekać. Będziesz mógł go gonić po jaskiniach i polować. Czy to nie będzie dobra zabawa?

Chłopiec uśmiechnął się szeroko, a na jego piegowatej buzi odbiło się światło księżyca. I zabłysło na kłach.

– Czy mógłbym dostać dwóch?

– Jaki zachłanny. – Pocałowała go i to wcale nie tak, zauważył Larkin z obrzydzeniem, jak matka całuje syna. – To właśnie w tobie kocham, moja jedyna prawdziwa miłości. Chodźmy do środka, będziesz mógł sobie wybrać, kogo chcesz.

Ukryty za skałą Larkin zmienił postać. Zwinny, czarny szczur zanurkował w głąb jaskini w ślad za trenem długiej spódnicy Lilith.

Od razu poczuł zapach krwi i ujrzał stworzenia, które poruszały się w ciemności i pochylały nisko, gdy mijała je Lilith.

Wnętrze rozświetlało jedynie kilka zatkniętych tu i ówdzie pochodni, ale gdy weszli głębiej, Larkin dostrzegł dziwną zieloną poświatę, która musiała być dziełem magii.

Lilith płynęła wzdłuż labiryntu skał, trzymając chłopca za rękę, a mały truchtał u jej boku. Wampiry umykały po ścianach niczym pająki lub zwieszały się z sufitu jak nietoperze.

Larkin mógł mieć tylko nadzieję, że nie miały ochoty na koktajl ze szczurzej krwi.

Biegł w cieniu sukni Lilith, trzymając się ciemnych kątów.

Nagle doszło go echo jęku niewysłowionego ludzkiego cierpienia.

– Na co masz ochotę, kochanie? – Tamci dwoje machali splecionymi dłońmi, jakby spacerowali po wesołym miasteczku. – Na coś młodego i szczupłego czy wolisz coś z odrobiną więcej ciała?

– Nie wiem. Najpierw chciałbym popatrzeć im w oczy, wtedy będę wiedział.

– Mądry chłopiec. Jestem z ciebie dumna.

W jaskini było więcej klatek, niż Larkin się spodziewał. Widok okazał się tak przerażający, że trudno mu było zachować szczurzą postać. Chciał zmienić się w człowieka, zabrać któremuś ze strażników miecz i rąbać na oślep.

Zabiłby kilka potworów, a to mogło być warte życia, ale nigdy nie wydostałby stąd żadnego człowieka.

Blair go ostrzegała, jednak nie do końca jej wierzył.

Chłopiec odłączył się od Lilith i z założonymi na plecach rękami chodził tam i z powrotem wzdłuż rzędu klatek. Dziecko w cukierni w poszukiwaniu ulubionych słodkości.

Nagle zatrzymał się i wydymając usta, obserwował młodą kobietę skuloną w rogu klatki. Wydawało się, że uwięziona śpiewa, a może odmawiała modlitwę, bo słów płynących z jej ust nie dało się rozróżnić. Jednak Larkin widział, że jej oczy są już martwe.

– Polowanie na nią wcale nie będzie zabawne. – Pomimo że Davey wsunął palec między kraty, kobieta ani drgnęła. – Ona już się nie boi.

– Oni czasami wariują. Ich umysły są słabe, tak jak ich ciała. – Lilith wskazała na inną klatkę. – A tamten?

Mężczyzna kołysał w ramionach kobietę, która albo spała, albo straciła przytomność. Na szyi miała krew, a twarz bladą jak kreda.

– Suko. Ty dziwko, co jej zrobiłaś? Zabiję cię!

– O, ten ma w sobie jeszcze trochę życia! – Lilith uśmiechnęła się szeroko i odrzuciła grzywę złotych włosów. – Co o nim myślisz, skarbie?

Davey przechylił głowę, po czym nią potrząsnął.

– Nie będzie uciekał. Nie będzie chciał zostawić samicy.

– Och, Davey, jesteś taki spostrzegawczy. – Przykucnęła i ucałowała go z dumą w oba policzki. – Taki duży chłopiec i taki mądry.

– Ja chcę ją. – Wskazał na kobietę, która przyciskała się do prętów z tyłu klatki, strzelając oczami na wszystkie strony. – Boi się i myśli, że może jeszcze uda jej się stąd uciec, więc będzie biegła i biegła, i biegła. I tego. – Skierował palec w górę. – Jest wściekły, chce walczyć. Zobacz, jak potrząsa kratami.

– Myślę, że dokonałeś doskonałego wyboru. – Lilith skinęła dłonią na jednego ze strażników ubranego w lekką zbroję i hełm. – Uwolnij tych dwoje i roześlij wiadomość. Nie wolno ich tknąć, chyba że trzeba będzie któreś powstrzymać przed opuszczeniem jaskini. Należą do księcia.

Davey podskakiwał, klaszcząc w ręce.

– Dziękuję, mamo! Chcesz się ze mną pobawić? Podzielę się z tobą.

– Jesteś kochany, ale mam trochę pracy. I nie zapomnij się umyć po jedzeniu. – Odwróciła się do strażnika. – Powiedz lady Lorze, żeby przyszła do mnie do pieczary czarnoksiężnika.

– Ona pierwsza. – Davey wskazał na kobietę.

Wrzeszczała i kopała, gdy strażnik zabierał ją z klatki i bił ludzi, którzy próbowali wciągnąć ją z powrotem do środka.

Całe jestestwo Larkina wyrywało się, żeby coś zrobić. Cokolwiek.

Davey pochylił się i powąchał drżącą kobietę, żeby poznać jej zapach.

– Teraz jesteś moja i mogę bawić się z tobą tak długo, jak zechcę. Prawda, mamo?

– Tak, kochanie.

– Puść ją – rozkazał Davey strażnikowi. Spojrzał na kobietę, a jego oczy rozbłysły czerwienią. – Uciekaj. Biegnij, biegnij! Bawimy się w chowanego! – krzyknął, gdy ruszyła truchtem, potykając się na nierównym gruncie.

Skoczył na ścianę, uśmiechnął się przez ramię do Lilith i zniknął w ciemności.

– Jak miło patrzeć, że tak dobrze się bawi. Wypuść drugiego za, och, za piętnaście minut. Na razie będę u czarnoksiężnika.

Larkin powtarzał sobie, że będzie mógł tu wrócić. Jak już zrobi to, po co przyszedł, przybiegnie tu, odwróci uwagę strażników i otworzy klatki. Przynajmniej da więźniom szanse do walki i ucieczki. Szansę na przeżycie.

Ale teraz musiał odciąć się od jęków, krzyków i własnych pragnień, by podążyć za Lilith.

Więzienie było oddzielone długim tunelem od, jak przypuszczał, części mieszkalnej, magazynów i sal ćwiczeń. Lilith zbudowała pod ziemią całą rezydencję. Komnata ciągnęła się za komnatą, jedne bogato umeblowane i otwarte, inne strzeżone i zamknięte drzwiami.

Kobieta i mężczyzna, oboje w czarnych dżinsach i swetrach, nieśli świeżą pościel. Najwidoczniej służący, uznał Larkin, najprawdopodobniej ludzie. Oboje zatrzymali się na widok Lilith i skłonili głęboko.

Przepłynęła obok nich, jakby byli powietrzem.

Usłyszał odgłosy walki i zatrzymał się, by spojrzeć w głąb tunelu. Sala ćwiczeń, niewiele różniąca się od tej, jaką urządzili w domu Ciana. Tutaj potwory, mężczyźni i kobiety, ćwiczy się we władaniu mieczem lub maczugą, szpadą i w walce wręcz.

Dwoje więźniów, spętanych i bez broni, spełniało rolę kukieł, których używał krąg.

Larkin zobaczył wampirzycę o imieniu Lora walczącą na miecze z mężczyzną dużo postawniejszym od siebie. Żadne z nich nie nosiło ubrania ochronnego, a miecze były zaostrzone, żeby zabijać.

Lora przeskoczyła nad przeciwnikiem tak szybko, że jej ruch wydał się jedynie drgnięciem powietrza. Mężczyzna obrócił się, ale ona i tak zdążyła wbić mu miecz w pierś.

Upadł, a Lora skoczyła na niego.

– To ci nigdy nie wychodzi. – Pochyliła się i figlarnie zlizała trochę krwi z jego skóry. – Gdybyś był człowiekiem, *mon cher*, już byś nie żył.

– Nie ma lepszego od ciebie w walce na miecze. – Oddychał z trudem, ale wyciągnął dłoń i pogłaskał ją po policzku. – Nie wiem, po co w ogóle próbuję.

– Zrobilibyśmy drugą rundę, gdyby Lilith mnie nie wzywała. – Przesunęła palcem po jego policzku i oblizała krew.

– Może później... bliżej świtu.

– Przyjdę do ciebie, jeśli królowa nie będzie mnie już potrzebować. – Pochyliła się znowu i pocałowała go długo, namiętnie.

Schowała zakrwawiony miecz do pochwy i wyszła szybkim krokiem, Larkin tuż za nią.

Ledwie zatrzymała się przy uciekinierce, która szlochając, padła u jej kolan. Lora po prostu przeszła nad nią i popatrzyła prosto w czerwone oczy lśniące w ciemności.

– Trochę rozrywki, Davey?

– Chciałem bawić się w chowanego, ale ona ciągle upada. Zrób coś, żeby ona wstała, Loro! Chcę, żeby biegła. Jeszcze nie skończyłem się bawić.

Lora westchnęła ciężko.

– *Ca va.* – Przykucnęła i złapała kobietę za włosy. – Jeśli nie będziesz biegła i nasz kochany Davey zacznie się nudzić, to odetnę ci palce, jeden po drugim, najpierw u rąk, a potem u stóp. – Wstała, ciągnąc ją za sobą. – A teraz *allez!* Zmykaj.

Kobieta pobiegła, szlochając, a Lora popatrzyła na Daveya.

– Musisz ją trochę postraszyć, wtedy będzie szybciej uciekała i zabawa potrwa dłużej.

– Chciałbym, żebyś ty się ze mną pobawiła. Z tobą zawsze jest wesoło.

– Bardzo bym chciała, ale twoja mama mnie wzywa. Może później się pobawimy. – Posłała mu pocałunek i poszła dalej.

Chory z obrzydzenia Larkin ruszył za nią.

Weszli oboje do komnaty i już od progu poczuł moc magii. Drzwi zamknęły się za nimi z głuchym łoskotem.

– Ach, Lora. Czekaliśmy na ciebie.

– Dopiero skończyłam trening z Lucjuszem, a po drodze spotkałam Daveya. Mały świetnie się bawi.

– Nie mógł się doczekać polowania. – Lilith wyciągnęła rękę, a Lora podeszła i ujęła jej dłoń. Przytulone lekko do siebie, popatrzyły na mężczyznę stojącego na środku pokoju.

Ubrany był w czarne szaty z czerwonym brzegiem. Gęsta, srebrna grzywa otaczała twarz, w której błyszczały ciemne jak onyks oczy. Miał długi, haczykowaty nos i cienkie, zaciśnięte mocno usta.

Za jego plecami płonął ogień, ale nie było widać drewna ani torfu. Nad płomieniami wisiał kocioł, z którego wydobywał się jasnozielony dym, takiego samego koloru jak mdlące światło w jaskiniach. Na dwóch długich stołach stały buteleczki i słoiki, pływało w nich coś ohydnego i żywego.

– Midir – zwróciła się do mężczyzny Lilith. – Chciałam, żeby Lora była przy naszej rozmowie, jej obecność mnie uspokaja. Wiesz, ile potrzebowałam czasu, żeby odzyskać równowagę po tej katastrofie parę dni temu.

Podeszła do stołu i nalała do kieliszka czerwonego płynu z karafki.

– Świeże? – zapytała.

– Tak, pani, przygotowałem specjalnie dla ciebie.

Lilith upiła mały łyk i podała kieliszek Lorze.

– Zapomniałam zapytać, czy twoje rany już się zagoiły.

– Nic mi nie jest, pani.

– Przeprosiłabym za mój wybuch gniewu, Midirze, ale mnie rozczarowałeś. I to głęboko. Spotkałaby cię dużo surowsza kara, gdyby Lora mnie nie uspokoiła. Ukradli mi więźniów spod samego nosa. Zostawili obraźliwą wiadomość na progu. To ty miałeś chronić mój dom i poniosłeś sromotną klęskę.

– Błagam o wybaczenie, pani. – Ukląkł i pochylił głowę. – Nie byłem przygotowany na ten atak ani na siłę mocy, jaką władają. To już nigdy więcej się nie powtórzy.

– Na pewno nie, jeśli dam cię Lorze. Nawet nie wiesz, jak długo ona potrafi utrzymać człowieka przy życiu. – Spojrzała na towarzyszkę z łagodnym uśmiechem.

– Kiedyś przez sześć miesięcy trzymałam jednego mężczyznę w Budapeszcie – powiedziała Lora. – Mogłabym dłużej, ale znudziłam się nim. Midir nie znudziłby mi się całymi latami. Ale... – Lora pogłaskała Lilith po plecach. – On może się przydać, *chérie*. Ma wielką moc i jest od ciebie zależny, *n'est-ce pas*?

– Złożył mi mnóstwo obietnic. Milcz – warknęła, gdy czarnoksiężnik znów uniósł głowę. – I tylko z powodu tych obietnic jeszcze nie poczuł pocałunku moich kłów. Ale jesteś moim psem, Midirze, i nigdy o tym nie zapominaj.

Mężczyzna powoli uniósł głowę.

– Jestem twoim sługą, królowo, i tylko twoim. Odnalazłem cię, pani, by dać ci portal, dzięki któremu możesz przemieszczać się między światami i władać nimi wszystkimi.

– I żebyś ty mógł iść za mną, czarnoksiężniku, z moją armią u boku. A mimo wszystko twoją moc złamali zwykli śmiertelnicy.

– Prawda, oni nie powinni okazać się silniejsi od niego. – Lora znów próbowała ułagodzić swoją panią. – Pozwolił, żeby cię upokorzyli, a to niewybaczalne. Jednak z nim jesteśmy silniejsze niż bez niego. Z nim odniesiemy zwycięstwo jeszcze przed Samhainem.

– Widzisz? Ona mnie uspokaja. – Lilith wzięła kielich od Lory i obie stały, obejmując się w talii. – Jesteś żywy tylko dzięki jej słowom. I dlatego że miałeś chociaż tyle rozumu, by przywołać ciemność. Och, wstań, wstań.

– Pani, czy mogę przemówić?

– Zostawiłam ci język w ustach.

– Ponad dwieście lat temu powierzyłem ci moją moc i życie. Uczyniłem dla ciebie to miejsce, tak jak rozkazałaś, pod ziemią, ukryte przed ludzkim okiem. To ja stworzyłem portal, przez który ty i twoja armia możecie przechodzić między światami, dzięki czemu, królowo, możesz udać się do Geallii, dokonać tam zemsty i panować.

Przechyliła głowę i uśmiechnęła się słodko.

– Tak. Ale co ostatnio dla mnie zrobiłeś?

– Nawet moja moc ma granice, pani, i wymaga dużo pracy. Ich magia jest silna, mimo to jednak w końcu ja zwyciężyłem.

– Prawda, prawda, ale najpierw mnie okradli.

– Są silni, pani. – Założył ręce przed sobą, chowając dłonie w szerokich rękawach szaty. – Inaczej nie byliby godnymi ciebie przeciwnikami. Dzięki temu twój triumf będzie jeszcze wspanialszy.

– Pochlebca.

– On już niemal wprowadził mnie do tego domu – przypomniała Lora. – Byłam tak blisko, że prawie czułam jej smak. Tylko potężny czar potrafi nagiąć wolę łowczyni. Może spróbujemy jeszcze raz?

– Moglibyśmy – zgodził się Midir. – Ale zostały nam tylko dwa tygodnie do otwarcia portalu. Będę potrzebował całej swojej siły, wasza wysokość. I jeszcze jednego poświęcenia.

– Jeszcze jednego? – Lilith przewróciła oczami. – Jakie to nudne. Domyślam się, że znowu potrzebujesz dziewicy.

– Gdybyś była tak łaskawa, pani. A na razie przygotowałam dla ciebie podarunek, mam nadzieję, że sprawi ci przyjemność.

– Więcej diamentów? – Przykryła usta dłonią, skrywając ziewnięcie. – Jestem już nimi zmęczona.

– Nie, pani, to nie diamenty. Coś znacznie bardziej cennego, jak sądzę. – Podał jej małe lusterko z kościaną rączką.

– Kpisz ze mnie? Taka błahostka... – Obróciła lusterko taflą do siebie i nagle westchnęła. – To moja twarz! – Oszołomiona dotknęła palcem policzka.

Patrzyła na nią zza delikatnej mgły, ale Lilith widziała swoje rysy, kształt oczu, ust. Po jej policzkach potoczyły się łzy radości.

– Och, och, widzę, jak wyglądam. Jestem piękna. Zobacz, mam niebieskie oczy. Jaki śliczny błękit.

– Pozwól mi... – Lora przytuliła się do niej i otworzyła szeroko oczy, gdy zobaczyła w lustrze własne odbicie obok twarzy Lilith. – Och! *C'est magnifique! Je suis belle.*

– Popatrz na nas, Lora. Jesteśmy piękne. Och, zobacz tylko, jakie jesteśmy śliczne.

– To o niebo lepsze niż fotografia lub obraz. Spójrz, poruszamy się! Popatrz na nasze policzki, tak blisko.

– To naprawdę ja – wymruczała Lilith. – Dawno temu, zanim otrzymałam dar, widziałam swoją twarz w wodzie. Pamiętam jej kształt, otaczały ją jasne włosy.

Teraz dotknęła swoich włosów, obserwując ruch palców w lustrze.

– Moje usta i policzki poruszają się przy uśmiechu, a brwi podnoszą się i opadają. Ostatni raz widziałam tę twarz w oczach tego, który mnie przemienił. Minęły dwa tysiące lat, odkąd po raz ostatni patrzyłam na siebie. – Łza spłynęła po jej policzku, a jej odbicie oczarowało Lilith. – Jestem tu – powiedziała cicho głosem pełnym emocji. – Jestem.

– Czy sprawiłem ci przyjemność, królowo? – Midir opuścił ręce. – Myślałem, że to twoje największe marzenie.

– Nigdy nie dostałam takiego prezentu. Spójrz! Moje usta poruszają się, gdy mówię. Chcę mieć wielkie lustro, Midirze, tak duże, żebym mogła zobaczyć siebie całą.

– Mógłbym to zrobić, ale potrzebowałbym czasu i mocy. Portal...

– Oczywiście, oczywiście. – Lilith przekrzywiła lusterko, usiłując zobaczyć jak najwięcej siebie. – Jestem tak zachłanna jak Davey, chcę jeszcze nawet wtedy, gdy w dłoniach trzymam skarb. Midirze, sprawiłeś mi niewypowiedzianą radość. Każę dostarczyć ci wszystko, czego potrzebujesz.

Czarnoksiężnik skłonił się z wdzięcznością, a Lilith podeszła bliżej i dotknęła jego policzka.

– Niewypowiedzianą – powtórzyła. – Nie zapomnę, że zadałeś sobie tyle trudu, by spełnić moje marzenie.

Larkin prześlizgnął się pod drzwiami komnaty. Skoro rozprawiały tylko o lusterku i własnej urodzie, postanowił rzucić okiem na arsenał, żeby oszacować liczbę żołnierzy.

Biegł wzdłuż ciemnych tuneli, przeciskał się pod drzwiami. W jednej z komnat zastał trzy wampiry pijące krew jakiegoś mężczyzny. Ofiara jęknęła, a wstrząśnięty Larkin zapomniał o ostrożności. Jeden z wampirów zauważył go i zwrócił ku niemu uśmiechniętą, zakrwawioną twarz.

– Nie mam nic przeciwko szczurowi na deser.

Skoczył, ale Larkin już znikł pod drzwiami, smyrgnął między nogami strażnika i pobiegł dalej.

Do arsenału.

Zgromadzono tu broń dla tysięcy, a nawet więcej. Miecze, szpady, łuki i topory, wszystko poukładane z wojskową precyzją, która wskazywała, że mają do czynienia z armią, a nie gromadą cywilów.

I to wojsko pójdzie za nimi do Geallii, by ją zniszczyć.

Cóż, najpierw on, Larkin, narobi im trochę kłopotów.

Przeistoczył się w człowieka i zdjął pochodnię ze ściany, żeby podpalić stoły i szafy.

Odwrócić ich uwagę i niszczyć, pomyślał, odrzucając pochodnię, i znowu przemienił się w szczura.

Tak szybko, jak mógł, pobiegł do jaskini, gdzie trzymano więźniów. Zobaczył, że mężczyzny, którego wybrał chłopiec, nie było już w klatce. Spóźnił się, nie ocali już ani jego, ani tamtej kobiety, ale byli jeszcze inni, ponad dwudziestu. Da im przynajmniej szansę.

Klatek pilnował teraz tylko jeden strażnik. Opierał się o ścianę i pomimo jęków i błagań ludzi wydawał się drzemać.

Wszystko zależało od szybkości i szczęścia, pomyślał Larkin, mając nadzieję, że jedno i drugie mu dopisze. Przeistoczył się w człowieka i zabrał strażnikowi miecz, którym odciął potworowi głowę.

Wampir zamienił się w pył, a wrzaski dobiegające z klatek niemal ogłuszyły Larkina.

– Musicie uciekać. – Złapał klucze wiszące na haku wbitym w ścianę i zaczął otwierać klatki. Wcisnął miecz w ręce mężczyzny, który popatrzył na niego tępo.

– Możesz tym zranić wampira – powiedział Larkin szybko. – Zabijesz go, jeśli odetniesz mu głowę. Giną też od ognia, a w tunelach są pochodnie. Użyjcie ich. Masz. – Wcisnął klucze w inne dłonie. – Otwórz pozostałe klatki, a potem uciekajcie. Może niektórym z was uda się wydostać. Zrobię, co w mojej mocy, aby wam pomóc.

Chociaż wiedział, że ryzykuje wyczerpanie energii, po raz kolejny zmienił postać. Dookoła rozpętało się istne piekło, a Larkin-wilk wypadł przez drzwi.

Skręcił w lewo w nadziei, że zyska trochę czasu, i zaatakował pierwszego wampira, którego zobaczył. Wziął go z zaskoczenia i rozerwał mu gardło, po czym z zakrwawionym pyskiem pobiegł dalej.

Miał nadzieję, że ogień, który podłożył w arsenale, odwróci uwagę wampirów. Na szczęście na razie nie było żadnych oznak alarmu.

Zobaczył dwa potwory niosące martwe ciało, które rzuciły obojętnie na stertę trupów. W biegu zmienił postać i sięgnął po miecz.

Zabił oba jednym ciosem.

Teraz usłyszał pełne wściekłości krzyki. Żeby szybciej biec, znowu przeistoczył się w wilka. Nic więcej nie mógł już zrobić.

Wpadł do tunelu i zobaczył chłopca.

Mały kucał na ziemi przy trupie mężczyzny z klatki. Lśniące włosy miał poplamione krwią, która kapała też z jego palców i ust.

Larkin wydał ciche, złowrogie warknięcie i chłopiec podniósł wzrok.

– Piesek! – Davey rozciągnął usta w makabrycznym uśmiechu. – Nie ma tu nic dla ciebie, dopóki ja nie skończę. Tamtej już nie chcę, więc możesz ją sobie wziąć. – Wskazał na nieruchomą kobietę, leżącą twarzą do dołu parę metrów dalej. – Nie była tak zabawna jak on, więc szybko się z nią uporałem.

Rozjuszony Larkin przygotował się do skoku.

– Davey, tu jesteś! – Wampir, który przedtem walczył z Lorą, szedł ku nim prędko. – Twoja matka chce cię widzieć w swojej komnacie. Paru ludzi uciekło z klatek i udało im się wywołać pożar.

– Ale ja jeszcze nie skończyłem.

– Dokończysz później. Sam zabiłeś oboje? – Przykucnął i z dumą poklepał chłopca po plecach. – Bardzo dobrze. Ale jeśli zjesz jeszcze trochę, to się pochorujesz. Każę komuś zabrać tych tutaj na stos, a ty teraz musisz pójść ze mną.

Spojrzał przez ramię i dostrzegł Larkina.

– Wilk twojej matki? Myślałem, że posłała je wszystkie...

Larkin dostrzegł nagłą zmianę na jego twarzy i napięcie wszystkich mięśni. Skoczył, jednak nie trafił w gardło, bo wampir zasłonił się rękami. Siła ciosu odrzuciła Larkina na ścianę, ale wstał błyskawicznie i zaatakował, zanim przeciwnik zdążył dobyć miecza.

Rozległ się potworny wrzask, który zagłuszyły charkot i warczenie wilka. Zwierzęca część Larkina pragnęła krwi tak samo jak ludzka zemsty.

Zatopił zęby w ramieniu wampira.

I nagle poczuł nieopisany ból, gdy dziecko skoczyło mu na plecy i zatopiło kły w jego grzbiecie.

Odskoczył ze skowytem i udało mu się zrzucić z karku chłopca, ale malec wstał szybko i sięgnął po miecz.

Larkin nie miał już dosyć mocy na przemianę w wilka i modlił się, by wystarczyło mu jej, żeby stąd uciec.

Jego światło zamigotało blado, poczuł jeszcze dotkliwszy ból i przemożną słabość, gdy przeistoczył się w mysz, małą i szybką, i pomknął w ciemność, nasłuchując odgłosów morza.

Ugryzienie w kark paliło go żywym ogniem. Jaskinie rozbrzmiewały wrzaskiem i tupotem biegnących stóp. Larkin już prawie nie miał siły i biegł coraz wolniej, ale nie ustawał w drodze do wąskiego pasma księżycowego światła, do huku morza.

Wokół niego biegli ludzie, inni wspinali się już na skały. Niektórzy nieśli słabych i rannych. Larkin wiedział, że jego także trzeba będzie nieść, jeśli jeszcze raz spróbuje zmienić postać.

Nic więcej nie mógł zrobić. Resztką sił wcisnął się pod kamienie.

Ostatnią rzeczą, jaką zobaczył, były znikające w blasku nadchodzącego świtu gwiazdy.

8

*P*owinien już wrócić. – Blair stała przy oknie w salonie i patrzyła, jak po długiej nocy wstaje świt. – W każdym razie powinien kierować się w stronę domu. Może powinniście spróbować jeszcze raz. – Odwróciła się do Hoyta i Glenny. – Spróbujcie jeszcze raz.

– Blair. – Glenna przeszła przez pokój i przesunęła dłonią po ramieniu dziewczyny. – Obiecuję ci, zobaczymy go, jak tylko znajdzie się w zasięgu kuli.

– To był głupi pomysł. Nierozsądny i głupi. O czym ja myślałam? To ja go tam posłałam.

– Nie. – Glenna złapała Blair za obie ręce. – Wszyscy zgodziliśmy się, żeby tam poszedł. Wszyscy ponosimy odpowiedzialność.

– Poszedł tam bez broni, bez ochrony. – Zacisnęła palce na krzyżach, które nosiła na szyi.

– Nie mógł szwendać się po gnieździe wampirów z krzyżem na szyi – zauważył Cian. – Taki symbol? Nie przetrwałby pięciu minut.

– I co z tego? Bez broni przetrwa dziesięć.

– On żyje – powiedziała cicho Moira. Siedziała na podłodze i wpatrywała się w ogień na kominku. – Wiedziałabym. Myślę, że wszyscy byśmy wiedzieli. Krąg zostałby przerwany. – Spojrzała przez ramię na Hoyta. – Prawda?

– Chyba tak. Może po prostu musiał odpocząć. Zmiana postaci wymaga wiele koncentracji i siły.

– Tak, to dlatego ciągle jest głodny jak wilk. – Moira zwróciła ku nim twarz, zdobywając się na słaby uśmiech. – Odkąd go znam, nigdy nie pozostał w jednej postaci dłużej niż dwie lub trzy godziny.

Co za koszmar, pomyślała Blair i wyobraziła sobie, jak Larkin przemyka po jaskiniach w postaci szczura, jak się umówili, i nagle bum, zmienia się w człowieka, który nie ma nawet patyczka od lizaka, żeby się obronić.

Żyje, tego powinna się trzymać. Rzeczywiście, powinni coś czuć, gdyby umarł. Ale może jest w klatce, ranny, poddawany torturom.

– Zrobię coś do jedzenia. – Glenna uspokajająco poklepała Blair po ramieniu.

– Ja zrobię. Powinnam uczyć się gotowania – zaproponowała Moira, wstając. – Muszę coś zrobić, a nie tylko siedzieć i się zamartwiać.

– Pomogę ci. – Glenna objęła Moirę ramieniem. – Za chwilę przyniosę wam kawę.

– Ja wychodzę. – Hoyt wstał z fotela. – Może coś poczuję, jak wyjdę z domu.

– Pójdę z tobą – zaproponowała Blair, ale Hoyt potrząsnął przecząco głową.

– Wolałbym być sam.

A co ona ma robić? Nie była przyzwyczajona do tego, że tylko siedzi i czeka. To ona szła w ciemność, robiła, co do niej należy, ryzykowała życie. Nie jej rolą było gryzienie z niepokoju palców, gdy ryzykował ktoś inny.

– Czy byłabyś tak dobra i opuściła drugą kotarę? Z tamtej strony płynie światło.

Zdumiona spojrzała na Ciana, który siedział rozparty w fotelu, a kilka centymetrów od jego stóp podłogę przecinał promień słońca.

Większość przedstawicieli jego gatunku uciekałaby na widok tego promyczka gdzie pieprz rośnie, ale nie Cian. Wątpiła, czy uciekałby w popłochu, nawet gdyby go posadzili w fotelu naprzeciwko okna w słoneczny dzień.

– Oczywiście. – Zaciągnęła kotarę i w pokoju zapadł mrok. Nie zadała sobie trudu, żeby zapalić lampę, czasami ciemność dawała ukojenie.

– Co oni z nim zrobią? Nie kłam, nie oszczędzaj mnie. Jeśli go złapią, to co z nim będzie?

Przecież wiesz, pomyślał Cian.

– Będzie go torturowała. Dla zabawy i aby uzyskać informacje.

– On jej nie powie...

– Oczywiście, że powie. – W głosie Ciana zabrzmiało zniecierpliwienie. Był wściekły na siebie, że przywiązał się na tyle do Larkina, by się o niego martwić. – Ona potrafi zrobić z człowiekiem takie rzeczy, których nikt nie wytrzyma, cały czas pozostawiając go na cienkiej granicy między życiem a śmiercią. Powie jej wszystko. Tak samo jak ty i jak każdy z nas. Czy to ma jakieś znaczenie?

– Może nie. – Blair podeszła do fotela i nie mogąc ustać na drżących nogach, usiadła na stoliku przed Cianem. Mówił jej całą prawdę, bez sentymentów. Potrzebowała tego. – Przemieni go, prawda? To dopiero wyzwanie, przemiana jednego z nas.

– Byłoby nas dwóch.

– Tak. Prawda. – Ukryła twarz w dłoniach, bo na samą myśl o tym zrobiło jej się słabo. – Cian. Jeśli... jeśli będziemy musieli...

– Tak, będziemy musieli.

– Chyba tego nie zniosę. Nie dam rady dalej żyć. Mogę, jeśli po prostu zginął, inaczej zmarnowalibyśmy jego życie. Ale jeśli ona przyśle go z powrotem, a my będziemy musieli... – Uniosła głowę i przesunęła dłońmi po wilgotnych policzkach. – Jak ty sobie poradziłeś? Wtedy z Kingiem? Glenna mi mówiła, że byliście blisko, a to ty musiałeś go zabić. Jak sobie z tym poradziłeś?

– Przez kilka dni byłem nie w sosie.

– I pomogło?

– Nieszczególnie. Nosiłem żałobę i piłem, a potem pozwoliłem sobie na złość. Bardziej z powodu tego, co zrobiła Kingowi, niż z jakiegokolwiek innego, będę walczył do samego końca. – Przechylił głowę i przyjrzał się Blair uważnie. – Zakochałaś się w nim.

– Słucham? Nie... oczywiście, zależy mi na nim, tak jak na każdym z nas. Jesteśmy drużyną.

– Ludzie są tacy dziwni, a jeszcze dziwniejsze są ich reakcje na to, co czują. Sposób wyrażania uczuć. Patrząc na ciebie, wydawałoby się, że jesteś zawstydzona. Dlaczego? Oboje jesteście młodzi, zdrowi i znaleźliście się w sytuacji pełnej napięcia i ryzyka. Dlaczego nie mielibyście się związać?

– To nie takie proste.

– Dla ciebie najwidoczniej nie. – Popatrzył na Hoyta, który wpadł do pokoju. Blair zerwała się na równe nogi.

– Na końcu alejki stoi furgonetka. Wszystkie koła zostały przebite, w środku jest broń.

Blair nawet nie pomyślała o wzięciu kurtki, tylko wybiegła na zewnątrz. Drzwi od strony kierowcy były otwarte, kluczyki kołysały się jeszcze w stacyjce, jakby ktoś próbował ruszyć, a potem porzucił auto w pośpiechu.

W środku leżało parę szpad i lodówka turystyczna z kilkoma torebkami krwi.

– To na pewno ich – powiedziała Blair do Hoyta. – Nie może być wątpliwości. A szanse na to, że złapali naraz cztery gumy, są równe zeru. – Pochyliła się i wetknęła palec w szeroką dziurę w oponie. – Larkin to zrobił.

– Pewnie zostawili samochód i ukryli się przed słońcem w lesie.

– Tak. – Blair uśmiechnęła się złowrogo. – Przynajmniej będę miała jakieś zajęcie. Idę po broń.

– Idę z tobą.

Ruszyła do lasu uzbrojona w kuszę i kołek, przeszukując oczami cienie i cicha jak cień. Rozdzielili się na rozstaju dróg i każde poszło oddzielną ścieżką rozjaśnioną cętkami światła.

Blair znalazła jednego skulonego w głębokim cieniu na mchu. Ten chłopiec nie mógł mieć więcej niż osiemnaście lat, gdy umarł. Z jego ubrania – podarte dżinsy i spłowiała koszula – wywnioskowała, że pewnie był podróżującym na stopa studentem.

– Wybacz – powiedziała.

Syknął na nią i ukrył się za pniem drzewa.

– Och, proszę cię, tak jakbym nie mogła cię zobaczyć. Nie każ mi iść po ciebie.

Nie słyszała drugiego za swoimi plecami, ale go wyczuła. Zrobiła półobrót i pochyliła prawe ramię tak, że gdy wampir na nią skoczył, bez trudu wykonała przewrót.

Dziewczyna była mniej więcej w tym samym wieku, ale wyglądała na dużo odważniejszą.

– Jesteście parą? To słodkie. Cóż, niestety, macie pecha.

Tamta zaatakowała i Blair sięgnęła po kuszę. Dziewczyna nie chciała jedynie zabić, pomyślała, miała ochotę na walkę.

Uchyliła się przed kopniakiem, ale wampirzyca trafiła ją najpierw w biodro, a potem w dół pleców z taką siłą, że Blair poleciała do przodu. Wylądowała na rękach, zrobiła przewrót i wycelowała butem prosto w twarz przeciwniczki.

– Zajęcia z kickboxingu, co? – Zobaczyła błysk w oczach dziewczyny i zdała sobie sprawę, że tamta nic nie jadła, nie zdążyła zabrać zawartości lodówki z auta i była zdesperowana.

Przedłużanie tej walki byłoby okrucieństwem, dlatego gdy wampirzyca zaatakowała znowu, Blair wyciągnęła kołek i przebiła jej serce.

– Suka. Głupia dziwka! – krzyknął ukryty za drzewem chłopak i ciężki akcent z New Jersey niemal rozbawił Blair.

– Która z nas?

Podskoczył i Blair przygotowała się do ciosu, ale wampir rzucił się do ucieczki.

– Och, na litość boską. – Sięgnęła po kuszę i wystrzeliła za nim. – Tchórz.

Obróciła się szybko, słysząc za sobą jakiś szmer, i z ulgą zobaczyła na ścieżce Hoyta.

– Tylko jeden – powiedział.

– Ja dwa. Może jest ich więcej, ale pewnie pochowały się głębiej w lesie. Powinniśmy wracać, może są jakieś wieści o Larkinie.

– Nie udało mi się nic wyczuć, jego śmierci też nie. To mądry chłopak, Blair, zaradny, sama widziałaś, co zrobił z kołami.

– Tak. Nie jest osłem, nawet jeśli potrafi przybrać jego postać.

– Wiem, jak to jest martwić się o kogoś, niepokoić o czyjeś życie. – Hoyt przeczesywał spojrzeniem otaczający ich las. – Nie możemy bronić się nawzajem w tej wojnie, ale możemy ochraniać. Glenna wytłumaczyła mi, na czym polega różnica.

– Nigdy wcześniej nie musiałam się o nikogo martwić. Chyba nie jestem w tym najlepsza.

– Mogę cię zapewnić, że tę umiejętność zdobywa się wyjątkowo szybko.

Wyszli spomiędzy drzew i zobaczyli Moirę, która wybiegła z domu w takim pośpiechu, jakby tam wybuchł pożar. Twarz dziewczyny rozświetlała bezgraniczna radość i Blair poczuła niewyobrażalną ulgę.

– On wraca! – zawołała Moira. – Larkin wraca do domu!

– No cóż. – Hoyt objął Blair za ramiona. – Dzisiaj już nie będziesz potrzebowała tej umiejętności.

Larkin musiał zebrać wszystkie siły, żeby zostać w postaci sokoła, żeby nie opaść na ziemię. Czuł ból i ogromne zmęczenie i bał się, że jedno lub drugie w końcu go pokona. Stracił sporo krwi, ale nie potrafił oszacować, jak wiele. Rana na karku paliła go żywym ogniem.

Gdy o świcie wrócił do swojej postaci, w zasięgu wzroku nie było ani człowieka, ani wampira. Na skale ujrzał kałużę krwi, nie tylko jego własnej, jednak nie tak dużą, aby uznać, że wszyscy, których uwolnił, zostali tu zamordowani.

Na pewno niektórym się udało. Żeby choć jednemu...

Poczuł, że zaczyna drżeć, a jedno skrzydło prawie zamieniło się w ramię.

Już jest rzeka, pomyślał. Shanon. Niedaleko do domu.

Oczami wyobraźni zobaczył twarz Blair i usłyszał melodię jej głosu. Uda mu się, przeleci te ostatnich kilka kilometrów.

Serce sokoła biło jak oszalałe, każdy oddech wydawał się ponad jego siły, mgła zasnuwała mu oczy. Czuł też w sobie coś obcego, coś co pozostawił w nim mały demon, jak rozlewało się po jego krwi, zatruwając ją.

Ciemna słabość szeptała obłudnie, że powinien się poddać.

I nagle usłyszał inny głos, dużo mocniejszy.

Już prawie jesteś w domu, ptaszyno. Fruń dalej, już niedaleko. Czekamy na ciebie. Zrobię ci śniadanie mistrzów, będziesz mógł zjeść tyle, ile tylko zdołasz. No dalej, Larkin, wracaj do domu.

Blair. Uczepił się dźwięku jej głosu i leciał wytrwale.

Tam! Przed domem stała Blair, z twarzą uniesioną ku górze, tak żeby mógł ją widzieć. Te oczy. I Moira, jego kochanie, i pozostali, oprócz Ciana. Larkin zaniósł modlitwę dziękczynną do wszystkich bogów.

Lecz nagle jego moc po prostu zniknęła i ostatnie trzysta metrów pokonał, spadając w ludzkiej postaci.

– Och, Boże! Och, Boże! – Blair rzuciła się przed siebie i dotarła do niego kilka sekund przed innymi. – Poczekajcie, ostrożnie. Musimy sprawdzić, czy sobie czegoś nie złamał.

Obie z Glenną zbadały dłońmi jego ciało, ale to Blair wyczuła ranę na karku i odgarnęła włosy Larkina, żeby się jej przyjrzeć.

Podniosła wzrok i popatrzyła prosto w wypełnione łzami oczy Moiry.

– Został ukąszony.

– Och Boże, słodki Boże, ale nie przemieniony. – Moira uniosła bezwładną dłoń Larkina do ust. – Nie mógłby przebywać na słońcu, gdyby został przemieniony.

– Nie, nie został. Nie ma też żadnych złamań, jest tylko mocno poobijany. Ma bardzo słaby puls, Glenno.

– Zabierzmy go do domu.

– On musi coś zjeść. – Moira pobiegła przodem, a Hoyt i Blair podnieśli Larkina. – To tak, jakby ktoś z nas nie jadł przez tydzień. Potrzebuje jedzenia i picia. Przyniosę coś.

– Sofa w salonie – rozkazała Glenna. – Przyniosę to, co mi potrzebne.

Położyli go na kanapie, a Blair ukucnęła przy nim. Larkin był biały jak śmierć, na jego twarzy rozkwitły już pierwsze siniaki.

– Nic ci nie grozi, jesteś w domu, tylko to się liczy. Wróciłeś.

– Cian... Cian powiedział, żebyśmy zaczęli od tego. – Moira wbiegła do pokoju z dużą szklanką soku pomarańczowego. – Żeby dostarczyć mu płynów i cukru.

– Dobrze, tylko musi odzyskać przytomność. No dalej, sokole.

– Poczekaj, ja spróbuję. – Glenna uklękła obok sofy i zanurzyła kciuk w słoiczku z balsamem, który roztarła na środku czoła Larkina. – Na czakramach – wyjaśniła. – Zbalansowanie energii *chi*. Moiro, weź go za drugą rękę i prześlij mu trochę swojej siły. Wiesz w jaki sposób. Blair, mów do niego, tak samo jak wtedy, gdy leciał. On cię usłyszy. Hoyt?

– Tak. – Hoyt oparł dłonie po obu stronach głowy Blair. – Każ mu wrócić.

– No dalej, Larkin, musisz się obudzić. Nie możesz tak się lenić przez cały dzień. Poza tym śniadanie już gotowe. Proszę cię, obudź się. Czekałam na ciebie. – Przycisnęła jego dłoń do swojego policzka. – Nie spuszczałam z ciebie wzroku. Jego palce się poruszyły! No już, Larkin, wystarczy tych cholernych dramatów jak na jeden dzień.

Powieki Larkina zadrżały.

– Dlaczego kobiety zawsze tak zrzędzą?

– Inaczej nigdy byście nas nie słuchali – odrzekła z wysiłkiem Blair.

– Masz tutaj, pij. – Moira obeszła kanapę, uniosła głowę kuzyna i przysunęła mu szklankę do ust.

Pił jak wielbłąd, a potem uśmiechnął się z trudem.

– Moje kochanie. Popatrzcie tylko, co za obrazek. Trzy piękne kobiety. Ofiarowałbym wam wszystkie skarby świata i moją dozgonną wdzięczność, gdybyście przyniosły mi coś do jedzenia.

Ale to Cian podszedł do sofy z małym talerzykiem, na którym leżały dwa cienkie tosty.

– Musisz zacząć od czegoś małego. – Wymienił spojrzenie z Blair, a ona zacisnęła mocno powieki i skinęła głową.

– Nie połknij tego w całości – ostrzegła.

– Sam chleb? Nie mógłbym dostać mięsa? Przysięgam, mógłbym zjeść konia z kopytami. Albo to pyszne danie, które robi Glenna, z kulkami mięsa i kluseczkami.

– Zrobię je wieczorem.

– Wolno ci zjeść tylko tyle, żeby nie zemdleć z głodu – zaczęła Blair. – Gdybyś dostał większy posiłek, natychmiast byś wszystko zwymiotował, jak będziemy opatrywać ugryzienie.

– To ten chłopak, jej syn. Mały sukinsyn. Byłem wtedy w postaci wilka, więc nie ugryzł mnie tak głęboko, jak by mógł.

– Glenna ma balsam. Kurowała nim mnie, kiedy zostałam ukąszona. – Moira pogłaskała Larkina po włosach. – Wiem, że rana okropnie cię pali, ale balsam ją ochłodzi.

– Ty nie zostałaś ukąszona – powiedział Cian spokojnie. – To było tylko zadrapanie, a nie ugryzienie zębami.

– A co to za różnica?

– Całkiem spora. – Blair wstała. – Przy ukąszeniu następuje infekcja i pojawia się spore ryzyko, że ten, kto cię ugryzł, zyskał nad tobą pewną kontrolę.

– Tak. – Larkin zmarszczył czoło i zamknął oczy. – Czułem, że coś się ze mną dzieje. Ale...

– Zajmiemy się tym. Rana musi zostać oczyszczona święconą wodą.

– Nie ma sprawy. Potem zaaplikujecie ten balsam, o którym mówiła

Moira, zjem dobre śniadanie i będę jak nowy. Poza tym, że wszystkie kości bolą mnie tak, jakby ktoś walił w nie młotkiem.

Szczera prawda, pomyślała Blair, żadnych krętactw.

– To palenie, które poczułeś, gdy wampir zatopił w tobie kły, które czujesz teraz...

– Oj, czuję!

– To będzie dużo gorsze. Przykro mi. – Wyszła i pobiegła schodami do swojego pokoju, Moira za nią.

– Musi być inny sposób. Jak możemy znowu sprawiać mu ból? On jest taki słaby i okropnie cierpi. Widzę to w jego oczach.

– Myślisz, że ja nie? – Blair wpadła do swojego pokoju. – Nie ma innego sposobu.

– Wiem, tak piszą w książkach, czytałam je. Ale z Glenną i Hoytem...

Blair wyjęła butelkę święconej wody i ze stanowczym wyrazem twarzy odwróciła się do Moiry.

– Nie ma innego sposobu. On został zainfekowany, naraża na niebezpieczeństwo i siebie, i nas. – Wyciągnęła rękę i obróciła ją nadgarstkiem do góry, żeby pokazać bliznę. – Wiem, jak to boli. Myślisz, że gdyby była inna możliwość, tobym go tak dręczyła?

Moira westchnęła ciężko.

– Co mogę zrobić?

– Możesz pomóc go trzymać.

Zabrała ręczniki i bandaże i zmusiła się, żeby podejść do Larkina i popatrzeć mu w oczy.

– To będzie bolało.

– To będzie bolało – powtórzył Cian – jak kurwa mać.

– No cóż. – Larkin oblizał wargi. – Dodajecie mi odwagi.

– Może uda mi się trochę złagodzić ból – zaczęła Glenna.

– Nie sądzę, żeby ci się udało, i chyba nie powinnaś próbować. – Blair potrząsnęła głową. – Ból jest częścią rytuału, tak to się dzieje. No dobrze, połóżmy go na podłodze, twarzą do dołu. Ręczniki pod nim. Cian, lepiej trzymaj go za stopy, żeby woda nie prysnęła na ciebie.

Larkin skrzywił się, gdy go unieśli.

– A po co on ma mnie trzymać za stopy?

– Wszyscy będziemy cię trzymać.

– Nie potrzeba...

– Owszem, potrzeba.

Zobaczył wyraz jej oczu i skinął głową.

– No dobrze. Ufam wam, że to przeżyję.

Cian ukłąkł u jego stóp, Hoyt po jednej, a obie kobiety po drugiej stronie i Blair otworzyła butelkę. Odsunęła Larkinowi włosy, odsłaniając świeży ślad po ugryzieniu.

– W tych okolicznościach nie zostaniesz uznany za mało męskiego, jeśli będziesz wrzeszczał. Trzymaj się – ostrzegła go i polała zranione miejsce święconą wodą.

Larkin wrzasnął, a jego ciało wygięło się w łuk. Rana wydawała się gotować, wypływała z niej ohydna ciecz, mieszająca się z wodą, którą Blair bezlitośnie polewała ukąszenie.

Przed oczami stanęła jej noc, kiedy musiała pójść do ciotki, w niecały tydzień po wyjeździe ojca, i łzy, które płynęły po policzkach kobiety, gdy polewała ugryzione miejsce na nadgarstku Blair.

Bolało tak, jakby ktoś przecinał jej ciało i kości płonącym nożem.

Gdy rana była już czysta, a Larkin łapał powietrze niczym wyrzucona na brzeg ryba, Blair wytarła i osuszyła mu kark ręcznikami.

– Teraz pewnie przydałby się balsam.

Biała jak ściana Glenna zaczęła nerwowo szukać słoiczka, a jej łzy kapały na leżącego.

– Tak strasznie mi przykro, Larkin, tak strasznie. Czy mogę teraz pomóc mu zasnąć? Choćby na godzinę?

Blair przesunęła grzbietem dłoni po ustach.

– Oczywiście, już po wszystkim. Teraz przyda mu się sen.

Znowu pobiegła na górę, wpadła do swojego pokoju i zatrzasnęła za sobą drzwi. Opadła na podłogę przy łóżku, zasłoniła głowę rękami i zaczęła szlochać.

Ktoś ją objął i Blair chciała się odsunąć, ale uścisk tylko się wzmocnił.

– Byłaś taka dzielna – zanuciła Moira jak matka usypiająca dziecko. – Taka silna i dzielna. Ja też próbuję, ale to bardzo trudne. Chciałabym wierzyć, że ja także potrafiłabym zrobić to co ty.

– Jest mi niedobrze.

– Wiem, mnie też. Myślisz, że możemy przez chwilę tak posiedzieć?

– Nie wolno mi tak się czuć, to nie pomaga.

– Myślę, że pomaga. Troszczysz się o kogoś, cierpisz. Cian przygotował dla niego sok i tosty, nigdy bym nie przypuszczała, że też się o niego martwił. Trudno byłoby nie martwić się o Larkina. A jeśli go kochasz...

Blair uniosła głowę i otarła łzy.

– Nie chcę znowu tego przeżywać.

– Cóż, jeślibyś go pokochała, wiedlibyście szczęśliwe i niezwykłe życie. Pokażesz mi, jak się robi francuskie tosty? Będzie zadowolony, kiedy je dostanie po przebudzeniu.

– Tak, oczywiście. Ochlapię tylko twarz wodą i zaraz zejdę. – Wstały. – Moira? Ja nie przynoszę mu szczęścia. Nikomu nie przynoszę.

Moira zatrzymała się w drzwiach.

– To zależy od niego tak samo jak od ciebie.

Po przebudzeniu Larkin wciąż był blady, ale jego oczy odzyskały dawny blask. Uparł się, żeby jeść przy stole, gdzie będzie miał – jak powiedział – łatwy dostęp do dokładek.

Pochłaniał francuskie tosty, jajka i bekon metodycznie, bez pośpiechu. Jedząc, opowiadał im o wszystkim, co widział i słyszał.

– Tyle razy zmieniałeś postać, Larkin. Wiesz, że nie powinieneś...

– Och, nie upominaj mnie, Moiro. Wszystko skończyło się dobrze, prawda? Czy mogę dostać jeszcze trochę coli? – Uśmiechnął się czarująco.

– To nie była wyprawa ratunkowa. – Blair była najbliżej lodówki, wyjęła więc kolejną butelkę. – Rozmawialiśmy o tym.

– Ty zrobiłabyś to samo. Och, nie patrz na mnie takim wzrokiem. – Wziął od niej butelkę. – Musiałem spróbować, każdy z nas postąpiłby tak samo. Nie widziałaś tego, nie słyszałaś. Nie mogłem po prostu odejść, nie próbując im pomóc. A prawda jest taka, że już od dłuższego czasu chciałem podłożyć ogień w jaskiniach. – Popatrzył na Ciana. – Od czasu Kinga.

– King doceniłby twój gest.

– O mało nie zginąłeś – przypomniała mu Blair.

– Na wojnie ludzie giną, prawda? Powinienem był zostawić tego chłopaka w spokoju. Ale to, co robił... Nie mogę zaprzeczyć, straciłem wtedy rozum i oślepiła mnie żądza zemsty. To było bezsensowne i głupie. – Dotknął palcami opatrunku na karku. – I nigdy nie zapomnę, ile mnie kosztowało. – Wzruszył ramionami i wrócił do jedzenia. – W każdym razie Lilith nie była zadowolona z tego czarnoksiężnika, Midira.

– Znam to imię – wtrącił Hoyt. – Miał złą sławę, jeszcze przed moim czasem. Mówiono, że uprawia czarną magię i przywraca do życia demony, żeby mu służyły.

Larkin pociągnął solidny łyk coli prosto z butelki.

– Teraz sam jest sługą.

– Podobno zniszczyła go własna moc. W pewnym sensie chyba to właśnie go spotkało.

– Myślę, że Lilith chciała go ukarać albo oddać go tej drugiej, Lorze, ale zmiękła, gdy dał jej magiczne lusterko. Obie były zafascynowane wyglądem własnych twarzy.

– To musiało być dla nich ogromne przeżycie, po tak długim czasie zobaczyć znowu swoje odbicia – uznał Cian.

– Zupełnie się tego nie spodziewałem, ich reakcja wydawała się taka... ludzka. I, uch, uczucie łączące obie kobiety wyglądało na naprawdę szczere.

– Larkin stara się być delikatny – powiedział Cian. – Lilith i Lora są kochankami. Oczywiście obie sypiają też z innymi, często razem, jednak są szczerze sobie oddane. Ten związek nie jest do końca normalny, ale trwa od czterystu lat.

– Skąd wiesz? – zapytała Blair.

– Lora i ja mieliśmy... jak by to nazwać? Romans? To musiało być, hmm, na początku dziewiętnastego wieku, w Pradze, o ile mnie pamięć nie myli. Ona i Lilith przechodziły jeden ze swoich kryzysów i zabawialiśmy się z Lorą przez kilka nocy. Potem próbowała mnie zabić i wyrzuciłem ją przez okno.

– Burzliwe rozstanie – mruknęła Blair.

– No cóż, ona należy do Lilith bez względu na to, z kim figluje od czasu do czasu. Wiedziałem o tym, jeszcze zanim próbowała wbić mi kołek w serce. Co do chłopca, to nic o nim nie wiem. Świeży nabytek, jak przypuszczam.

– Rodzina – poprawił go Larkin. – Łączy ich coś niestosownego, ale chyba w jakiś sposób Lilith uważa go za syna, a on ją za matkę.

– W takim razie znamy jej słabości. – Hoyt skinął głową. – Chłopiec i ta Francuzka.

– Davey. Tak na niego mówiła – dodał Larkin.

Hoyt pokiwał głową, imię zawsze mogło się przydać.

– Zadalibyśmy jej poważny cios, gdyby udało nam się schwytać lub zabić któreś z nich.

– Ona nie wybiera się do Geallii tak szybko jak my – myślała na głos Blair. – Może zdążymy ustawić jakieś pułapki. Nie wiemy dokładnie, w którym miejscu pojawią się po tamtej stronie, ale może uda nam się coś zrobić. W każdym razie mamy jeszcze kilka dni, żeby o tym pomyśleć.

– I pomyślimy, ale teraz wszyscy jesteśmy zmęczeni. Potrzebujemy snu. – Glenna położyła dłonie na ramionach Larkina. – Musisz odzyskać siły, przystojniaku.

– Już trochę doszedłem do siebie. Dziękuję. Ale święta prawda, marzę o łóżku. – Wstał. – Chyba nogi już nie odmówią mi posłuszeństwa. Chodź ze mną, Blair, chciałbym zamienić z tobą słówko.

– Dobrze. – Poszła za nim do kuchennych schodów. Larkin chwiał się trochę na stopniach, więc położyła sobie jego dłoń na ramieniu. – Oprzyj się o mnie.

– Bardzo chętnie. Chciałem ci podziękować za to, że się mną zajęłaś.

– Przestań. – Na samo wspomnienie poczuła ucisk w żołądku. – Nie dziękuj mi.

– Zaopiekowałaś się mną i będę ci za to dziękował. Słyszałem twój głos. Kiedy frunąłem do domu i nie byłem pewny, czy dolecę, usłyszałem twój głos i wtedy już wiedziałem, że dam radę.

– Myślałam, że cię dopadła. Wyobrażałam sobie, że tkwisz zamknięty w klatce, i to było gorsze, niż gdybym wiedziała, że nie żyjesz. Nie chcę się tego bać, nie chcę czuć się taka bezbronna.

– Nie wiem, jak mógłbym to zmienić. – Larkinowi brakowało tchu, gdy doszli do jego pokoju, i był wdzięczny Blair, że pomogła mu położyć się do łóżka. – Położysz się ze mną?

Popatrzyła na niego szeroko otwartymi oczami.

– Co?

– Och, nie o to mi chodzi. – Ze śmiechem wziął ją za rękę. – Chyba jeszcze nie mam aż tyle siły, ale to cudowny pomysł na późniejszy czas. Połóż się ze mną tutaj, *a stór*, pośpij chwilę.

Myślała, że po bólu, jaki mu sprawiła, jest ostatnią osobą, z którą chciał przebywać, ale oto leżał tu i wyciągał do niej dłoń.

– Tylko żeby spać. – Położyła się obok niego i odwróciła twarz tak, by widzieć jego oczy. – Żadnych głupstw.

– Czy objęcie cię ramieniem należy do kategorii głupstw?

– Nie.

– A jeden pocałunek?

– Jeden. – Musnęła ustami jego wargi. – Zamknij oczy.

Posłuchał jej, wzdychając.

– Jak dobrze wrócić do domu.

– Czujesz ból?

– Nie, jestem tylko trochę zesztywniały.

– Miałeś szczęście.

Otworzył oczy.

– Nie mogłabyś powiedzieć, że wykazałem się sprytem i odwagą?

– Chyba tak, i jeszcze mogłabym dodać do tego pomysłowość. Róg nosorożca kontra grube opony. To mi się bardzo podobało.

Położyła dłoń na jego sercu, zamknęła oczy. I zasnęła.

9

Obudził go ból zesztywniałych mięśni. Larkin leżał przez kilka minut, zastanawiając się, czy tak będzie się czuł każdego błogosławionego ranka, jak już będzie stary. Trochę zamroczony i zdrętwiały. Może zmiany następowały tak powoli, że człowiek ich nie zauważał, tylko stopniowo zapominał, jak się czuł, gdy był młody i żwawy.

Mógłby przysiąc, że zaskrzypiały mu stawy, kiedy przewrócił się na drugi bok.

Oczywiście Blair zniknęła. Pewnie i tak nie dałby rady się z nią kochać, gdyby została – o ile w ogóle udałoby mu się ją na to namówić. Blair była dla niego prawdziwą zagadką. Taka silna, twarda jak żelazo, bogini w walce, ale wewnątrz kryła się posiniaczona miękkość.

Prawdziwy mężczyzna oczywiście chciał zedrzeć tę twardą powłokę i dotrzeć do sedna sprawy.

I miała niezwykle interesującą urodę. Miękkie włosy, tak czarne w kontraście z jej białą cerą. Te głębokie oczy o magicznie błękitnym kolorze, które patrzyły prosto na ciebie. Żadnej zalotności. Czasami lubił po prostu patrzeć na jej usta bez względu na to, jakie słowa z nich płynęły.

I jeszcze ciało, smukłe i zwarte. Jaśniejące. Nie miał nic przeciwko temu, że spuszczała mu lanie w walce wręcz, skoro tylko go dotykała. Długie nogi, silne ramiona, które często odsłaniała podczas treningów. I te piękne, jędrne piersi.

Larkin musiał przyznać, że całkiem sporo myślał o jej piersiach.

A teraz podniecał się tym wszystkim i nie mógł nic zrobić z nadmiarem energii.

Wstał, krzywiąc się z bólu. Wziąwszy pod uwagę okoliczności, miał pewnie szczęście, że skończyło się tylko na siniakach i bólu mięśni. Musi podziękować za to Glennie. Pójdzie jej poszukać, może teraz, gdy wypoczął, będzie mogła zrobić coś jeszcze.

Wziął prysznic, rozkoszując się wodą tak gorącą, jaką tylko mógł wytrzymać. Tego będzie mu naprawdę brakowało. Zastanawiał się, czy Moira, która zawsze potrafiła wykombinować, jak działają takie rzeczy, będzie potrafiła zmajstrować prysznic w Geallii.

Ubrał się i wyszedł z pokoju. W domu panowała cisza, więc pomyślał, że pewnie wszyscy jeszcze śpią, i postanowił zejść do kuchni. Znowu był głodny – i nic dziwnego.

Ale wątpił, czy w kuchni zastanie Blair. Do głowy przychodziło mu tylko jedno miejsce, w którym mógł ją znaleźć.

Usłyszał jej muzykę, zanim dotarł do sali ćwiczeń. To nie była ta sama muzyka, której słuchała w kuchni. Teraz śpiewała kobieta: chropawym, fascynującym głosem domagała się odrobiny szacunku, gdy wraca do domu. Według Larkina nie prosiła o zbyt wiele.

Zobaczył Blair ubraną jedynie w krótką, białą koszulkę i czarne spodnie, które opadały jej nisko na biodra – ulubiony zestaw Larkina, jeśli ktoś pytałby go o zdanie.

Ćwiczyła wypady, szalejąc po całej wielkiej sali. Obroty przez ramię, kopnięcia i skoki. W pewnej chwili przetoczyła się do miecza, który leżał na podłodze, i zaczęła walczyć z gromadą niewidzialnych przeciwników.

Poczekał, aż wykonała ostatnie pchnięcie i zamarła w pozycji wojownika.

– Dałaś im niezły wycisk.

Odwróciła tylko głowę, aż ich oczy się spotkały. Dopiero wtedy złączyła nogi i opuściła miecz.

– Został tylko pył.

Odłożyła miecz, ściszyła muzykę i wzięła butelkę wody. Pijąc, nie spuszczała oczu z Larkina. Miał siniaki na twarzy i zadrapanie na skroni – co wcale nie ujmowało mu urody.

W każdym razie wróciły mu rumieńce.

– Jak się czujesz?

– Całkiem dobrze, ale czułbym się dużo lepiej, gdybyś była przy mnie, kiedy się obudziłem.

– Nie wiedziałam, jak długo będziesz spał. Jak ugryzienie?

– Prawie go nie czuję. – Wziął ją za rękę i odwrócił nadgarstkiem do góry. – Teraz oboje mamy swoje blizny.

– Masz mokre włosy.

– Brałem prysznic. Bolały mnie kości i pewnie pachniałem dość obrzydliwie po poprzedniej nocy.

– Przemoczyłeś opatrunek. – Zmarszczyła brwi i odwróciła Larkina plecami do siebie. – Pozwól, że zobaczę.

– Głównie swędzi – powiedział, rozkoszując się dotykiem jej palców.

– Szybko się goi. Magiczny balsam Glenny. Kurczę, szkoda, że ja go nie miałam po mojej przygodzie. Chyba przeżyjesz.

– Na pewno? – Odwrócił się, schwycił ją w talii i podniósł, tak że usiadła na stole.

– Ostrożnie, chłoptasiu, jeszcze cię nie wypisali z rejestru niepełnosprawnych.

– Nie wiem, o czym mówisz, ale nie szkodzi. Myślałem dzisiaj, że bardzo lubię patrzeć, jak poruszają się twoje usta. – Przesunął palcem po jej dolnej wardze. – Mają w sobie tyle życia.

– Czyż nie obudziliśmy się bardzo dziarscy? Chyba lepiej, żebyś...

Tylko tyle zdążyła powiedzieć, zanim zamknął jej usta.

Nie smakował tym razem, lecz ucztował, nie próbował, ale posiadł. Było w nim więcej głodu i więcej pragnienia, niż się spodziewała, jego namiętność zalała jej umysł i ciało, aż Blair zadrżała z pożądania.

Nie zdążyła się uzbroić, a teraz było już za późno, mogła jedynie wyjść mu naprzeciw.

Broniła się tylko trochę, tylko przez chwilę, a potem znów zalała ją fala gorąca. Larkin czuł, jak buchający od niej cudowny ogień zaczyna krążyć w jego żyłach. Przesunął dłońmi po jej ciele; wreszcie jej dotykał, szczupłych pleców, jędrnych piersi, silnych ramion.

Poczuł, jak Blair drży, usłyszał jej jęk i wiedział, że ta kobieta należy do niego.

Ale wtedy oparła dłonie o jego pierś.

– Poczekaj, poczekaj. Nie tak szybko.

Głos miała zachrypnięty, oddech jej się rwał.

– Dlaczego?

– Nie wiem, ale za sekundę wymyślę jakiś powód, jak tylko moje IQ podniesie się powyżej poziomu rzepy.

– Nie wiem, gdzie masz swoje aj kju, ale cała reszta jest idealna.

Roześmiała się, jednak nie opuściła rąk, trzymając go na taką odległość, żeby nie mógł znowu jej pocałować i do reszty zakręcić jej w głowie.

– Daleko mi do ideału. I myślę, że skok w tę wodę byłby naprawdę fantastyczny. Prawdopodobnie i tak w końcu to zrobimy, ale sytuacja jest skomplikowana, Larkin.

– To, czy sytuacja jest prosta czy skomplikowana, zależy od ciebie.

– Nie, czasami sytuacje po prostu takie są. Ty mnie nawet nie znasz.

– Blair Murphy, łowczyni demonów. Tak przede wszystkim o sobie myślisz, tak cię nauczono. Ale to nie mówi o tobie całej prawdy. Jesteś silna i odważna.

Chciała mu przerwać, ale położył palec na jej ustach.

– I jest w tobie coś więcej niż tylko odwaga i poczucie obowiązku. Masz miękkie serce, widziałem to, gdy Hoyt i Glenna łączyli dłonie. Zadbałaś o świece i kwiaty, bo chciałaś, żeby mieli piękną uroczystość. Wiedziałaś, że się kochają i że to ważne. Było w tym tyle słodyczy.

– Larkinie...

– Zostałaś zraniona. Ukryłaś to głęboko w środku, tak żeby nikt nie mógł nic zobaczyć. Cierpienie sprawiło, że pozostałaś sama, i myślisz, że tak musi być. Ale to nieprawda. Wiem, że przez całe życie walczysz z potwornym przeciwnikiem i nigdy nie opuściłaś broni, a mimo to potrafisz się śmiać i masz łzy w oczach, gdy dwoje zakochanych ludzi składa sobie przysięgę. Nie wiem, jaki jest twój ulubiony kolor ani jaką książkę ostatnio czytałaś, ale to nie oznacza, że cię nie znam.

– Nie wiem, co mam z tobą zrobić – powiedziała, gdy odzyskała głos. – Naprawdę nie wiem. To nigdy mi się nie zdarza, bo zawsze powinnam wiedzieć, co robić.

– I żadnych niespodzianek? Cieszę się, że mogłem to zmienić. Cóż, skoro nie zrzucamy dzisiaj ubrań, przynajmniej na razie, to może pójdziemy na spacer?

– Ach... Hoyt i ja przeczesaliśmy rano las. Dopadliśmy trzy.

– Nie mówiłem o polowaniu, tylko o zwykłym spacerze. Jest jeszcze bardzo jasno.

– Och. Ale...

– Musisz wziąć koszulę albo jakąś kurtkę. Przejdziemy przez kuchnię, weźmiemy dla ciebie jakieś okrycie i może przy okazji znajdziemy pudełko ciastek.

Jak dziwnie się czuła, spacerując z nim po polach skąpanych w popołudniowym słońcu. Bez żadnego konkretnego celu – nie misja, nie wywiad ani polowanie, tylko zwykły spacer. Mieli ze sobą jedynie miecz, kołek i kruche ciasteczka.

– Wiesz, że Hoyt będzie tu mieszkał z Glenną, jak to wszystko się skończy?

Ugryzła ciastko i uniosła brwi.

– Tutaj, w Irlandii? Skąd wiesz?

– Rozmawiamy o różnych rzeczach, Hoyt i ja, kiedy zajmujemy się koniem. Tak, tu, w Irlandii. Cian podarował im ten dom i ziemię.

– Cian dał im ten dom? – Dokończyła ciastko. – Jego też nie mogę rozgryźć. Słyszałam o wampirach, rezygnujących z picia ludzkiej krwi. Krążą plotki, głównie legendy, o takich, które żyją pośród nas, uchodzą za ludzi i nie zabijają, ale nigdy tak naprawdę w to nie wierzyłam.

– To, że uchodzą za ludzi, nie czyni z żadnego z nich człowieka. A jednak ufam Cianowi bardziej niż większości ludzi. Zastanawiam się, czy to nie dlatego, że żyje od tak dawna.

– Powiedz to Lilith. Ona ma dwa razy więcej lat.

– Pewnie demony też mają wybór, mogą pójść taką drogą lub inną. A ty wrócisz po wszystkim do Chicago?

– Nie wiem. – Poczuła swędzenie między łopatkami na samą myśl. – Raczej pojadę gdzieś indziej. Może do Nowego Jorku.

– Tam, gdzie mieszkała Glenna? Pokazywała mi zdjęcia, istny cud. Może zostaniesz na trochę w Geallii? Takie wakacje.

– Wakacje w Geallii. – Potrząsnęła głową. – I kto tu mówi o cudach. Może, na kilka dni.

I tak nikt na nią nie czeka.

Poszli na cmentarz, do zrujnowanej kaplicy. Kwiaty wciąż tu kwitły, a wiatr szeptał w wysokiej trawie.

– Tu leżą moi przodkowie. To takie dziwne. Jeśli nawet ktoś coś wiedział, nikt nigdy mi o nich nie mówił.

– Czy to cię smuci?

– Nie wiem. Chyba trochę. Hoyt mnie tu przyprowadził, żeby mi pokazać, od kogo pochodzę. To jest grób Noli. – Wskazała nagrobek, gdzie leżały zwiędnięte kwiaty, które przyniosła kilka dni wcześniej. – To od niej wszystko się zaczęło. Jedno z jej dzieci musiało być pierwszym łowcą. Nie wiem które i pewnie nigdy się tego nie dowiem, ale na pewno przynajmniej jedno.

– Zmieniłabyś to, gdybyś mogła?

– Nie. – Popatrzyła na Larkina, gdy objął ją ramieniem. – A ty wyrzekłbyś się swojego daru?

– Nie, nawet za całe złoto Zielonych Gór. Zwłaszcza teraz. Kiedy będziesz na wakacjach w Geallii – ciągnął, gdy ruszyli dalej – zabiorę cię do Wodospadu Wróżek. Zrobimy sobie piknik.

– I wracamy do jedzenia. – Wyjęła ciastko i włożyła mu do ust.

– Będziemy pływać w jeziorze, woda jest przejrzysta jak kryształ i ciepła. Potem będę się z tobą kochał na miękkiej trawie, a woda będzie szumiała wokół nas.

– A także do seksu.

– Jedzenie i seks. O czym przyjemniejszym można myśleć?

Musiała przyznać, że miał rację. I nie mogła zaprzeczyć, że ten prosty popołudniowy spacer okazał się nieoczekiwanym darem, cenniejszym niż mogła przypuszczać.

– Niebieski – powiedziała. – Mój ulubiony kolor to niebieski.

Larkin posłał jej szeroki uśmiech i wziął ją za rękę.

– Popatrz tam, jaki ładny widok.

Zobaczyła w herbarium Glennę i Hoyta, przytulonych do siebie. Wokół nich rozkwitał zalany słońcem ogród. Glenna trzymała w jednej dłoni koszyk pełen ziół, drugą głaskała Hoyta po policzku.

– Słyszysz nawoływanie przedrzeźniacza? – zapytał Larkin i Blair skinęła głową, wsłuchując się w radosne trele.

Chwila była pełna intymności i tego czegoś nieuchwytnego, a jednocześnie trwałego i uniwersalnego, czego znalezienie graniczyło z cudem. Zbliżenie dwóch serc w całym tym horrorze.

Blair zdała sobie sprawę, że przed przyjazdem tutaj nie wierzyła w cuda.

– I dlatego właśnie wygramy – powiedział cicho Larkin.

– Słucham?

– Dlatego one nie mogą nas zwyciężyć. Jesteśmy silniejsi.

– Nie chciałabym zepsuć tej chwili, jednak pod względem fizycznym mają ogromną przewagę nad przeciętnym człowiekiem.

– Fizycznie. Ale tu nie chodzi tylko o brutalną siłę, prawda? One chcą niszczyć, a my przeżyć. Instynkt przetrwania jest silniejszy. I mamy to. – Skinął głową w stronę Glenny i Hoyta. – Miłość i przyjaźń, współczucie, nadzieję. Inaczej dlaczego dwoje ludzi miałoby składać sobie przysięgi w takiej chwili w przekonaniu, że będzie mogło ich dotrzymać? Widzisz, my nie zrezygnujemy z tego wszystkiego, nie pozwolimy, by nam to odebrano. Połączymy swoje siły i nigdy nie przestaniemy walczyć.

Usłyszeli śmiech Glenny, gdy tamci dwoje ruszyli w stronę domu.

– Myślisz, że one też nie. I masz rację, Blair, ale to niczego nie zmieni. Widziałem tamtych ludzi w klatkach; jedni się załamali, byli tak zmęczeni i przerażeni, że mogli tylko czekać na śmierć, ale inni czepiali się prętów i przeklinali oprawców. A kiedy ich wypuściłem, na niektórych twarzach dostrzegłem coś więcej niż strach i nadzieję. Ujrzałem żądzę krwawej zemsty.

Odwrócił się do niej i Blair zobaczyła na jego twarzy wszystkie te uczucia.

– Widziałem, jak silniejsi pomagali słabszym – ciągnął – bo ludzie tak właśnie robią. W czasie próby wychodzi z nas albo to, co najlepsze, albo co najgorsze.

– Ty liczysz na najlepsze.

– My już zaczęliśmy, prawda? Nasza szóstka.

Ruszyli przed siebie i Blair rozważała przez chwilę jego słowa.

– Nauczono mnie – zaczęła – żeby polegać tylko i wyłącznie na sobie. Na nikim innym. W walce jesteś sam, od początku do końca – a ta wojna nie ma końca.

– Więc zawsze jesteś sama? W takim razie po co to wszystko?

– Żeby wygrać. Ty masz wyjść z walki żywy, twój przeciwnik martwy. Czerń i biel. Żadnych przechwałek, żadnych błędów, nic nie rozprasza twojej uwagi.

– Kto mógłby tak żyć?

– Mój ojciec mógł. I wciąż może. Po tym, jak on... jak zostałam sama, mieszkałam przez pewien czas u ciotki. Ona wyznawała inną filozofię. Uważała, że oczywiście zwycięstwo jest ważne, bo przegrana oznacza śmierć, ale chodzi też o życie. O rodzinę, przyjaciół, wypady do kina i na plażę.

– O spacery w słońcu.

– Tak. Ciotce to się udało. I jej rodzinie.

– Ty jesteś jej rodziną.

– I zawsze tak się przy niej czułam. Ale mnie wychowano inaczej. Może dlatego nigdy mi się nie udało. Ja... był kiedyś ktoś, kogo kochałam. Złożyliśmy sobie pewne obietnice, ale on nie mógł ich dotrzymać. Nie potrafił ze mną być. Nie mieliśmy szans, bo to, kim jestem, nie tylko go zszokowało i przeraziło, ale wywołało w nim obrzydzenie.

– W takim razie nie był mężczyzną dla ciebie ani, według mnie, w ogóle nie był mężczyzną.

Ona zasługuje na więcej, pomyślał. Znacznie więcej.

– To chyba właśnie Jeremy – tak miał na imię – przekonał mnie, że tego nie mogę mieć. Oczywiście mam życie poza tym, co mój ojciec nazywał „misją", mam „cywilnych" przyjaciół, lubię chodzić na zakupy, jeść pizzę i oglądać telewizję. Ale zawsze mam świadomość życia, które zaczyna się po zachodzie słońca, nie potrafię jej się pozbyć. Nie jesteśmy tacy jak inni ludzie. – Popatrzyła na niebo. – Słońce już nisko, lepiej wracajmy i przygotujmy się do treningu. – Popatrzyła na niego ze smutkiem. – Koniec przyjemności.

To wcale nie jest trudne, pomyślał Larkin, tak sobie siedzieć w kuchni i pozwalać pięknej kobiecie, żeby się tobą zajmowała – zwłaszcza gdy ta kobieta tak pięknie pachnie i ma dłonie anioła.

– Nie sprawiam ci bólu? – Glenna delikatnie ugniatała jego bark, rękę i z powrotem.

– Nie, jest dobrze. Możesz przestać, kiedy zechcesz, za jakieś dwie lub trzy godziny.

Glenna roześmiała się i przeniosła dłonie na jego drugie ramię.

– Nieźle oberwałeś, ale wyjdziesz z tego. Dobrze by ci zrobiło, gdybyś darował sobie dzisiejszy trening.

– Myślę, że nie powinienem zostawać w tyle. Mamy coraz mniej czasu.

– Za kilka dni wyjeżdżamy. – Nie przerywając masażu, popatrzyła nad jego głową w okno. – Dziwne, jak szybko to miejsce stało się moim domem. Ciągle tęsknię za Nowym Jorkiem, ale mój dom jest tutaj.

– Będziesz tam wracała od czasu do czasu.

– O tak, na pewno. Możesz zabrać mieszczucha z miasta, ale... – Przesunęła palcami po siniakach na żebrach Larkina, a on podskoczył.

– Przepraszam, mam łaskotki.

– Zamknij oczy i myśl o Geallii. Zrobię to szybko.

Larkin przeżywał istne tortury, bojąc się, że w każdej chwili może zacząć chichotać jak podlotek.

– Spodoba ci się w moim kraju. Zamek otaczają piękne ogrody i herbaria – o Jezu, nie wytrzymam. A rzeka, która płynie wokół zamku, jest szeroka jak jezioro. Ryby same wskakują ci do rąk i... Dzięki Bogu, czy to już koniec?

– Wystarczy. Włóż koszulę.

Poruszył ramionami i pokręcił głową.

– Dużo lepiej. Dziękuję, Glenno.

– Cała przyjemność po mojej stronie. – Podeszła do zlewozmywaka, żeby zmyć balsam z rąk. – Wiesz, Hoyt i Cian odbyli pewną rozmowę.

– To dobrze, w końcu są braćmi. – Wstał i włożył koszulę. – Ale nie masz na myśli rodzinnej pogawędki.

– Nie. Mówili o logistyce i strategii. Hoyt jest dobrym organizatorem, żaden szczegół mu nie umknie, a Cian chyba jeszcze lepszym strategiem. W każdym razie – odwróciła się do niego, wycierając dłonie w ręcznik – poprosiłam ich, aby nie rozmawiali o tym przy stole, żebyśmy zjedli spokojnie posiłek. Spokojnie... o tyle, o ile można w takich okolicznościach.

– I kolacja była przepyszna. Widziałem dzisiaj ciebie i Hoyta, jak się całowaliście w ogrodzie.

– Och.

– To było takie normalne. Tak jak mój spacer z Blair czy Moira skulona gdzieś z książką. Potrzebujemy tego wszystkiego, więc nie martw się, że mogę być urażony, bo nie uczestniczyłem w dyskusji o strategii i logistyce.

– Zdjąłeś mi kamień z serca, dziękuję. Chodzi o to, że musimy wykombinować nie tylko, jak przetransportować broń i zapasy stąd do Tańca Bogów, ale i do Geallii, a później od portalu do celu podróży, gdziekolwiek on się znajduje.

– Pewnie do zamku.

– Zamek. – Glenna roześmiała się cicho. – Jedziemy do zamku. Transportacja nie będzie łatwa i będziemy potrzebowali pomocy Moiry i twojej. A skoro tylko wy dwoje znacie okolicę, to jak sobie radzisz z rysowaniem map?

– Tak wygląda cała Geallia. – Larkin szkicował pochylony nad stołem w bibliotece. – Taki kształt widziałem na mapach w domu. Jakby postrzępiony wachlarz, a te strzępki to zatoki i porty. Tutaj jest Taniec.

– Na zachodzie – mruknął Hoyt – tak samo jak tutaj.

– Tak, trochę dalej w głębi lądu, ale w ładny dzień można stamtąd zobaczyć morze. Tu jest las i tu też, rozciąga się trochę bardziej na północ. Taniec znajduje się na wzgórzu, a tu jest Studnia Bogów. A gdzieś tutaj zamek.

Zaznaczył go, rysując wieżę z chorągiewką.

– To jakaś godzina spokojnej jazdy tą drogą. Tu jest pierwsze rozwidlenie, tu drugie. Ten trakt prowadzi do Miasta Geallii, a tamten do Jaskini Smoka i dalej na Knockarague. Stamtąd pochodzi rodzina mojej matki i na pewno znajdziemy tam wielu chętnych do walki.

– A pole bitwy? – zapytał Hoyt.

– Tutaj, bliżej centrum Geallii. Te góry wznoszą się łukiem ku północy, skręcają na wschód, a potem na południe. Tu jest dolina, szeroka, skalista, usiana jaskiniami. Nazywa się Cianas, co znaczy „cisza", bo człowiek może błąkać się po niej godzinami i nikt go nie usłyszy. Z tego, co wiem, to jedyne miejsce w Geallii, gdzie nie ma żadnych żywych stworzeń, tylko trawa i skały.

– Nie ma sensu urządzać apokalipsy na łące – zauważył Cian. – Pięć dni marszu, czy nie tak mówiła Moira?

– Uciążliwego marszu, tak.

– Ryzykowne, o ile w ogóle udałoby mi się dotrzeć tak daleko.

– Po drodze są kryjówki, szałasy, pieczary, chaty. Zadbamy o to, żebyś nie spłonął jak pochodnia.

– Umiesz pocieszyć, Larkinie.

– Staram się, jak mogę. Bliżej doliny są osady – ciągnął, nanosząc je na mapę. – Stamtąd także można wezwać ludzi, ale myślę, że będziemy musieli zbudować jakieś fortyfikacje. Wróg z pewnością zechce wykorzystać te osady na własne kwatery.

– Chłopak ma łeb – powiedział Cian. – Ona tutaj zaatakuje. – Postukał palcem w mapę. – Zdziesiątkuje mieszkańców, przemieni tych, którzy będą mogli jej się przydać, a resztę potraktuje jak prowiant. Tu zada pierwszy cios.

– Dlatego tu utworzymy naszą pierwszą linię obrony. – Hoyt skinął głową.

– Stracicie cenny czas i siły.

– Nie możemy zostawić ludzi na pastwę wroga – zaprotestował Hoyt.

– Zabierzcie ich stamtąd. Zostawcie ją bez dostępu do świeżego jedzenia i żołnierzy, przynajmniej w tej okolicy. Poradziłbym wam, żebyście spalili osady do cna, ale szkoda mi czasu.

– I miałbyś rację. – Blair weszła do pokoju. – Ale to byłoby najlepsze wyjście: zostawmy ją bez schronienia, bez zapasów, na stercie popiołu. Najszybszy, najczystszy i najbardziej skuteczny sposób.

– Mówisz o ludzkich domach. – Larkin potrząsnął głową. – I o ludzkim życiu.

– Które i tak stracą, kiedy Lilith z nimi skończy. Oni tego nie zrobią. – Blair zwróciła się do Ciana. – A gdyby nawet zrobili, lub chociaż próbowali, ludzie podnieśliby bunt i musielibyśmy walczyć na dwa fronty. Dlatego przeniesiemy starszych, słabych i tych, którzy nie będą chcieli lub nie będą mogli walczyć, do zamku albo innej twierdzy.

– Ale przyznałaś mu rację – nastawał Larkin. – Zgodziłaś się, że powinniśmy spalić domy, stodoły, sklepy.

– Tak, zgodziłam się.

– Jest jeszcze inny sposób. – Hoyt uniósł dłoń. – Glenna i ja nie mogliśmy otoczyć tego domu ochronnym zaklęciem ze względu na Ciana, może jednak uda nam się odegnać wampiry od tamtych osad. Ich czarnoksiężnik pewnie zdoła w końcu złamać naszą barierę, ale to zajmie mu sporo czasu i rozproszy moc.

– To może zadziałać. – Blair wymieniła spojrzenia z Cianem, wiedząc, że oboje myślą o tym samym. Oni nie spalą osady, Lilith by spaliła.

– A zatem to jest Geallia. – Pochyliła się nad mapą. – I nasze pole bitwy. W środku lądu, zamknięte skałami. Mnóstwo jaskiń, kryjówek i do tego na odludziu. Koza nie zdołałaby stamtąd uciec.

– My nie będziemy uciekać – powiedział ostro Larkin.

– Myślałam o nich. Pozbawieni innego schronienia, za dnia ukryją się w pieczarach. My zostaniemy na górze, ale one mogą się tam na nas zasadzić. Będzie noc, to kolejny punkt dla nich. Ale mam kilka pomysłów, jak sprawić im po drodze parę niespodzianek. Nie wiemy, gdzie ona się pojawi, najpewniej gdzieś w okolicy. – Blair położyła dłoń na mapie. – Pole bitwy, kryjówka, zamek. Ona nie ukryje się w dzień za skałą, to nie w jej stylu, więc na pewno zechce przybyć w nocy i jak najszybciej dotrzeć do kryjówki. Najprawdopodobniej pośle czujki do osady, żeby zajęły się wszystkim przed jej przybyciem. Dlatego musimy poznać najkrótszą drogę między tymi punktami.

Pracowali, debatowali, dyskutowali. Blair czuła, że Larkin odsunął się od niej, i powtarzała sobie, że nic nie może na to poradzić, że nie pozwoli się zranić.

To, co wydarzyło się między nimi, i tak było złudzeniem, ulotną niewinną fantazją. Namiętność jest bezpieczna, pomaga wypełnić pustkę – choć na chwilę. Blair dobrze wiedziała, że namiętność wybucha gwałtownie i gaśnie, gdy zaczynają się problemy. Nie była to pocieszająca myśl, ale trzymała się jej mocno, gdy szła sama do swojego pokoju.

Moira ociągała się z pójściem na górę. Przez cały trening widziała, że między Larkinem i Blair dzieje się coś złego. Prawie ze sobą nie rozmawiali, a jeśli już, to zwracali się do siebie jak obcy. Późną nocą złapała kuzyna za ramię, zanim zdążył wyjść z sali ćwiczeń.

– Chodź ze mną, dobrze? Chcę ci coś pokazać.

– Co?

– W moim pokoju. To zajmie tylko chwilę. Za kilka dni będziemy w domu – dodała, zanim zdążył zaprotestować. – Ciekawe, czy to wszystko wyda się nam snem.

– Koszmarem.

– Nie wszystko. – Widząc jego kiepski nastrój, trąciła go wesoło biodrem. – Dobrze wiesz, że nie wszystko. Czas biegnie teraz tak szybko. Przez chwilę wydawało mi się, że jesteśmy tu od zawsze, a teraz mam wrażenie, jakbyśmy dopiero co przyjechali.

– Po powrocie do domu poczuję się lepiej. Jak będę wiedział, gdzie jestem, na czym stoję.

O tak, pomyślała, coś jest nie w porządku. Otworzyła drzwi do swojego pokoju i nie odezwała się ani słowem, zanim ich nie zamknęła za nimi.

– Co zaszło między tobą a Blair?

– Nie wiem, o czym mówisz. Co chciałaś mi pokazać?

– Nic.

– Powiedziałaś...

– Kłamałam. Widziałam was dziś razem na spacerze, trzymaliście się za ręce, a ty miałeś w oku ten błysk...

– I co z tego?

– A wieczorem powietrze zamarzało między wami, za każdym razem gdy któreś z was odezwało się do drugiego. Pokłóciliście się?

– Nie.

Moira wydęła wargi.

– Może powinniście.

– Nie bądź niemądra, Moiro.

– A co w tym niemądrego? Dzięki niej jesteś szczęśliwy. Obudziła w tobie coś, czego nigdy dotąd nie widziałam, i wydawało mi się, że to samo w niej obudziłeś.

Larkin zaczął się bawić pięknymi kamieniami, które Moira znalazła w strumieniu i położyła na biurku.

– Chyba się pomyliłaś. Ja też się myliłem.

– Dlaczego?

– Powiedziała dzisiaj, że tak naprawdę jej nie znam. Nie uwierzyłem jej, ale teraz... Zastanawiam się, czy nie miała racji.

– Może tak, a może nie, ale nie wątpię, że zrobiła lub powiedziała coś, co cię zdenerwowało. Zamierzasz to tak zostawić? A może przynajmniej ją zapytasz?

– Ja nie...

– Nie próbuj się tłumaczyć – fuknęła zirytowana. – Cokolwiek się stało, nie mogło być tak poważne jak to, z czym przyszło nam się zmierzyć. Teraz wszystko inne jest błahostką. Wszystko inne, przysięgam, można naprawić.

– A dlaczego właśnie ja mam coś naprawiać?

– Lepiej, żebyś to zrobił, bo inaczej będziesz się dąsał i zastanawiał, i nigdy nie zaśniesz. A zanim zaczniesz te swoje dąsy, ja będę zrzędziła tak długo, aż rozboli cię głowa.

– Dobrze, dobrze. Potrafisz być naprawdę upierdliwa, Moiro.

– Wiem. – Dotknęła jego policzka. – To dlatego, że cię kocham. A teraz idź.

– Przecież idę, prawda?

Wiedziony złością na Moirę Larkin ruszył korytarzem do pokoju Blair. Zapukał, ale nie czekał na zaproszenie. Otworzył drzwi i zobaczył ją siedzącą przy biurku przed małym pudełkiem z ekranem.

Z hukiem zatrzasnął za sobą drzwi.

– Chcę z tobą pomówić.

10

Znała ten ton, kiedy „chcę z tobą pomówić" tak naprawdę oznaczało: „przyszedłem się z tobą pokłócić". I świetnie, fantastycznie. Blair była w doskonałym nastroju na krótką, ostrą awanturę.

Ale to nie oznaczało, że zamierzała mu cokolwiek ułatwiać.

Nie zmieniła pozycji.

– Najwyraźniej umknął twej uwadze fakt, że jestem zajęta.

– Najwyraźniej umknął twej uwadze fakt, że nic mnie to nie obchodzi.

– Mój pokój – powiedziała chłodno – moje reguły.

– W takim razie wyrzuć mnie, proszę bardzo.

Odwróciła się do niego i wyciągnęła leniwie nogi, dobrze wiedząc, że zachowuje się niegrzecznie.

– Myślisz, że nie dałabym rady?

– Myślę, że akurat w tej chwili miałabyś z tym spory kłopot.

– Z twojego zachowania wnioskuję, że szukasz kłopotów. – Skrzyżowała nogi w kostkach. Odrobinę bardziej obraźliwa mowa ciała, pomyślała. Bezwiednie wzięła do ręki butelkę wody i wskazała nią na Larkina. – Powiedz, co masz do powiedzenia, i wynoś się.

– Z twojego tonu wnioskuję, *cara*, że spodziewałaś się kłopotów.

– Wiem, że coś do mnie masz. Dziś wieczorem okazywałeś mi niechęć wystarczająco jasno, więc wyrzuć to z siebie, Larkinie. Oboje nie mamy czasu, a ja cierpliwości na błahe żale.

– Uważasz za błahostkę mówienie tak lekko o zniszczeniu ludzkich domów, dorobku ich życia, wszystkiego, co w pocie czoła zbudowali?

– To usankcjonowana i wypróbowana strategia wojenna.

– Spodziewałem się, że taka propozycja padnie ze strony Ciana. On jest tym, czym jest, i nic nie może na to poradzić. Ale nie od ciebie, Blair. I tu nie chodzi tylko o strategię, lecz o sposób, w jaki to powiedziałaś i jak mówiłaś o tych, którzy broniliby swoich domów – o buntownikach, jak ich nazwałaś – jakby byli tylko kolejnym problemem.

– Bo stanowiliby kłopot, odpowiedzialność, na którą nie możemy sobie pozwolić.

– Ale możemy sobie pozwolić na spalenie ich dobytku.

Bardzo dobrze znała ten wyraz pełnego wściekłości obrzydzenia w oczach mężczyzny. Jedyne co mogła zrobić, to uzbroić się po zęby.

– Lepiej stracić cegły niż ciało i krew.

– Dom to nie tylko drewno i cegły.

– Skąd mam wiedzieć, nigdy nie miałam domu. Ale nie o to chodzi. Ta dyskusja jest bezprzedmiotowa, nie zrobimy tego, więc jeśli to...

– Jak to, nigdy nie miałaś domu?

– Powiedzmy, że nigdy nie przywiązałam się do żadnego dachu nad głową. A nawet jeśli bym się przywiązała, i tak wolałabym patrzeć, jak ginie dom niż ja czy ktoś z moich bliskich. – Mięśnie na jej karku zacisnęły się niczym powrozy, a czaszkę przeszył ból. – Ta dyskusja jest absurdalna i tak nie będziemy niczego palić.

– Nie, bo to nie my jesteśmy tu potworami.

Blair zbladła jak ściana. Larkin widział, jak krew po prostu odpłynęła z jej twarzy.

– Chcesz powiedzieć, że ty nie jesteś i Hoyt też nie, ale Cian i ja to zupełnie inna historia. W porządku. Nie po raz pierwszy zostałam porównana do wampira.

– Nie o to mi chodziło.

– Spodziewałeś się tego po nim, ale po mnie nie – powtórzyła. – No to zacznij się spodziewać. Nie, do cholery, nie spodziewaj się niczego. A teraz wynoś się stąd.

– Jeszcze nie skończyłem.

– A ja tak. – Wstała i ruszyła do drzwi. Larkin zastąpił jej drogę i złapał Blair za ramię, ale się wyrwała.

– Odsuń się albo sama cię przesunę.

– To jest twoje rozwiązanie? Groźby? Ciosy?

– Nie zawsze.

Uderzyła go. Jej pięść znalazła się przy jego twarzy, zanim Blair w ogóle zdążyła pomyśleć, co robi. Larkin upadł, a ona stała osłupiała i zawstydzona. Utrata panowania nad sobą i fizyczny atak na drugiego człowieka był absolutnie zabroniony.

– Nie zamierzam przepraszać, bo sam się o to prosiłeś. Ale przesadziłam. Straciłam kontrolę, a to nie oznacza nic dobrego, więc lepiej skończmy tę konwersację. Chodź, wstań.

Wyciągnęła do niego rękę.

Nie dostrzegła jego ruchu – kolejny błąd – gdy pociągnął ją za rękę i podciął nogi. Upadła, a Larkin w ułamku sekundy znalazł się na niej.

W głowie Blair błysnęła myśl, że bardzo przykładał się do treningów.

– Czy tak wygrywasz kłótnie? – zapytał. – Pięścią w twarz?

– Ja skończyłam rozmowę, to była tylko puenta. Lepiej zejdź ze mnie, Larkinie, i to szybko. Mam ochotę na niezłą bójkę.

– Pieprzyć to.

– Pieprzyć ciebie. – Zrzuciła go, skoczyła na równe nogi i zamarła w rozkroku gotowa zablokować każdy cios. – Nie pozwolę się traktować w ten sposób. Wszystko było pięknie, kiedy spacerowaliśmy w słońcu i rozmawialiśmy o piknikach, ale gdy zaczęły się kłopoty, a ja musiałam być twarda, ty uniosłeś się świętym oburzeniem. Jestem pieprzonym potworem.

– Nigdy tak cię nie nazwałem i wcale nie jestem oburzony, tylko cholernie wkurzony. – Skoczył na nią i znowu upadli na podłogę, potoczyli się i uderzyli w stół, strącając szklaną miskę, która rozbiła się z hukiem. – Gdybyś choć na chwilę przestała próbować mnie zabić, moglibyśmy dokończyć rozmowy.

– Gdybym chciała cię zabić, celowałabym w arterię. Nie potrzebuje twojego osądu ani chłodnego dystansu, bo uraziłam twoje delikatne uczucia. Nie potrzebuję od ciebie tego gówna ani...

– Och, zamknij się.

Zmiażdżył jej usta swoimi w pełnym frustracji i złości pocałunku, pomimo że Blair udało się wbić mu łokieć w żołądek. Odchylił głowę, by zaczerpnąć tchu, którego pozbawił go cios.

– Nie mów mi, że mam się zamknąć. – Schwyciła obiema dłońmi jego włosy i przyciągnęła wargi Larkina z powrotem do swoich.

Tak samo wściekła, tak samo sfrustrowana. I równie zachłanna. Do diabła z tym, pomyślała, do diabła z tym, co dobre, a co złe, do diabła z rozsądkiem, z bezpieczeństwem. Pieprzyć kontrolę!

To nic nie znaczy, upominała siebie, ściągając z Larkina koszulę, to tylko gorączka ciał. Miała ochotę szlochać i wściekać się tak samo jak brać.

Przewróciła go na plecy i chciała go dosiąść, ściągając przez głowę T-shirt, ale Larkin podniósł się, zamknął ją w ramionach i odnalazł ustami jej pierś. Odrzuciła głowę do tyłu i schwyciła go mocno, pozwalając mu na wszystko.

Teraz to on pędził na smoku, pomyślał Larkin, leciał na jego skrzydłach, próbując schwycić płomień, od którego gorąca kręciło mu się w głowie. Jej palce wbijały się w jego ramiona, plecy, boki. I nagle znów była pod nim, uniosła biodra, gdy ich usta znowu się zwarły.

Ściągnął luźne spodnie, które nosiła nisko na biodrach, a pod nimi zobaczył kobietę, gorącą i mokrą. Jeszcze gorętszą i bardziej wilgotną, gdy dotknął jej palcami. Usłyszał ochrypły jęk, który wydobył się z jej gardła.

Gdy wstrząsnął nią orgazm, mogła tylko myśleć „och, Boże, dziękuję Ci, Boże", ale natychmiast zalała ją nowa fala pożądania. Nie zamierzała ustąpić z pola bitwy i trzymała go w żelaznym uścisku silnych nóg, pragnąc jak najdłużej czuć, jak się w nią wdziera.

I kocha ją jak szaleniec, pchnięcie po pchnięciu, aż oboje wypalili się do cna.

Co ona zrobiła? Właśnie uprawiała dziki, namiętny seks bez jednej myśli o bezpieczeństwie, o konsekwencjach, o... czymkolwiek. W ogóle nie myślała, czując tylko czyste, pierwotne pożądanie.

Larkin wciąż w niej był i Blair miała wrażenie, jakby ich ciała stopiły się pod wpływem gorąca. Jak ma się teraz oddzielić? Jak pozostać niezależną i odrębną istotą?

Nie powinna tak się czuć, nie wolno jej chcieć czegoś – lub kogoś – tak mocno, że zapominała o całym świecie.

Nie przerwała tego, nie potrafiła. A teraz będzie musiała zapłacić.

Larkin zamruczał coś niezrozumiałego, trącił jej szyję nosem jak szczeniak i przewrócił się na plecy.

Słodka prostota tego gestu po takim szaleństwie wzruszyła Blair.

– Zaraz cię zgniotę. – Oddech mu się rwał. – Cóż, to było dosyć niesamowite i nawet nie do końca zaplanowane. Wszystko w porządku?

Ostrożnie, ostrzegła samą siebie. Chłodno i ostrożnie.

– Oczywiście.

Usiadła i sięgnęła po spodnie.

– Poczekaj chwilę. – Poklepał ją po ramieniu. – Wciąż kręci mi się w głowie. I prawie nie zdążyłem ci się przyjrzeć, w takim byliśmy pośpiechu.

– Zrobiliśmy, co trzeba. – Włożyła spodnie. – To najważniejsze.

Larkin usiadł i złapał koszulkę Blair, zanim zdążyła po nią sięgnąć.

– Popatrz na mnie, dobrze?

– Nie jestem najlepsza w zabawie w pogawędki *post factum* i mam mnóstwo pracy.

– Nie przypominam sobie, żebyśmy uczestniczyli w jakiejś zabawie, raczej w bitwie, z której – jak miałem nadzieję – oboje wyjdziemy zwycięsko.

– Okay, więc jak powiedziałam, wszystko w porządku. – W każdej sekundzie może zacząć drżeć. – Oddaj mi T-shirt.

Larkin przyjrzał jej się uważnie.

– Gdzie się schowałaś? Masz tyle maleńkich kryjówek.

– Ja się nie chowam. – Wyrwała mu koszulkę z ręki.

– Ależ tak. Ktoś podejdzie zbyt blisko i cofasz się w te swoje zakamarki.

– No dobrze, dlaczego chcesz mnie wkurzyć? – Wciągnęła bluzkę. – Uprawialiśmy seks, naprawdę dobry. Już od jakiegoś czasu wisiało to w powietrzu i w końcu się stało. Teraz możemy skupić się na rzeczach naprawdę ważnych.

– Chyba te rzeczy nie różnią się tutaj tak bardzo od tych w Geallii i nie sądzę, że połączył nas tylko seks.

– Słuchaj, kowboju, jeśli szukasz romantycznych uniesień...

Wstał powoli z wyrazem oczu, który ostrzegał Blair, że Larkin znowu jest zły. I dobrze, świetnie. Powarczą na siebie i on pójdzie.

– W tym nie było nic romantycznego. Myślałem, że nasz pierwszy raz będzie bardziej romantyczny, ale sprawy potoczyły się inaczej i nie narzekam. A teraz ty próbujesz mnie odepchnąć, zranić tak, jak ciebie zranił twój eks. Pozwól mi powiedzieć, że pięść była bardziej uczciwa.

– Dostałeś to, czego chciałeś.

– Wiesz dobrze, że nie chodziło tylko o to.

– A jaki jest sens w czymkolwiek więcej? Po co? To i tak nie ma przyszłości.

– Patrzyłaś w kryształową kulę Glenny? Widziałaś jutro, pojutrze i jeszcze dalej?

– Wiem, że takie sprawy są przegrane, jeszcze zanim się zaczną. Nie tylko Cian jest tym, kim jest, Larkin.

– Ach, i dochodzimy do sedna sprawy.

– Po prostu... – Uniosła dłonie, machnęła nimi w powietrzu i odwróciła się. – Daj spokój. Jeśli kilka gorących chwil w ciemności od czasu do czasu to dla ciebie za mało, musisz szukać gdzie indziej.

A zatem zranił ją gdzieś po drodze. I nie zrobił tego pierwszy, ale jeszcze nie potrafił zdecydować, czy jest mu przykro.

– Jeśli chodzi o ciebie, to nie wiem, ile mi wystarczy – włożył spodnie – ale wiem, że mi na tobie zależy. Jesteś dla mnie ważna.

– Och, proszę cię. – Złapała stojącą na biurku butelkę wody i wypiła kilka łyków. – Ty mnie nawet nie lubisz.

– A skąd ci przyszedł do głowy taki pomysł? Dlaczego mówisz coś tak głupiego i nieprawdziwego?

– Chyba zapomniałeś, od czego to wszystko się zaczęło i po co w ogóle tu przyszedłeś.

– Nie zapomniałem, ale nie rozumiem, co to ma wspólnego z moimi uczuciami do ciebie.

– Na litość boską, Larkin, jak możesz czuć cokolwiek do kogoś, kto stoi po drugiej stronie linii?

Teraz Larkin zastanowił się nad tym, co powiedział wcześniej. Wiedział, że Blair porównywała go z Jeremym, o którym wcześniej mówiła, z kimś, kto nie potrafił – albo nie chciał – pokochać i zaakceptować tego, kim była.

– Blair, jesteś upartą kobietą i ja też miewam gorsze chwile. Mam swoje zdanie, przemyślenia i – jak to nazwałaś? – delikatne uczucia. I co z tego?

– Ty. Ja. – Wskazała najpierw na niego, potem na siebie i przesunęła palcem w powietrzu, rysując niewidzialną linię.

– Och, bzdury. Myślisz, że jeśli się z tobą nie zgadzam – i to dosyć stanowczo – to oznacza, że mi na tobie nie zależy? Że cię nie szanuję i nie podziwiam, choć w głębi serca dobrze wiem, że nie masz racji w kwestii, o którą się kłócimy? Tak samo jak ty jesteś przekonana, że ja się mylę? Chociaż to nieprawda – dodał z leciutkim uśmiechem – ale to już inna sprawa. Gdyby wszyscy wierzyli w to samo, gdyby nie istniały między ludźmi żadne różnice, jak mogliby się ze sobą wiązać?

– W moim świecie się nie wiążą – odpowiedziała po chwili. – Nie ze mną.

– W takim razie jesteś po prostu głupia. I bardzo ograniczona – dodał, gdy popatrzyła na niego z oburzeniem. – I uparta, o czym już chyba wspominałem.

Blair powoli sięgnęła po wodę.

– Nie jestem głupia.

– Ale co do reszty miałem rację. – Zrobił krok w jej stronę. – Blair, czasami cel podróży nie jest najważniejszy, liczy się sama droga, to, czego się na niej dowiadujesz, co robisz. Ja znalazłem ciebie i tylko to się liczy.

– Cel też jest ważny.

– Tak, ale to, gdzie jesteśmy, także. Czuję do ciebie coś, czego nigdy wcześniej nie doświadczyłem. Nie zawsze jest mi z tym dobrze, ale potrafię wszystko tak poukładać, że będzie mi wygodnie.

– Ty może tak, ale ja nie jestem w tym najlepsza.

– Skoro ja jestem, to po prostu będziesz musiała mnie słuchać.

– Jak ci się udało obrócić wszystko tak, że znowu mówimy o mnie?

Larkin tylko się uśmiechnął i pocałował ją w policzek, czoło, drugi policzek.

– Właśnie udało mi się wyszczerbić trochę twój mur. Chyba mam dobrą strategię.

Blair z całej siły próbowała skupić się na pracy, na czekającym ją zadaniu, ale jej myśli odpływały w zupełnie innym kierunku. Nagle łapała się na tym, że śni na jawie, uśmiecha się bez powodu lub przypomina sobie, jakie to uczucie obudzić się obok mężczyzny, którego spojrzenie przyprawiało ją o dreszcz.

– Musisz zacząć myśleć praktycznie, Glenno. Wszyscy musimy. – Trąciła lekko stopą jej komodę. – Co z tego jest ci potrzebne?

– Wszystko.

– Glenna!

– Blair. – Glenna skrzyżowała ramiona na piersi. – Staniemy do walki przeciwko największemu złu, prawda?

– Tak. A to oznacza, że pójdziemy na tę wojnę bez zbędnego bagażu i mobilni.

– Nie, to oznacza, że pójdziemy uzbrojeni. To właśnie jest moja broń. – Glenna wskazała komodę gestem, który Blair przywiódł na myśl piękne prezenterki, pokazujące fantastyczne nagrody do wygrania w teleturnieju. – Czy ty zostawiasz swoją broń w domu?

– Nie, ale ja mogę nosić ją na plecach, a ty nawet nie udźwigniesz tego dwutonowego grata.

– Ona nie waży dwóch ton, co najwyżej trzydzieści pięć kilo. – Usta Glenny zadrżały pod długim, chłodnym spojrzeniem Blair. – No dobrze, może czterdzieści.

– Same książki...

– Mogą okazać się bardzo ważne. Kto to zdoła przewidzieć? Ja będę się martwić o transport.

– Lepiej, żeby to był cholernie duży krąg – mruknęła Blair. – Wiesz, że zabierasz ze sobą więcej niż my wszyscy razem wzięci.

– Co mogę powiedzieć? Jestem divą.

Blair przewróciła oczami, podeszła do okna wieży i wpatrzyła się w deszcz.

Zostało im tak mało czasu, dzień przeniesienia zbliżał się nieuchronnie. I pomimo że czuła – niemal widziała – kilku wysłanników Lilith wśród drzew, żaden z nich nie zbliżał się do domu.

Tego Blair się nie spodziewała. Po zuchwałym wyczynie Larkina oczekiwała zemsty. Wydawało się niemożliwe, żeby Lilith nie zareagowała na taką obelgę, taką stratę.

– Może jest zbyt zajęta przygotowaniami przed wyjazdem do Geallii?

– Słucham?

– Lilith. – Blair odwróciła się z powrotem do Glenny. – Od kilku dni w ogóle o niej nie słychać, a przecież wizyta Larkina musiała ją zaboleć. Jezu, tylko pomyśl: jeden człowiek, i to nieuzbrojony, nie tylko wdarł się na jej teren, ale jeszcze uwolnił więźniów. To gorsze niż kopniak prosto w twarz.

Oczy Glenny rozbłysły.

– Bardzo bym chciała sprawdzić to porównanie osobiście.

– Ustaw się w kolejce. Może jest zbyt zajęta przygotowaniami do przeniesienia frontu i dlatego dała nam spokój.

– Bardzo możliwe.

– Idę do biblioteki. Musimy obmyślić szczegółowo pułapki, które chcemy na nią zastawić.

– A czy to zrobi jakąś różnicę?

– Co masz na myśli?

– Dużo o tym wszystkim myślałam, o tym, co zrobili oni i co my – Glenna przesunęła dłonią po szyi – ale miejsce i czas zostały już ustalone. Nie możemy zrobić nic, żeby to zmienić.

– Nie, Morrigan powiedziała to jasno podczas naszej ostatniej pogawędki. Ale to, co robimy, jak wykorzystujemy dany nam czas, nada ton tamtej chwili i miejscu. O tym także mówiła. Hej, kochana, to naturalne, że się denerwujesz.

– Dobrze. – Glenna nerwowo przekładała świeżo napełnione flakoniki w podręcznej walizce. – Dzwoniłam dzisiaj do moich rodziców. Powiedziałam im, że nie będę się odzywała przez jakiś czas i że cudownie się bawię. Oczywiście nie mogłam im opowiedzieć o tym wszystkim. Nie wspomniałam nawet o Hoycie, bo nie wiedziałam, jak to wytłumaczyć.

Zamknęła walizkę i odwróciła do Blair.

– Boję się śmierci, to oczywiste, teraz chyba nawet bardziej, niż zanim to wszystko się zaczęło. Teraz mam więcej do stracenia.

– Hoyta i „żyli długo i szczęśliwie".

– Otóż to. Ale jestem gotowa umrzeć, jeśli będzie trzeba. Może nawet teraz bardziej niż przedtem, z tych samych powodów.

– Miłość naprawdę potrafi namieszać w głowie.

– I to jak – przyznała Glenna z głębi serca. – Ale nie zmieniłabym ani jednej chwili, odkąd go poznałam. Jednak to takie trudne, Blair. Jeśli nie wyjdę z tego, moja rodzina nigdy się nie dowie, co się ze mną stało. To dla mnie straszny ciężar.

– W takim razie nie umieraj.

Glenna roześmiała się nieszczerze.

– Świetny pomysł.

– Przepraszam, nie chciałam z tego żartować.

– Nie, w sumie to dosyć budująca rada. Ale... jeśli cokolwiek by mi się stało, czy mogłabyś oddać to mojej rodzinie? – Wyciągnęła do Blair kopertę. – Wiem, że proszę o wiele – dodała, gdy zobaczyła, że Blair się waha.

– Nie, ale... dlaczego ja?

– Ty i Cian macie największe szanse na przetrwanie. Jego nie mogę prosić. Oni i tak nie zrozumieją, nawet po tym liście, przynajmniej jednak nie będą zastanawiali się do końca życia, czy żyję, czy umarłam. Nie chcę, żeby przez to przechodzili.

Blair wpatrywała się w kopertę, w eleganckie pismo Glenny układające się w imiona i nazwiska jej rodziców.

– Ja dwa razy próbowałam skontaktować się z ojcem, odkąd to wszystko się zaczęło. E-mailem, bo tak naprawdę nie wiem, gdzie on jest. Nie odpowiedział.

– Och, tak mi przykro. Musi być poza zasięgiem...

– Nie przypuszczam. Nie odpowiada, bo taki już jest. I naprawdę muszę przestać o tym myśleć. To wszystko pewnie bardzo by go zainteresowało, wielka wojna z wampirami – to w jego stylu. I byłoby mu przykro, gdybym zginęła, w końcu trenował mnie po to, żebym zwyciężała, moja śmierć byłaby plamą na jego honorze.

– Chyba był dosyć surowy.

– O tak. – Popatrzyła Glennie prosto w oczy. – On mnie nie kocha.

– Och, Blair.

– Pora, żebym przyzwyczaiła się do tej myśli. To należy do przeszłości. Ty masz tutaj coś innego. – Postukała palcem w list. – Coś bardzo ważnego.

– To prawda – przyznała Glenna. – Ale oni nie są moją jedyną rodziną.

– Rozumiem. Cała nasza szóstka ma siebie nawzajem. To jedna z dobrych lekcji, których nauczyłam się po drodze. – Blair skinęła głową i schowała kopertę do tylnej kieszeni dżinsów. – Oddam ci ją pierwszego listopada.

– Byłoby dobrze.

– Do zobaczenia na dole.

– Za chwilę. Och, Blair... Dobrze widzieć ciebie i Larkina.

– Co widzieć?

Teraz Glenna roześmiała się ze szczerego serca.

– Myślisz, że jestem ślepa? Poza tym, mam w oczach rentgen jak każda młoda żona. Chcę tylko powiedzieć, że podoba mi się, jak razem wyglądacie. Świetnie do siebie pasujecie.

– To tylko... to nie jest... Ja nie szukam niczego wielkiego. Żadnego hollywoodzkiego zakończenia, gdy muzyka wzrasta crescendo i zewsząd płynie różowa poświata.

– Dlaczego nie?

– Bo tak się po prostu nie zdarza. Będę to przyjmowała dzień po dniu. Kiedy ludzie tacy jak ja mają wzrok utkwiony w cel na końcu drogi, często wpadają w głęboki dół, który ktoś wykopał tuż pod ich stopami.

– Jeśli nie będą patrzyli uważnie ani wystarczająco daleko, to nie zobaczą, czego tak naprawdę szukają.

– Na razie skupię się na unikaniu dołów.

Ruszyła do drzwi. Nie potrafiła wytłumaczyć Glennie, wciąż unoszącej się na skrzydłach miłości, że niektórym osobom to po prostu nie jest pisane. Niektóre kobiety nie mogą pójść za rękę z mężczyzną swojego życia prosto w zachód słońca.

Blair, gdy wychodziła o zachodzie, szła sama, uzbrojona, by zadawać śmierć.

Kiepski początek romansu i budowania pełnej nadziei przyszłości.

Raz spróbowała i poniosła klęskę. Larkin to nie Jeremy, co do tego nie miała żadnych wątpliwości, był od tamtego dużo twardszy, silniejszy i słodszy, jeśli już o tym mowa. Ale to nie zmieniało podstawowych zasad. Blair miała swoje obowiązki – misję – a on swój świat. Takie przeciwieństwa nie wróżą dobrze długotrwałemu związkowi.

Jej gałąź rodu McKenna umrze wraz z nią. Podjęła taką decyzję, kiedy zdecydowała się na skrobankę po rozstaniu z Jeremym.

Ruszyła w stronę schodów, ale dźwięk muzyki kazał jej się zatrzymać w pół kroku. Przekrzywiła głowę, próbując lepiej usłyszeć i rozpoznać melodię. Czy to Usher?

Kurczę, czyżby Larkin bawił się jej odtwarzaczem? Będzie musiała go zabić.

Wbiegła po schodach. Doceniała fakt, że podoba mu się jej ulubiona muzyka, ale spędziła mnóstwo czasu, ładując i programując odtwarzacz. On nawet nie wiedział, jak ten cholerny aparat działa.

– Słuchaj, kowboju, nie chcę, żebyś...

Sala była pusta, drzwi od tarasu szczelnie zamknięte, a powietrze wypełniała muzyka.

– No dobrze, to dziwne. – Położyła dłoń na kołku, który zawsze nosiła zatknięty za pasek, i stopa za stopą zaczęła przesuwać się w stronę broni. Wszystkie światła były zapalone, nic nie mogło ukryć się w cieniu, ale Blair i tak zacisnęła dłoń na rękojeści kosy.

Muzyka zamilkła, światła zamigotały i ze ściany luster wyszła Lora.

– Witaj, *chérie*.

– Niezły numer.

– Jeden z moich ulubionych. – Obróciła się wokół własnej osi, studiując uważnie salę. Miała na sobie botki na wysokich obcasach, obcisłe czarne spodnie i obcisłą marynarkę, która odsłaniała odrobinę delikatnej koronki między szerokimi klapami. – A zatem to tutaj wyciskacie siódme poty i przygotowujecie się na śmierć.

– Tutaj ćwiczymy, by skopać wam tyłki.

– Tacy niezłomni, tacy *formidable*. – Płynęła przez pokój, unosząc się kilka centymetrów nad podłogą.

Jej tu nie ma, pomyślała Blair. Jej tu tak naprawdę nie ma, to tylko złudzenie. Żeby się upewnić, cisnęła kołek i patrzyła, jak przelatuje przez postać Lory i odbija się od ściany.

– To było niegrzeczne. – Wampirzyca wydęła usta. – Nie tak powinno się witać gości.

– Nie zostałaś zaproszona.

– Ostatnio nam przeszkodzono, zanim zdążyłaś mnie zaprosić, ale i tak przyniosłam ci prezent. Specjalnie dla ciebie pojechałam aż do Bostonu.

Obróciła się tanecznym krokiem i popatrzyła na Blair oczami gorejącymi jak dwa słońca.

– Chciałabyś zobaczyć? A może zgadniesz? Tak, tak, musisz zgadnąć! Masz trzy szanse.

Blair stała z ręką w kieszeni dżinsów, okazując zupełny brak zainteresowania.

– Nie grywam w żadne gierki z trupami, Fifi.

– Nie umiesz się bawić. Ale pewnego dnia się zabawimy, ty i ja. – Podpłynęła bliżej i przesunęła językiem po kłach. – Mam wobec ciebie tak wiele planów. Mężczyźni cię zawiedli, prawda? Biedna Blair. Nie chcą cię kochać, a ty tak bardzo pragniesz miłości.

– Jedyne, czego pragnę, to zakończyć tę rozmowę, zanim zrobi mi się niedobrze.

– Potrzebujesz kobiety. Potrzebujesz... – Przesunęła palcem w powietrzu milimetry od policzka Blair. – Tak, *bien sur*, potrzebujesz przyjemności i władzy, którą ja ci dam.

– Nie gustuję w tandetnych blondynkach z afektowanym francuskim akcentem. A ten strój? Chyba jeszcze z zeszłego stulecia.

Lora syknęła i kłapnęła zębami.

– Pożałujesz tego, jak będziesz się przede mną czołgała.

Blair otworzyła szeroko oczy.

– Ojej, czy to oznacza, że już nie chcesz się ze mną spotykać?

Lora odsunęła się ze śmiechem.

– Lubię cię, naprawdę. Masz w sobie... płomień. Dlatego przyniosłam ci wyjątkowy prezent. Pójdę po niego, poczekaj minutkę.

Zniknęła za lustrem.

– Do diabła z tym – wymamrotała Blair. Złapała kuszę i załadowała. Z łukiem w jednej i kosą w drugiej ręce ruszyła ostrożnie w kierunku drzwi.

To była dziedzina Glenny, nie jej. Pora wezwać czarownicę.

Ale Lora znów przeniknęła przez ścianę, a to, co przyniosła ze sobą, zmroziło krew w żyłach Blair.

– Nie. Nie, nie, nie.

– Jest przystojny. – Lora przesunęła językiem po policzku miotającego się w jej uścisku Jeremy'ego. – Mogę zrozumieć, dlaczego go polubiłaś.

– Ciebie tu nie ma. – Och Boże, miał krwawiącą ranę na policzku, a prawe oko spuchnięte tak, że nie mógł go otworzyć. – Nie jesteś prawdziwa!

– Nie ma mnie tu, ale jestem jak najbardziej prawdziwa. Przywitaj się, Jeremy.

– Blair? Blair? Co się dzieje? Co ty tu robisz? O co chodzi?

– To było takie proste. – Lora zacisnęła mu dłoń na gardle i niemal go udusiła, podnosząc Jeremy'ego parę centymetrów nad ziemię. Roześmiała się, gdy Blair zaatakowała, przeleciała przez powietrze i z impetem rąbnęła w ścianę. – Poderwałam go w barze. Kilka drinków, parę sugestii. „Wieczna męska niestałość"*. To Szekspir. „Może pójdziemy do ciebie?" – tylko tyle musiałam szepnąć mu do ucha. I oto jesteśmy.

Postawiła swego więźnia z powrotem na ziemi, nie zdejmując dłoni z jego gardła.

***

*„Wiele hałasu o nic", przeł. Maciej Słomczyński.

– Najpierw bym go wypieprzyła, ale wydawało mi się, że to odbierze prezentowi urok.

– Pomóż mi – zaskrzeczał, charcząc przy każdym oddechu. – Blair, musisz mi pomóc.

– Pomóż mi – powtórzyła ironicznie Lora, rzucając go na podłogę.

– Po co tracisz na niego czas? – Blair poczuła ucisk w żołądku, gdy Jeremy zaczął pełznąć w jej stronę. – Jeśli chcesz mnie, to po mnie przyjdź.

– Ależ przyjdę. – Lora skoczyła na plecy Jeremy'ego i usiadła na nim okrakiem. – Ten słaby – aczkolwiek atrakcyjny – mężczyzna złamał ci serce, prawda?

– Zostawił mnie. Nic mnie nie obchodzi, co z nim zrobisz. Marnujesz z nim czas, kiedy powinnaś zająć się mną.

– Nie, to nigdy nie jest strata czasu. I oczywiście, *chérie*, że cię obchodzi. – Lora położyła dłoń na ustach Jeremy'ego, który zaczął wrzeszczeć, i nie spuszczając oka z Blair, rozorała paznokciem skórę na jego policzku. Oblizała zakrwawiony palec. – Hmm, strach nadaje jej taki wyjątkowy smak. Błagaj o niego. Jeśli będziesz błagać, pozwolę mu żyć.

– Nie zabijaj go, proszę, nie zabijaj. On nic dla ciebie nie znaczy. On jest nieważny. Zostaw go tam, po prostu go zostaw, jestem gotowa cię wysłuchać. Spotkamy się, same, gdziekolwiek będziesz chciała. Tylko ty i ja. Umówimy się. We dwie, niepotrzebny nam do tego żaden mężczyzna. Nie rób tego. Powiedz, czego chcesz w zamian, tylko mnie poproś.

– Blair. – Lora uśmiechnęła się słodko i ze współczuciem. – Ja nie muszę prosić, ja po prostu biorę. Ale ty błagałaś bardzo ładnie, więc... ja... Och, nie bądź naiwna, obie wiemy, że go zabiję. Patrz.

Zatopiła zęby w gardle Jeremy'ego, ocierając się o niego w obrzydliwej parodii miłosnego aktu. Blair usłyszała swój wrzask. Krzyczała i krzyczała, i krzyczała.

11

Kiedy Larkin wbiegł do sali, zobaczył tylko Blair walącą kołkiem w podłogę. Miała obłąkany wyraz twarzy, a jej pierś unosiła się w spazmatycznym oddechu.

Podbiegł do niej, ale gdy próbował ją złapać, odwróciła się i walnęła go w szczękę tak mocno, że rozcięła mu wargę.

– Odejdź, odsuń się! Ona go morduje!

– Tu nikogo nie ma. – Schwycił Blair za nadgarstki i zarobiłby kolejny cios, gdyby Cian jej nie przytrzymał.

Kopała i wierzgała, próbując się wyrwać, aż wymierzył jej dwa siarczyste policzki.

– Przestań. Histerią nic nie zdziałasz.

Wściekły Larkin skoczył jak oparzony.

– Zabieraj od niej łapy! Myślisz, że możesz ją bić? – Uderzyłby Ciana, gdyby Hoyt go nie przytrzymał.

– Spokojnie, bratku.

W odpowiedzi Larkin odwrócił się i głową walnął Hoyta w szczękę. Glenna rzuciła się, żeby stanąć między Larkinem a Cianem.

– Uspokójcie się. – Podniosła ręce. – Wszyscy się uspokójcie!

Ale zagłuszyły ją krzyki, wzajemne oskarżenia i bezradny szloch Blair.

– *Ciunas!* – Stanowczy głos Moiry przeciął wrzawę jak nóż. – Wszyscy milczeć! Larkinie, Cian zrobił, co musiał, żeby przerwać to szaleństwo. Cian, puść ją. Glenna, przynieś jej szklankę wody. Opowiedz nam, co się stało, Blair.

Kiedy Cian ją puścił, opadła bezwładnie na podłogę.

– Ona go zabiła. Nie mogłam jej powstrzymać. – Podciągnęła kolana pod brodę i ukryła twarz w dłoniach. – O Boże, o mój Boże.

– Teraz musisz na mnie popatrzeć. – Moira ukucnęła i stanowczo oderwała dłonie od twarzy Blair. – Popatrz na mnie, Blair, i powiedz mi, co się stało.

– On nigdy nie uwierzył, nawet jak mu pokazałam. Łatwiej mu było mnie odepchnąć, zostawić, niż uwierzyć. A teraz nie żyje.

– Kto?

– Jeremy. Jeremy nie żyje. Ona go tu sprowadziła, żebym patrzyła, jak go morduje.

– Tu nikogo nie ma, Blair. Nikogo obcego nie ma w tym pokoju, a w całym domu jest tylko nas sześcioro.

– Ale byli. – Glenna podała Blair szklankę wody. – Czuję to. – Popatrzyła na Hoyta, szukając potwierdzenia.

– Smuga w powietrzu. – Skinął głową. – Ciężka atmosfera, jaka zostaje po czarnej magii.

– Ona przeszła przez ścianę i pomyślałam, że wreszcie będziemy walczyć. Ty i ja, francuska suko. – Blair bardzo się starała, lecz głos jej drżał nadal. – Rzuciłam kołkiem, ale tylko przez nią przeleciał. Tak naprawdę jej tam wcale nie było. Ona...

– Tak samo jak w metrze. Mnie też się to przydarzyło – wyjaśniła Glenna. – W Nowym Jorku. Spotkałam w metrze wampira, a nikt inny go nie widział. Mówił do mnie, poruszał się, ale tak naprawdę wcale go tam nie było.

– Pojechała do Bostonu. – Blair wstała z trudem. – Kiedyś tam mieszkałam i tam poznałam Jeremy'ego. Byli w jego mieszkaniu. Sama mi powiedziała. Cian, masz tam jakieś kontakty?

– Mam.

Blair podała mu adres.

– Jeremy Hilton. Ktoś musi to sprawdzić. Może ona tylko się ze mną drażniła. Ale jeśli... Muszę się upewnić, że go nie przemieniła.

– Zajmę się tym.

Popatrzyła na parkiet w miejscu, gdzie waliła kołkiem.

– Przepraszam za podłogę.

– To już problem Hoyta i Glenny. – Cian dotknął lekko jej ramienia i wyszedł.

– Powinnaś się położyć – powiedziała Glenna. – Albo przynajmniej usiąść. Mam coś, co ci pomoże.

– Nie, nie chcę niczego. – Otarła łzy wierzchem dłoni. – Wiedziałam, że ona wróci, ale nigdy nie przyszłoby mi do głowy, nigdy bym nie pomyślała... Glenna, twoja rodzina...

– Są chronieni, Hoyt i ja o to zadbaliśmy. Blair, tak bardzo mi przykro, że nie zrobiliśmy nic dla twojego... przyjaciela.

– W ogóle o nim nie myślałam. Nigdy bym nie przypuszczała, że spróbują... Ja, mhm, potrzebuję kilku minut, zanim wrócę do ćwiczeń.

– Ile tylko potrzebujesz – powiedziała Glenna.

Blair popatrzyła na Larkina.

– Przepraszam, że cię uderzyłam.

– Nic nie szkodzi. – Pozwolić jej pójść zupełnie samej – to bolało o wiele bardziej niż jakikolwiek cios.

Blair już więcej nie płakała. Łzy nie pomogłyby Jeremy'emu i jej też nie przynosiły ulgi.

Skontaktowała się z ciotką i opowiedziała jej o wszystkim. Nie sądziła jednak, żeby Lilith czy Lora zdecydowały się zaatakować ludzi, którzy byli przygotowani i o nich wiedzieli. I umieli się obronić.

Miały doskonałe powody, żeby wybierać bezbronnych.

Atak na nich nie wymagał czasu ani wysiłku, niósł ze sobą niewielkie ryzyko i dawał doskonałe efekty.

Blair, szykując broń, była absolutnie spokojna. Wsunęła miecze do pochwy na plecach i kołek za pasek. Gdy wyszła, myśli miała przejrzyste jak szkło.

Będzie ich niewiele, pomyślała. W tym momencie Lilith nie mogła sobie pozwolić na stratę większej liczby żołnierzy. Jaka szkoda.

Oczekują, że się załamie, że będzie się trzęsła i szlochała pod kołdrą. Bardzo się mylą.

Zobaczyła dwa nadchodzące w jej kierunku, z prawej i lewej strony.

– Cześć, chłopcy. Macie ochotę na zabawę?

Wyciągnęła miecz z metalicznym szczękiem, obróciła się i błyskawicznie zamachnęła, trzymając broń w obu rękach. I pozbawiła głowy wampira, który skradał się za jej plecami.

– To świetnie trafiliście.

Była przygotowana na atak. Cięła, dźgała, blokowała ciosy mieczem, który śpiewał pieśń zemsty. Jeden z napastników drasnął ją w przedramię. Chciała czuć ten ból.

Są niezdarni, pomyślała. Młodzi i słabo wyszkoleni. Tępi i niezdarni w życiu, które prowadzili, zanim zostali przemienieni. Nie tak bezbronni jak Jeremy, ale i tak niedoświadczeni.

Rzuciła kołkiem i jeden z napastników obrócił się w pył.

Drugi upuścił miecz i rzucił się do ucieczki.

– Hej, hej, jeszcze nie skończyłam. – Dogoniła go, powaliła na ziemię, przytknęła mu kołek do serca i popatrzyła prosto w przerażone oczy.

– Mam wiadomość dla Lory. Znasz ją? Francuska laska? Dobrze – rzuciła, gdy skinął głową. – Powiedz jej, że w jednej kwestii miała rację. Spotkamy się tylko we dwie i kiedy z nią skończę... Och, nieważne. Sama jej to powiem.

Opuściła kołek. Wstała, przeczesując palcami włosy, pozbierała rozrzuconą dookoła broń i ruszyła w kierunku domu.

Drzwi otworzyły się z impetem, zanim Blair zdążyła sięgnąć do klamki, i wypadł z nich Larkin.

– Oszalałaś?

– One się niczego nie spodziewały. – Rzuciła mu jeden miecz i weszła do domu. – I tak tylko trzy. Pewnie więcej nie ustawiła wokół domu. – Położyła pozostałą skonfiskowaną broń na blacie w kuchni. – I tak byli ciency.

– Wyszłaś sama? Ryzykowałaś życie.

– Zawsze chodzę sama – przypomniała mu. – A ryzykowanie życia jest wpisane w mój zakres obowiązków. Taka praca.

– To nie jest tylko praca.

– Tylko i wyłącznie praca. – Nalała sobie duży kubek kawy. Ręce jej nie drżały, zauważyła. Cel osiągnięty. – Muszę się przebrać.

– Nie masz prawa podejmować takiego ryzyka.

– Ryzyko minimalne – odparła, wychodząc. – Maksymalne efekty.

Przebrała się i poszła do biblioteki. Poznała po wyrazie twarzy zebranych, że Larkin już zdążył im opowiedzieć o jej małej wendecie.

– Czatowały blisko domu – zaczęła. – Mogły coś zobaczyć lub usłyszeć i donieść. Już nie będą sprawiać nam kłopotów.

– Mielibyśmy poważny kłopot, gdyby było ich więcej – powiedział Hoyt cicho lodowatym tonem. – Gdyby cię zabili lub schwytali.

– Ale tak się nie stało. Musimy być przygotowani na taką ewentualność, i nie tylko my, ale wszyscy, którzy będą razem z nami walczyli w tej wojnie. Musimy nauczyć ludzi, kiedy i jak mają zabijać, nie tylko mieczem i kołkiem, ale też gołymi rękami i wszystkim, co będzie w pobliżu. Każdy przedmiot jest bronią. A jeśli ich nie nauczymy, jeśli nie zostaną dobrze wyszkoleni, to będą stali i czekali na śmierć.

– Jak Jeremy Hilton.

– Tak. – Skinęła głową i Larkin zobaczył w jej oczach gniew i ból. – Tak jak Jeremy. Cian, dowiedziałeś się czegoś?

– On nie żyje.

Blair nie pozwoliła sobie na jęk.

– Został przemieniony?

– Nie. Ciało było w fatalnym stanie.

– I tak jest możliwe, że...

– Nie – przerwał jej stanowczo. – Rozerwała go na strzępy. To jej znak firmowy. On nie żyje.

Blair usiadła. Lepiej usiąść, niż zemdleć, pomyślała.

– Nic nie mogłaś zrobić, Blair – powiedziała Moira łagodnie. – W żaden sposób nie mogłaś temu zapobiec.

– Nie, nie mogłam. I o to jej chodziło: „Popatrz, co mogę zrobić pod twoim nosem, a ty jesteś bezradna". Parę lat temu Jeremy i ja zaręczyliśmy się i w końcu musiałam mu powiedzieć, pokazać, kim jestem i co robię. Zostawił mnie, bo nie chciał mi uwierzyć, nie chciał się stać częścią mojego zadania. A teraz to go zabiło.

– Ona go zabiła – poprawił ją Larkin – nie to, kim jesteś. – Poczekał, aż Blair podniosła wzrok i spojrzała mu w oczy. – Ona bardzo, bardzo chce, żebyś winiła siebie. Pozwolisz, żeby wygrała?

– Ze mną jej się nie uda. – Znowu poczuła łzy w oczach, ale powstrzymała je siłą woli. – Przepraszam za wszystko, co się stało. To mnie zupełnie rozwaliło i potrzebuję trochę czasu, żeby nauczyć się z tym żyć.

– Przełożymy naradę – zaproponowała Glenna – żebyś mogła trochę odpocząć.

– Doceniam to, ale wolę pracować. – Gdyby poszła teraz na górę, została sama, znowu wpadłaby w rozpacz. – No dobrze. Skoro mamy zastawić pułapki po drugiej stronie, to musimy się zastanowić nad najlepszą lokalizacją i ocenić, co nam będzie potrzebne.

– Na razie mamy pilniejsze sprawy – przerwał jej Hoyt. – Sama transportacja do Geallii. Na razie Cianowi nie wolno wejść do Tańca.

– On musi stanowić wyjątek. – Moira mocno uścisnęła Blair za ramię. – Morrigan wybrała nas wszystkich.

– Może ze mną już skończyła. – Cian wzruszył ramionami. – Bogowie są tacy zmienni.

– Jesteś jednym z sześciorga – upierała się Moira. – Jeśli nie dotrzesz do Geallii, krąg zostanie przerwany.

– Mogę wrócić do jaskini. – Larkin spacerował pod oknami. Jak miał usiedzieć w takiej chwili? – Może zdołam coś wywęszyć.

– Nie wolno nam się rozdzielać, nie tak blisko przeniesienia. Teraz trzymamy się razem. – Glenna przesunęła wzrokiem po twarzach zebranych, chwilę dłużej zatrzymując się na Blair. – Stanowimy całość.

– Jest jeszcze jedna rzecz, o której powinnam chyba wspomnieć. – Moira zerknęła na Ciana. – Kiedy weszliśmy z Larkinem do Tańca w Geallii, nie było jeszcze południa. Wszystko działo się tak szybko, ale kiedy wyszliśmy tutaj, była noc. Chyba nie uda nam się oszacować, jak długo trwa transportacja ani czy czas po drugiej stronie jest taki sam. Nie wiemy, czy jeśli wyruszymy stąd nocą, w Geallii także będzie ciemno...

– Czy wylądujemy w środku cholernego dnia. – Cian wzniósł oczy do nieba. – Czyż to nie cudowne?

– Musi być jakiś sposób, żeby ochronić cię przed słońcem.

– Łatwo ci mówić, Ruda. – Cian wstał i nalał sobie szklankę whisky. – Twoja delikatna skóra może trochę się zaczerwienić na słońcu, ale nie zamienisz się w popiół, prawda?

– Hoyt, jakiś filtr – zaczęła Glenna.

– Chyba nawet czterdziestka tu nie pomoże – wtrącił Cian.

– Coś wymyślimy – warknęła zirytowana Glenna. – Znajdziemy jakiś sposób. Nie doszliśmy tak daleko tylko po to, żeby teraz się poddać, żeby cię zostawić.

Blair pozwoliła im dyskutować, ich głosy zlewały się w jej uszach w jeden szum. Nie komentowała, nie składała propozycji. Kiedy Hoyt wreszcie namówił Ciana do oddania im próbki krwi, wstała i wyszła, zostawiając ich ze swoją magią.

Larkin nawet nie próbował zasnąć. Z tuzin razy wybierał się do jej pokoju, ale właściwie po co? Żeby ofiarować jej pocieszenie, którego nie chciała? Złość, której nie potrzebowała?

Przeżyła potworną stratę i ogromny szok. Nie chciała, a może nie mogła poprosić go o pomoc. Nawet nie jako walczącego po tej samej stronie towarzysza.

Nie mógł uleczyć ran, których nie pozwalała mu obejrzeć, ani dosięgnąć bólu, który przed nim ukrywała.

Kochała tamtego mężczyznę, to nie ulegało wątpliwości. I jakaś maleńka cząstka Larkina, obrzydliwa, której nienawidził, cieszyła się ze strasznej śmierci Jeremy'ego.

Stał przy oknie i patrzył na wschód słońca ich ostatniego dnia w Irlandii. Gdy usłyszał pukanie, pomyślał, że to Moira.

– *Bi istigh.*

Nie odwrócił się na dźwięk otwieranych drzwi, ale dopiero gdy usłyszał głos Blair.

– Mój staroirlandzki jest do dupy, więc jeśli powiedziałeś „idź do diabła", to masz pecha. – Uniosła butelkę whisky, którą trzymała w dłoni. – Namierzyłam zapasy Ciana. Mam ochotę trochę się upić, urządzić staremu przyjacielowi stypę. Przyłączysz się?

Nie czekając na odpowiedź, usiadła na podłodze obok łóżka i oparła się o nie plecami. Otworzyła butelkę i nalała porcje na grube dwa palce do obu szklanek, które przyniosła.

– Wypijmy za śmierć. – Uniosła szklankę i wypiła całą zawartość jednym haustem. – Chodź, napij się, Larkin. Możesz być na mnie wściekły, ale i tak się ze mną napij.

Larkin podszedł i usiadł na podłodze naprzeciwko Blair.

– Przykro mi, że cierpisz.

– Przejdzie mi. – Podała mu drugą szklankę i dolała do swojej. – *Sláinte.* – Stuknęła szklanką o szklankę i wypiła tym razem mały łyk. – Mój ojciec uczył mnie, że przywiązanie jest bronią, której wróg może użyć przeciwko tobie.

– To recepta na twarde i samotne życie.

– O, on jest i twardy, i samotny. Zostawił mnie w moje osiemnaste urodziny. – Odchyliła głowę i wypiła. – Wiesz, wcześniej zranił mnie wiele razy, łamał mi serce tylko tym, że mnie nie kochał. Ale nic, absolutnie nic, co zrobił lub czego nie zrobił przedtem, nie mogło się nawet równać z krzywdą, którą mi wyrządził, odchodząc. Dlatego mam to.

Odwróciła nadgarstek i popatrzyła na bliznę.

– Zostawił mnie, kiedy jeszcze wychodziłam ze skóry, żeby mu udowodnić, że go nie potrzebuję. Oczywiście, że go potrzebowałam.

– On na ciebie nie zasługiwał.

Uśmiechnęła się lekko.

– Z całego serca przyznałby ci rację, ale nie w takim sensie, o jakim myślisz. Nie chciał mnie, a nawet gdyby było inaczej, to i tak by mnie nie pokochał. Minęło sporo czasu, zanim się z tym pogodziłam. Może byłby ze mnie dumny, może czułby satysfakcję, ale nigdy by mnie nie pokochał.

– Ale ty go kochałaś.

– Wielbiłam go. – Blair zamknęła na chwilę oczy. To była już przeszłość. – Tylko tego uczucia nie potrafiłam złapać i zamienić w pył. Więc pracowałam, naprawdę ciężko, aż stałam się lepsza, niż on był kiedykolwiek. Ale i tak wciąż czułam to ogromne pragnienie, żeby kogoś kochać i żeby ktoś kochał mnie. A potem spotkałam Jeremy'ego.

Nalała whisky do obu szklanek.

– Pracowałam w pubie wuja. Moja ciotka, kuzynowie i ja pracowaliśmy na zmiany, w barze lub na polowaniu, albo gadaliśmy całe noce. Moja ciotka nazywała to prawdziwym życiem. Pracować całą rodziną, dzielić się ciężarami i zaznawać trochę normalności.

– Twoja ciotka musi być bardzo mądrą kobietą.

– Jest mądra. I dobra. No więc ja nalewałam z kija – pracowałam w barze – kiedy wszedł Jeremy z paroma kumplami. On wtedy zamknął jakąś wielką transakcję i chcieli to opić. Był maklerem. – Machnęła ręką. – Trudno to wytłumaczyć. W każdym razie był przystojny. Fantastyczny. Podrywał mnie...

– On cię podniósł?

– Nie, nie. – Blair uznała to za niesamowicie zabawne i roześmiała się w głos. – Tak się mówi. Flirtował ze mną. I ja z nim, bo naprawdę mnie kręcił. No wiesz, znasz ten zawrót głowy?

– O tak. – Larkin lekko musnął jej dłoń. – Znam.

– Siedział aż do zamknięcia i w końcu dałam mu swój numer telefonu. Nie będę wchodziła w szczegóły, ale zaczęliśmy się spotykać. Był zabawny i słodki. Normalny. Typ chłopaka, który posyła ci kwiaty po pierwszej randce.

Jej oczy zaszły mgłą, ale potrząsnęła głową i wypiła kolejną porcję whisky.

– A ja tak bardzo potrzebowałam normalności. Kiedy zrobiło się między nami poważnie, myślałam: Tak, tak właśnie powinno być. Moja misja nie oznacza, że nie mogę nikogo mieć, że nie mogę stać się częścią czyjegoś życia. Ale nie powiedziałam mu, co robię w te noce, kiedy nie jesteśmy razem, ani w niektóre inne, gdy już zasnął. Nie powiedziałam.

– Kochałaś go?

– Tak. I mówiłam mu o tym. Mówiłam mu, że go kocham, ale nie powiedziałam, kim jestem. – Wzięła głęboki oddech. – Szczerze? Nie wiem, czy ze strachu, czy po prostu tak mnie nauczono. Byliśmy razem osiem miesięcy, a on o niczym nie wiedział. Musiał widzieć jakieś ślady, poszlaki. Hej, Jeremy, nie zastanawiasz się, skąd mam te siniaki? Dlaczego mam podarte ubranie? I skąd, do diabła, wzięła się ta krew? Ale nigdy nie zapytał, a ja nigdy się nie zastanawiałam dlaczego.

– Sama powiedziałaś, że ludzie mają klapki na oczach. Myślę, że miłość nakłada podwójne.

– Pieprzona racja. Poprosił, żebym za niego wyszła. Och, Boże, zrobił to ze wszystkimi bajerami. Wino, świece, muzyka i wszystkie odpowiednie słowa. A ja się w tym pławiłam, w tej wielkiej, błyszczącej bujdzie. Jednak nadal z niczym się nie zdradziłam, aż ciotka przemówiła mi do rozsądku.

Blair przycisnęła kciuk i palec wskazujący do oczu.

– „Musisz mu powiedzieć – naciskała. – Musisz sprawić, żeby w to uwierzył. Nie uda się wam nic zbudować na kłamstwach i półprawdach, bez zaufania". Przez kilka tygodni się opierałam, ale to mnie gryzło. Wiedziałam, że ma rację. Ale on mnie kocha, więc wszystko będzie w porządku. Kocha mnie i zrozumie, że robiłam nie tylko to, co musiałam, ale też to, co powinnam.

Wzięła szklankę w obie ręce i zamknęła oczy.

– Wytłumaczyłam mu to tak delikatnie, jak tylko mogłam, opowiedziałam całą rodzinną historię. Myślał, że żartuję. – Otworzyła oczy i popatrzyła na Larkina. – Kiedy zdał sobie sprawę, że nie, zrobił się nieprzyjemny. Myślał, że w ten chory sposób próbuję zerwać zaręczyny. Wałkowaliśmy to bez końca, aż wreszcie namówiłam go, żeby poszedł ze mną na cmentarz. Wiedziałam, że tej nocy jeden powstanie, i pokazałam mu, czym oni są i kim ja jestem.

Znowu pociągnęła długi łyk.

– Nie mógł się doczekać, aż zniknę mu z oczu. Błyskawicznie spakował swoje rzeczy i się wyniósł, zostawił mnie. Byłam świrem i nigdy więcej nie chciał mnie widzieć.

– Był słaby.

– Był człowiekiem. A teraz jest martwy.

– I to twoja wina, tak? Twoja wina, że zależało ci na nim na tyle, by powiedzieć mu, kim jesteś? Żeby mu pokazać, że na świecie istnieją potwory, ale ty jesteś wystarczająco silna i odważna, aby z nimi walczyć? Twoja wina, że nie był na tyle mężczyzną, by docenić, jaka jesteś cudowna?

– Cudowna? Robię to, czego mnie nauczono, żeby interes rodzinny się kręcił.

– To bzdury. I, co jeszcze gorsze, użalanie się nad sobą.

– To nie ja go zabiłam – tu miałeś rację. Ale zginął przeze mnie.

– Zginął, bo zamordował go podły, bezduszny potwór. Umarł, bo nie uwierzył w to, co zobaczył na własne oczy, i cię zostawił. Ty nie jesteś niczemu winna.

– On mnie zostawił, mój ojciec ode mnie odszedł. Myślałam, że już nic gorszego nie może mnie spotkać. Ale to... nie wiem, jak poradzić sobie z takim bólem.

Wyjął jej z rąk szklankę i odstawił na bok. Przyciągnął Blair do siebie i przytulił jej głowę do swego ramienia.

– Na razie zostaw go trochę tutaj. Płacz, *a stór*, poczujesz się lepiej, gdy wylejesz za niego łzy.

Tulił ją, głaskał po włosach i uspokajał, a Blair szlochała w jego objęciach nad innym mężczyzną.

Obudziła się w jego łóżku, ubrana i wdzięczna, że jest sama. Kac nie rozbrzmiewał w jej głowie dźwięcznym echem jak po nocy radosnego nieumiarkowania, lecz uderzał głuchym dzwonem poczucia winy, że szukała zapomnienia w alkoholu.

Zauważyła, że Larkin zaciągnął zasłony, żeby słońce jej nie obudziło, i popatrzyła na zegarek. Było już prawie południe i Blair jęknęła, odrzucając kołdrę i spuszczając nogi na podłogę.

Miała za dużo roboty, żeby użalać się nad sobą. Zanim zebrała siły, by wstać, do pokoju wszedł Larkin. W ręku trzymał szklankę z mętnym, brązowym płynem.

– Powiedziałbym dzień dobry, ale chyba dla ciebie nie jest taki wspaniały.

– Nie jest tak źle. Miewałam gorsze.

– Tak czy siak to nie jest dobry czas na ból głowy. Glenna mówi, że ten lek ci pomoże.

Blair popatrzyła z powątpiewaniem na szklankę.

– Bo po wypiciu tego wyrzygam wszystko, co mam w żołądku?

– Tego nie powiedziała. A teraz bądź dzielną dziewczynką i wypij swoje lekarstwo.

– Chyba nie mam innego wyjścia. – Wzięła szklankę i powąchała jej zawartość. – Nie pachnie tak źle, jak wygląda. – Wzięła głęboki oddech, wypiła wszystko jednym haustem i aż się wzdrygnęła. – Ale smakuje dużo gorzej.

– Poczekaj minutę lub dwie, żeby zadziałało.

Skinęła głową i wbiła wzrok w dłonie.

– Nie byłam wczoraj w najlepszej formie, delikatnie mówiąc.

– Nikt nie oczekuje, że cały czas będziesz w najlepszej formie. Na pewno nie ja.

– Dziękuję ci za chętne ucho i życzliwe ramię.

– Rzeczywiście te części mojego ciała wydawały ci się najbardziej potrzebne. – Larkin usiadł obok niej. – Byłaś dostatecznie trzeźwa, żeby zrozumieć, co do ciebie mówiłem?

– Tak. Że to nie moja wina. Mój rozum wie, że nie jestem niczemu winna, jednak inne części ciała nie mogą przyjąć tego do wiadomości.

– Tamci mężczyźni zmarnowali dar, jaki im ofiarowałaś. Ja nie zmarnuję. – Wstał. – Jeszcze coś musisz przyjąć do wiadomości: wszyscy czekają na dole, mamy mnóstwo pracy.

Blair wpatrywała się w miejsce, gdzie przed chwilą stał Larkin, nawet gdy już wyszedł i zamknął za sobą drzwi.

Praca pomagała. Postanowili przetransportować do kręgu – w staromodny sposób – tak dużo zapasów i broni, jak to tylko było możliwe, a Hoyt i Glenna mieli nadal pracować nad ochroną dla Ciana.

Blair ładowała broń na Larkina przemienionego w konia, a Moira na wierzchowca Ciana.

– Jesteś pewna, że dasz radę na nim pojechać?

– Ja umiem jeździć na wszystkim. – Moira spojrzała w okno wieży. – To jedyny sposób, oni muszą się skoncentrować na swojej pracy. Nie możemy ryzykować targania tego wszystkiego po zmroku.

– Prawda. – Blair wskoczyła na grzbiet Larkina. – Miej oczy szeroko otwarte, w lesie może nam się trafić towarzystwo.

Jedna za drugą ruszyły przed siebie.

– Naprawdę czujesz ich zapach? – zawołała Moira.

– Bardziej wyczuwam obecność. Wiem, kiedy któryś się zbliża. – Przeczesywała wzrokiem zacieniony las, ale między drzewami poruszały się jedynie zające i ptaki.

Promienie słońca i śpiew ptaków, pomyślała. Jak inaczej będzie ta droga wyglądała w nocy. Ona i Moira na Larkinie, postanowiła, a Hoyt i Glenna na Vladzie. Cian potrafił biec prawie tak szybko jak koń, jeśli musiał.

Ścieżka była kręta i w niektórych miejscach prawie niewidoczna, a cienie niekiedy tak gęste, że Blair kładła dłoń na kuszy.

Pod nogami poczuła napięcie mięśni Larkina i skinęła głową. On – albo koń, w którym był, też je wyczuwał.

– Obserwują nas. Trzymają się na dystans, ale patrzą.

– Będą wiedziały, dokąd jedziemy. – Moira obejrzała się przez ramię. – Albo zaniosą wiadomość Lilith i ona będzie wiedziała.

– Tak. Przyspieszmy trochę, chcę mieć to już z głowy.

Wyjechały z lasu i przecięły niewielki ugór. Na wzgórzu przed nimi wznosił się Taniec Bogów.

– Jest duży – wymruczała Blair. Nie tak wielki jak Stonehenge, pomyślała, ale imponujący. I tak samo jak w Stonehenge poczuła moc kamieni, zanim się do nich zbliżyła. Niemal usłyszała ich pomruk.

– Mocna sprawa. – Zsiadła z konia.

– I w tym świecie, i w moim.

Moira także zsunęła się z konia i oparła czoło o czoło Larkina.

– To nasza droga do domu.

– Miejmy taką nadzieję. – Blair zaczęła rozładowywać broń. – Jesteś pewna, że wampiry nie mogą tu wejść?

– Żaden demon nie może prześliznąć się między kamieniami i postawić stopy na uświęconej ziemi. Tak było w Geallii i z tego, co czytałam, w tym świecie jest tak samo.

Moira podążyła za wzrokiem Blair i popatrzyła na ścianę lasu, ale myślała o Cianie i co poczną, jeśli będą musieli go zostawić.

– Znajdziemy sposób.

Moira popatrzyła na nią.

– Ty też się martwisz.

– To jest pewien problem. Musimy go tu przetransportować i uchronić przed spaleniem. Dobrze, że tutaj jest strefa ochronna i możemy być pewni, że jak wrócimy za kilka godzin, nasza broń wciąż będzie na miejscu, ale z Cianem nadal mamy kłopot.

Bezmyślnie pogłaskała Larkina, ale gdy odwrócił się i spojrzał jej głęboko w oczy, opuściła rękę.

– Hoyt i Glenna nad tym pracują. Wszyscy przechodzimy, taki jest układ. Coś wymyślimy.

Larkin-koń trzepnął ją zalotnie ogonem w pośladek.

– Hej!

– On nigdy nie przepuści okazji do zabawy – zauważyła Moira. – Prawie w każdej postaci.

– Tak, prawdziwy z niego dowcipniś. Musisz uważać, żebyś pewnego dnia nie został na zawsze z tymi czterema nogami. – Pochyliła się do niego. – Bo co wtedy?

Koń przesunął językiem po policzku Blair.

– Fuj!

Moira roześmiała się serdecznie, odkładając ostatni miecz.

– On zawsze mnie rozśmiesza, nawet w najgorszych chwilach. No cóż – powiedziała, gdy skrzywiona Blair wycierała końską ślinę z twarzy. – Nie przeszkadza ci to tak bardzo, kiedy jest człowiekiem.

Dźwięk, który wydał z siebie Larkin, bardzo przypominał śmiech, o ile tylko koń może się roześmiać. Moira, chichocząc, wskoczyła na swojego wierzchowca.

– Trudno nie zauważyć, kiedy dwoje ludzi tak bardzo ma się ku sobie. Sama kiedyś się w nim kochałam. – Pociągnęła Larkina za grzywę. – Miałam wtedy pięć lat i już dawno mi przeszło.

– Cicha woda brzegi rwie – mruknęła Blair. – No proszę, i to ty! – Kiwnęła głową w stronę Moiry, wskakując na grzbiet Larkina. – Cicha myszka, z nosem w książkach. Nigdy bym nie pomyślała, że tak lekko przyjmiesz fakt, że bzykam się z twoim kuzynem.

– Bzykasz się? – Moira wydęła usta. – Czy to określenie oznacza współżycie? Pasuje, bo przecież dzieciom opowiada się o pszczółkach... – Tym razem to Blair się roześmiała.

– Jesteś pełna niespodzianek.

– Wiem, co się dzieje między kobietą i mężczyzną. Teoretycznie.

– Teoretycznie. Więc ty nigdy... – Zobaczyła, że Moira krzywi się, wskazując na Larkina. – Ach, przepraszam. Duże konie mają wielkie uszy.

– Och, w sumie to chyba drobiazg w porównaniu z całą resztą. Nie, ja jeszcze nigdy. Jeśli mam zostać królową, muszę wyjść za mąż, ale mam jeszcze czas. Chciałabym znaleźć kogoś, kto będzie do mnie pasował, i kto mnie zrozumie. Najbardziej bym chciała, żebyśmy darzyli się taką miłością jak moi rodzice, ale przynajmniej niech nam zależy na sobie nawzajem. I mam nadzieję, że będzie biegły w bzykaniu.

Tym razem Larkin wydał dźwięk podobny do warknięcia.

– A dlaczego tylko ty masz mieć przyjemność? – Moira wysunęła stopę ze strzemienia i lekko trąciła go nogą w bok. – A on jest w tym dobry, ten nasz Larkin?

– Istny ogier.

Larkin puścił się w kłus.

Tak, pomyślała Blair, dobrze się pośmiać, nawet w najcięższych chwilach.

12

Zdegustowany Cian przesunął w palcach czarny materiał.

– Peleryna.

– Magiczna peleryna – obwieściła Glenna z triumfalnym uśmiechem. –
Z kapturem.

Czarne peleryny i wampiry, pomyślał, wzdychając w duchu. Co za ste-
reotyp.

– I ta... płachta ma mnie uchronić przed przemienieniem się w żywą pochodnię w promieniach słońca.

– To naprawdę powinno zadziałać.

Cian posłał jej lekko rozbawione spojrzenie.

– „Powinno" jest tu słowem kluczowym.

– Twoja krew nie zagotowała się na słońcu – zaczął Hoyt.

– To pocieszająca wiadomość. Niestety, tak się składa, że składam się
nie tylko z krwi.

– Krew jest najważniejsza – upierał się Hoyt. – Sam tak mówiłeś.

– Ale moje ciało i kości też są zagrożone.

– Przykro nam, że nie mieliśmy czasu, żeby to przetestować. – Glenna
przeczesała palcami włosy. – To trwało tak długo, a nie mogliśmy cię poprosić, żebyś wyszedł w pelerynie na zewnątrz, dopóki nie byliśmy w miarę
pewni efektów.

– Jak to miło z waszej strony. – Uniósł pelerynę. – Nie mogliście nadać
jej trochę więcej szyku?

– Wymogi mody nie były naszym głównym problemem. – Hoyt już prawie warczał. – Martwiliśmy się, jak ochronić twoją niewdzięczną osobę.

– Nie zapomnę wam podziękować, jeśli nie skończę tego dnia jako kup-
ka popiołu.

– I powinieneś. – Moira popatrzyła na niego potępiająco. – Pracowali
przez całą noc i dzień tylko dla ciebie. Ty sobie spałeś, a my wszyscy ciężko pracowaliśmy.

– Ja też nie próżnowałem, wasza wysokość. – Zignorował ją, odwracając
się do niej plecami. – Cóż, problem zniknie, jeśli wasz kamienny krąg mnie
nie wpuści.

– Musisz zaufać bogom – poradził mu Hoyt.

– Pozwolę sobie po raz kolejny ci przypomnieć: jestem wampirem.
Wampiry i bogów raczej trudno uznać za kompanów od kieliszka.

Glenna podeszła do Ciana i położyła rękę na jego dłoni.

– Włóż ją. Proszę.

– Tylko dla ciebie, Ruda. – Uniósł jej twarz i lekko pocałował Glennę w usta, po czym odsunął się i zarzucił pelerynę na plecy. – Czuję się jak cholerny aktor z filmu klasy B. Albo jeszcze gorzej, jak mnich.

Nie wyglądał na mnicha, pomyślała Moira. Wyglądał groźnie.

Blair i Larkin weszli do pokoju.

– Jesteśmy tak zabezpieczeni, jak to tylko możliwe – powiedziała Blair i uniosła brwi na widok Ciana. – Hej, wyglądasz jak Zorro.

– Słucham?

– No wiesz, jak w tej scenie, w której Zorro jest w kaplicy z dziewczyną i udaje, że jest księdzem. Tylko że, kurczę, z tych księży, których nazywałyśmy „Co Za Strata". No dobrze, słońce już zaszło. Powinniśmy się zbierać.

Hoyt skinął głową i popatrzył na Ciana.

– Trzymaj się blisko nas.

– Nie odfrunę.

Blair żałowała, że nie mieli czasu tego przećwiczyć, ale było już za późno. Dosyć gadania, pomyślała. Żadnych dyskusji ani prób kostiumowych. Teraz albo nigdy.

Skinęła głową, odetchnęła głęboko i wyszli z Larkinem pierwsi. Wskoczyła na niego, gdy jeszcze zmieniał postać, i wyciągnęła dłoń do Moiry, by pomóc jej zająć miejsce z tyłu.

Ruszyli przed siebie z kopyta, chcąc odwrócić uwagę ukrytych obserwatorów. Blair ledwie dostrzegła Ciana, który w ułamku sekundy znalazł się przy drzwiach stajni i odwiązywał swojego konia.

Po chwili zniknął, a Hoyt i Glenna siedzieli na grzbiecie Vlada.

W bladym świetle księżyca galop przez las był ryzykowny, więc Blair pozwoliła Larkinowi jedynie na lekki kłus, ufając, że on będzie patrzył pod nogi, podczas gdy ona przeczesywała wzrokiem gęstwinę drzew.

– Na razie nic, absolutnie nic. Jeśli są gdzieś w pobliżu, to trzymają się na dystans.

– Widzisz Ciana? – Z łukiem gotowym do strzału Moira próbowała patrzeć we wszystkich kierunkach naraz. – Czujesz go?

– Nie, nic nie czuję. – Blair uniosła się w siodle, by spojrzeć ponad ramieniem Moiry na Hoyta. – Uważajcie na flanki, mogą zaatakować od tyłu.

Jechali w absolutnej ciszy przerywanej jedynie stukotem kopyt na ścieżce. I w tym tkwił problem, pomyślała Blair. Gdzie się podziały nocne ptaki? Gdzie chrobotanie i piski małych zwierząt żerujących nocą w lesie?

Wiedziała, że nie tylko łowcy demonów potrafili wyczuwać wampiry.

– Bądźcie gotowi – ostrzegła cicho.

I wtedy to usłyszała, szczęk stali i przeraźliwy wrzask. Nie musiała poganiać Larkina słowami ani piętami, sam ruszył galopem.

Wyczuła je na sekundę przed tym, nim zaatakowały spomiędzy drzew. Piechota tym razem, oceniła, trochę bardziej doświadczona, z lekką bronią. Zaczęła ciąć mieczem, a wokół niej świstały strzały Moiry.

Larkin kopał i miażdżył kopytami wszystko, co wpadło mu pod nogi, ale wróg atakował ze wszystkich stron, rozdzielając ich, blokując drogę do Tańca. Blair wierzgnęła, zrzucając jednego, który uczepił się jej nogi. Jest ich za dużo, pomyślała, żeby stawić im czoło.

Lepiej zaatakować, zrobić wyrwę w szeregu i pogalopować do kamieni.

Nagle jeden skoczył z gałęzi nad nimi i niemal ją zrzucił, ale odchyliła się do tyłu i zablokowała cios łokciem. Moira poleciała na ziemię. Z wrzaskiem wściekłości Blair wymierzyła napastnikowi cios pięścią i już miała zeskoczyć, gdy znikąd pojawił się Cian.

Złapał Moirę za ramiona i bezceremonialnie wrzucił z powrotem na grzbiet Larkina.

– Biegnij! – zawołał. – Szybko!

Blair ruszyła przed siebie, płomień jej miecza wycinał ognistą ścieżkę w szeregach wroga. Miała nadzieję, że Cian był poza zasięgiem ognia. Poczuła, jak Larkin pod nią drży, a jego postać się zmienia.

I nagle unosiła się na grzbiecie smoka, który pazurami rozdzierał szeregi wampirów, robiąc ogonem przejście dla Hoyta i Glenny.

Blair widziała już kamienie. Pomimo że księżyc przysłoniły chmury, krąg lśnił w ciemności jak srebro. Przysięgłaby, że nawet przez szum wiatru i odgłosy walki słyszała jego śpiew.

Hoyt i Glenna minęli ich w szalonym pędzie, a Larkin zanurkował za nimi między kamienie.

Zeskoczyła z jego grzbietu i potarła nogę, w którą zranił ją wampir.

– Przygotujcie się – rozkazała.

– Cian...

Ścisnęła Moirę za ramię.

– Przyjdzie. Hoyt?

Wyjął swój klucz, Moira zrobiła to samo.

– Nie wypowiemy zaklęcia, dopóki nie przyjdzie Cian. – Moc, jakby odbita od kamieni, wydawała się pulsować z postaci Hoyta, gdy ujął dłoń Glenny. – Dopóki nie staniemy się znowu kręgiem.

Blair skinęła głową. Bez względu na to, jaka była moc kamieni i darów, z którymi Hoyt i Glenna przyszli na świat, ich siła leżała w jedności. Poczekają na Ciana.

Odwróciła się do Larkina.

– Niezła przejażdżka, kowboju. Bardzo cię boli?

Przyłożył dłoń do zakrwawionego boku.

– Zadrapania. A ciebie?

– Tak samo. Tylko mnie drasnął. Reszta?

– Damy radę. – Glenna już dotykała kojąco rany na ramieniu Hoyta.

– Nadchodzi – wymruczała Moira.

– Gdzie? – Hoyt złapał ją za ramię. – Nikogo nie widzę.

– Tam. – Wskazała. – Już idzie.

Cian był jedynie cieniem wynurzającym się z lasu, czarnym punktem na polu.

– Czyż to nie była przednia zabawa? Przegrupowują się, jakby to miało im pomóc. – Na twarzy miał krew. Krew płynęła też z jego uda.

– Chodź. – Hoyt wyciągnął do niego rękę. – Już czas.

– Nie mogę. – Cian uniósł dłoń i przycisnął ją do powietrza między kamieniami. – To jest dla mnie jak ściana. Jestem, czym jestem.

– Nie możesz tu zostać – nalegał Hoyt. – Będziesz sam, one cię dopadną.

– Nie jestem taką łatwą zdobyczą. Zróbcie, co do was należy. Ja tu zostanę i postaram się, żeby nikt wam nie przeszkadzał.

– Jeśli ty zostajesz, to my też. – Larkin wyszedł poza krąg. – Jeśli ty walczysz, my także.

– Doceniam twoje poświęcenie – odrzekł Cian – ale tak poważnej sprawy nie wolno zaprzepaścić przez jednego z nas. Musicie już iść.

– Drugi portal... – zaczął Larkin.

– Jeśli go znajdę, to postawię wam kolejkę w Geallii. – Spojrzał Hoytowi prosto w oczy. – Będzie, co ma być. Zawsze w to wierzyłeś i ja w pewien sposób też. Idźcie. Musicie ocalić światy.

– Znajdę sposób. – Hoyt złapał brata za rękę. – Przysięgam ci, że znajdę.

– Życzę powodzenia. – Cian zasalutował im mieczem. – *Adieu*.

Hoyt z ciężkim sercem wrócił do kręgu i uniósł kryształ, który zalśnił w świetle księżyca.

– Światy czekają. Czas płynie. Bogowie patrzą.

Po policzkach Glenny spływały łzy. Ujęła dłoń Hoyta i zaczęła powtarzać za nim.

– Tak nie powinno być – powiedział Larkin miękko. – Nie powinniśmy zostawiać jednego z nas.

– Może moglibyśmy... O kurde – wymamrotała Blair, gdy ziemia zadrżała, wiatr się wzmógł, a światło zaczęło pulsować.

– *Slan mo cara*. – Larkin spojrzał po raz ostatni na Ciana i złapał Blair za rękę. – To piekielna jazda – ostrzegł – więc lepiej się mnie trzymaj. Moira?

Moira uniosła kryształ i powtarzając zaklęcie, wbiła wzrok w oczy Ciana. Nagle wyciągnęła dłoń i pochwyciła go za rękę.

– Jesteśmy jedną siłą, jedną mocą. Tak miało być!

I wciągnęła go do kręgu.

Blair pomyślała, że tak musi czuć się człowiek wciągnięty w trąbę powietrzną. Porywisty wiatr, który zdawał się odrywać ich od ziemi i szarpał we wszystkich kierunkach, oślepiające światło.

Czy po drugiej stronie czekają na nich karły?

Nie widziała nic poza dziko wirującym białym światłem, pod stopami nie czuła żadnego oparcia, więc ścisnęła dłoń Larkina.

Nagle zapadła ciemność, a wszystko znieruchomiało. Przesunęła dłonią po twarzy, próbując złapać oddech, i zobaczyła światło księżyca spływające srebrnymi promieniami na kamienie wokoło nich.

– Czy to nasz przystanek?

– Och mój Boże! – Głos Glenny drżał. – Co za pęd, jakie... Ach. I Cian! – Przyciągnęła do siebie drżącymi dłońmi jego twarz i głośno go ucałowała. – Jak ty to zrobiłaś? – zapytała Moirę. – Jak udało ci się wciągnąć go do środka?

– Nie wiem. Ja po prostu... Tak miało być. Ty miałeś przyjść tu z nami – zwróciła się do Ciana. – Czułam to i... – Moira zauważyła, że wciąż ściska jego dłoń, i natychmiast ją cofnęła. – No i jesteś.

Odgarnęła włosy, które wysunęły się z warkocza.

– No cóż, *fálite a Geall*. Larkin! – Rzuciła mu się ze śmiechem w ramiona. – Jesteśmy w domu!

– I na szczęście jest noc. – Jeśli Cian był wstrząśnięty, dobrze to ukrywał. Zsunął kaptur i rozejrzał się dookoła. – Nie żebym nie ufał waszej magicznej mocy.

– Musimy jeszcze przenieść te wszystkie graty do miasta. – Blair szerokim gestem wskazała na komodę, torby, walizki i broń.

– Po większość możemy rano przysłać ludzi. Zabierzmy tylko najpotrzebniejsze rzeczy – zaproponowała Moira.

– W takim razie weźmy broń. Nie wiemy, co nas czeka. Wybacz – dodała Blair – ale nie było was ponad miesiąc.

– Ja mogę zabrać troje. – Larkin pociągnął Moirę za roztrzepany warkocz. – Pofrunę i zobaczę, czy mamy się czym martwić. Dwie osoby mogą pojechać na koniu.

– Moim koniu – przypomniał mu Cian i popatrzył na Moirę. – Mogę cię zabrać.

– No to mamy plan. Ruszajmy. – Blair zarzuciła torbę na ramię i uśmiechnęła się szeroko do Glenny i Hoyta. – Zobaczycie, co to za jazda.

Lecieli nad Geallią, a pod nimi galopował czarny rumak, unosząc na grzbiecie dwoje jeźdźców. Świat zalewało magiczne światło księżyca, srebrząc wzgórza i lasy, rzeka lśniła poplątaną wstęgą. Blair widziała domki z cienkimi smużkami dymu unoszącymi się z kominów, kropki owiec lub krów na pastwiskach, wąskie, piaszczyste i puste drogi, jeśli nie liczyć Moiry i Ciana.

Żadnych samochodów, pomyślała, żadnych świateł poza pojedynczymi punktami, którymi mogły być pochodnie lub latarnie. Tylko ziemia, rozciągająca się aż po horyzont, gdzie wznosiły się cienie gór.

Kraina, której istnienie jeszcze kilka tygodni temu uważała za bajkę, przypomniała samej sobie.

Obróciła głowę i zobaczyła brzeg o wysokich, stromych klifach, opadających ku krągłym zatokom. Za nim rozciągało się aksamitnie czarne morze, które opływało trzy małe wyspy i znikało za horyzontem.

Usłyszała, jak Glenna za nią westchnęła, i popatrzyła przed siebie.

Na wysokim wzgórzu stał bajkowy zamek, za nim płynęła rzeka. Kamienie błyszczały w świetle księżyca jak klejnoty układające się w wieże, wieżyczki i zwieńczone blankami mury.

Zamek, pomyślała osłupiała Blair. A jaki zamek byłby kompletny bez zwodzonego mostu i spiczastych dachów wież, zwieńczonych masztami, na których trzepotały białe flagi?

Na jednej zauważyła znak *claddaugh*, na drugiej smoka.

Glenna nachyliła się do ucha Blair.

– Cholernie dużo cudów jak na jeden wieczór dla dwóch dziewczyn z miasta dwudziestego pierwszego wieku.

– A ja myślałam, że już nic mnie nie zaskoczy. – Blair sama usłyszała podziw w swoim głosie. – Ale kurde, to naprawdę zamek.

Larkin zatoczył koło, żeby jeźdźcy nie zniknęli mu z oczu, po czym wylądował na przestronnym dziedzińcu.

Natychmiast otoczyli ich mężczyźni w lekkich zbrojach, z obnażonymi mieczami. Blair podniosła ręce do góry.

– Wasze imię i cel. – Jeden ze strażników zrobił krok do przodu.

Larkin wrócił do ludzkiej postaci.

– Niezbyt ciepłe powitanie, Tynanie.

– Larkin! – Strażnik schował miecz i objął Larkina ramieniem. – Dzięki bogom! Gdzie, do diabła, byłeś przez te wszystkie tygodnie? Wszyscy już niemal spisaliśmy cię na straty. A księżniczka, gdzie ona...

– Otwórzcie bramę. Księżniczka Moira czeka, żeby wjechać do zamku.

– Słyszeliście rozkaz lorda Larkina! – warknął Tynan. Był kilka centymetrów niższy od niego, ale głos miał potężny i władczy. – Otwórzcie bramę. Musisz nam wszystko opowiedzieć. Trzeba obudzić twojego ojca.

Podwładni Tynana rzucili się, aby podnieść kratę.

– Mam wiele do opowiadania. Przy okazji obudź kucharza. Trzeba powitać moich przyjaciół. To wojowniczka Blair, czarownica Glenna i czarnoksiężnik Hoyt. Przybyliśmy z daleka, Tynanie, z tak daleka, że nie potrafisz tego sobie nawet wyobrazić – odrzekł Larkin.

Odwrócił się i pomógł Moirze zsiąść z konia.

Blair zauważyła, że mężczyźni się skłonili, gdy stopy dziewczyny dotknęły ziemi.

– Tynanie, jak dobrze znowu ujrzeć twoją twarz. – Pocałowała go w policzek. – To jest Cian, a ten dzielny rumak nazywa się Vlad. Niech któryś z ludzi zabierze go do stajni, dopilnuje, żeby został oporządzony i nakarmiony.

– Ja czy koń? – wymamrotał Cian, ale Moira udała, że go nie słyszy.

– Każ powiedzieć mojemu wujowi, że wróciliśmy i czekamy na niego w salonie.

– W tej chwili, wasza wysokość.

Moira poprowadziła ich przez dziedziniec do szerokiego łuku, pod którym czekały już na nich otwarte drzwi.

– Niezłą tu masz chatę – mruknęła Blair – lordzie Larkinie.

Uśmiechnął się do niej łobuzersko.

– Niewielka, ale zawsze to dom. Tak naprawdę mój dom rodzinny jest daleko stąd. Mój ojciec będzie sprawował obowiązki władcy, dopóki Moira nie zostanie królową.

– O ile jest mi to pisane – rzuciła Moira przez ramię.

– O ile jest ci to pisane – zgodził się Larkin.

W wielkim holu zapalono pochodnie, więc Blair przypuszczała, że wieść o powrocie księżniczki już się rozeszła. Na podłodze były ułożone z płyt dwa symbole z flag, claddaugh unosił się nad głową smoka.

Te same symbole znajdowały się na szklanej kopule nad ich głowami.

Blair zdążyła tylko zobaczyć ciężkie meble i kolorowe gobeliny i poczuć zapach róż, bo od razu zaczęli wspinać się na kręte schody.

– Zamek stoi od ponad dwustu lat – opowiadał Larkin. – Został wybudowany na rozkaz bogów, na wzgórzu zwanym Rioga, co znaczy „królewski". Od tamtej pory mieszkają w nim wszyscy władcy Geallii.

Blair spojrzała przez ramię na Glennę.

– Przy tym Biały Dom wygląda jak chatka.

Blair nigdy w życiu nie nazwałaby pokoju, do którego weszli, salonem. Pomieszczenie było ogromne, o wysokim suficie, a na przeciwległej ścianie zbudowano wysoki kominek tak wielki, że w środku mogłoby stanąć pięcioro ludzi. Pod gzymsem z błękitnego marmuru buzował ogień.

Malowidło ścienne nad kominkiem przedstawiało sceny z historii Geallii, jak przypuszczała Blair.

W sali stało kilka długich, niskich ław przykrytych materią bursztynowego koloru. Krzesła o wysokich, ozdobnych oparciach przysunięto do stołu, na którym słudzy ustawiali już puchary i kielichy, rozstawiali patery pełne jabłek i gruszek, półmiski z chlebem i serem.

Ściany pokrywały obrazy i gobeliny, a podłogę wzorzyste dywany. W wysokich, srebrnych kandelabrach migotały świece.

Jedna ze służących, o ponętnych kształtach i długich, złotych lokach dygnęła dworsko przed Moirą.

– Pani, dziękujemy bogom za twój powrót. I za twój, milordzie.

Gdy spojrzała na Larkina, w jej oczach pojawił się błysk, na którego widok Blair uniosła brwi.

– Isleen. Cieszę się, że cię widzę. – Moira ujęła jej obie dłonie. – Czy twoja matka jest zdrowa?

– Tak, pani. Rozpłakała się z radości.

– Powiedz jej, że niedługo ją zobaczę. I przygotuj komnaty dla naszych gości. – Moira odeszła z nią na bok, by wyjaśnić, czego potrzebuje.

Larkin już zmierzał do stołu z jedzeniem. Odłamał pajdę chleba, a potem szeroki kawał sera i złożył jedno z drugim.

– Ach, smakuje jak w domu – powiedział z pełnymi ustami. – Chodź, Blair, spróbuj tego.

Zanim zdążyła zaprotestować, już wkładał jej kawałek do ust.

– Dobre – pochwaliła.

– Dobre? Fantastyczne i najlepsze. A co tu mamy? – Uniósł kielich. – Wino? Glenno, napijesz się trochę, prawda?

– Och, przyda mi się.

– Nic się nie zmieniło – dobiegł ich głos od strony drzwi. Mężczyzna, który w nich stał, wysoki, dobrze zbudowany, z włosami przyprószonymi obficie siwizną, nie spuszczał oczu z Larkina. – Blisko jedzenia i w otoczeniu pięknych kobiet.

– Tato.

Spotkali się na środku sali i padli sobie w ramiona. Blair widziała twarz mężczyzny, malujące się na niej uczucia. Ciemnozłote oczy były takie same jak Larkina.

Mężczyzna ujął twarz syna w wielkie dłonie i mocno pocałował go w usta.

- Nie budziłem twojej matki. Chciałem być pewny, zanim znów dam jej nadzieję.

- Pójdę do niej, jak tylko będę mógł. Jesteś zdrów. Dobrze wyglądasz, choć wydajesz się trochę zmęczony.

- Sen nie przychodził mi łatwo w ostatnich tygodniach. Jesteś ranny?

- Nie martw się, to nic poważnego.

- Nie martwię się. Wróciłeś do domu. - Odwrócił się z uśmiechem, w którym Blair znowu zobaczyła Larkina.

- Moiro!

- Panie. - Głos jej się załamał, pobiegła do siwowłosego mężczyzny. Otoczyła go ramionami, gdy uniósł ją nad podłogę. - Przepraszam, przepraszam, że ci go zabrałam, że tak bardzo się przeze mnie martwiłeś.

- Wróciliście, to najważniejsze, cali i zdrowi. I przyprowadziliście gości. - Postawił Moirę z powrotem na ziemi. - Jesteście tu wszyscy mile widziani.

- To ojciec Larkina i brat mojej matki, książę Riddock. Panie, chciałabym ci przedstawić moich przyjaciół, najlepszych, jakich znam.

Moira przedstawiała wszystkich po kolei, a Larkin zza pleców ojca pokazywał im, że mają skłonić się lub dygnąć. Blair zdecydowała się na ukłon, i tak czuła się wystarczająco głupio.

- Tak wiele mamy ci do opowiedzenia - zaczęła Moira. - Usiądźmy. Larkin, drzwi, proszę. Potrzebujemy prywatności.

Riddock słuchał, przerywając jej od czasu do czasu, by poprosić o powtórzenie lub wyjaśnienie, zadawał pytania synowi i pozostałym.

Blair niemal widziała, jak ciężar tego, co słyszy, kładzie się na jego barkach, a wraz z nim rodzi się ponura determinacja.

- Były inne ataki, co najmniej sześć, odkąd... - Riddock zawahał się na chwilę - odkąd wyjechaliście. Zrobiłem co w mojej mocy, żeby postępować tak, jak mi nakazałaś w liście, Moiro, ostrzegałem ludzi, by nie wychodzili z domów po zmierzchu i nie zapraszali obcych, ale nawyki i tradycję trudno zmienić. Ci, którzy tego nie uczynili, zginęli.

Przyjrzał się uważnie Cianowi siedzącemu na drugim krańcu długiego stołu.

- Mówisz, że mamy mu zaufać, choć jest jednym z nich. Demon w ludzkiej skórze.

- „Zaufanie" to wielkie słowo. - Cian obierał bezmyślnie jabłko. - „Tolerancja" może będzie lepszym określeniem i łatwiej wam przyjdzie.

- On walczył razem z nami - zaczął Larkin. - Przelewał z nami krew.

- Jest moim bratem - powiedział Hoyt chłodno. - Jeśli jemu nie można zaufać, to mnie także nie.

- Ani żadnemu z nas - dokończyła Glenna.

- Zżyliście się ze sobą przez te tygodnie. To zrozumiałe. - Riddock wypił mały łyk wina, nie spuszczając czujnego wzroku z Ciana. - Ale uwierzyć, że demon może i chce stanąć przeciw współbraciom, „tolerować" taką sytuację... to wielkie wyzwanie.

Cian nie przerwał obierania jabłka, nawet gdy Hoyt zerwał się na równe nogi.

– Wuju. – Moira położył dłoń na ręku Riddocka. – Gdyby nie on, już bym nie żyła, poza tym on stanął z nami przy Tańcu Bogów, przeniosły go ich ręce. Wybrali go. Chcesz wątpić w ich wybór?

– Każdy myślący człowiek by wątpił, ale ja posłucham woli bogów. Innym to może nie przyjść tak łatwo.

– Ludzie Geallii posłuchają twoich rozkazów, panie, i pójdą w twoje ślady.

– Moich rozkazów? – Odwrócił się ku niej. – Miecz czeka na ciebie, Moiro, tak samo jak korona.

– Będą musiały jeszcze poczekać. Dopiero co wróciłam do domu i tak wiele jest do zrobienia. Są sprawy dużo ważniejsze niż ceremonia.

– Ceremonia? W jednej chwili mówisz o woli bogów i w następnej ją lekceważysz?

– Nie lekceważę, tylko proszę o czas. Ty masz zaufanie i szacunek poddanych, ja jestem niedoświadczona. Nie czuję się gotowa ani w głowie, ani w sercu. – Popatrzyła wyczekująco na wuja. – Jeszcze trochę, proszę. Może to nie ja mam unieść miecz, ale jeśli tak, muszę wiedzieć, że jestem na to gotowa. Geallia potrzebuje dobrego króla i zasługuje na władcę pełnego odwagi i siły. Nie chcę, by dostała mniej.

– Jeszcze o tym pomówimy. Teraz jesteś zmęczona. Wszyscy musicie być zmęczeni, a matka czeka, by powitać syna. – Riddock wstał. – Porozmawiamy rano, a w nadchodzących dniach zrobimy wszystko co trzeba. Życzę wam dobrej nocy. Larkin.

Wstał na wezwanie ojca.

– Ja też powiem wam dobranoc – powiedział – i życzę słodkich snów waszej pierwszej nocy w Geallii.

Popatrzył przelotnie na Blair i wyszedł za ojcem.

– Twój wuj jest imponującym człowiekiem – zauważyła Blair.

– I bardzo dobrym. Z nim stworzymy armię, która odeśle Lilith z powrotem do piekła. Jeśli jesteście gotowi, pokażę wam wasze komnaty.

Blair trudno było wyciszyć się i zasnąć, skoro spędzała noc w prawdziwym zamku, do tego w iście królewskiej komnacie.

Przed przyjazdem oczekiwała czegoś bardziej w stylu średniowiecza. Fortecy z ciosanego kamienia na wietrznym wzgórzu. Dymiących pochodni, błota i zwierzęcych odchodów.

Zamiast tego mieszkała w gmachu, który bardziej przypominał pałac księcia z bajki o Kopciuszku.

Zamiast ciasnej izby ze słomą na podłodze i kłującym siennikiem dostała piękną komnatę o białych ścianach. Łóżko, wielkie i miękkie, zdobiły zasłony z udrapowanego niebieskiego aksamitu, w miękką wełnę grubego dywanu wpleciono wizerunki pawi.

Z okna rozciągał się widok na ogród z prześliczną fontanną, a parapet także był obity aksamitem.

W kącie stało małe biurko. Ładne, pomyślała, choć i tak pewnie nie zrobi użytku z kryształowego kałamarza i gęsiego pióra.

W kominku wyłożonym błękitnym marmurem buzował ogień.

Wszystko było tak piękne, że prawie mogłaby zapomnieć o braku hydrauliki. Za malowanym parawanem stał jedynie nocnik.

Rozebrała się do bielizny i wodą z miski przemyła zadrapania na nodze, po czym posmarowała je balsamem Glenny.

Zastanawiała się, co robią inni, i bardzo chciała, żeby przyszedł już ranek i mogła zacząć coś robić.

Nagle drzwi się otworzyły. Blair złapała za sztylet, który leżał obok miski. Ale zaraz go odłożyła, bo do pokoju wszedł Larkin.

– Nie słyszałam pukania.

– Nie pukałem. Pomyślałem, że może już śpisz. – Zamknął cicho drzwi i uważnie obejrzał pokój. – Odpowiada ci ta komnata?

– Pokój? Siedem gwiazdek. Ale czuję się trochę dziwnie, jakbym weszła w środek bajki.

– Rozumiem, sam niedawno tak się czułem. Czy rany sprawiają ci ból?

– To nic takiego. A twoje?

– Moja matka się nimi zajęła, co ją bardzo uszczęśliwiło. Przy okazji zalała mnie całego łzami radości. Bardzo chce cię poznać, was wszystkich.

– Nie wątpię. – Dlaczego to wszystko jest takie niezręczne?, zastanawiała się Blair. – Tak naprawdę nigdy do mnie nie dotarło, że pochodzisz z królewskiej rodziny.

– Och, tak naprawdę mam z tym niewiele wspólnego, chodzi głównie o ceremoniał. Taki honor, można by powiedzieć. – Przechylił głowę i ruszył w jej stronę. – Myślałaś, że nie przyjdę do ciebie dziś wieczór?

– Nie wiem, co myślałam. Czuję się w tym wszystkim trochę zagubiona.

– Zagubiona? – Na jego ustach pojawił się uśmiech. – To mi nie przeszkadza, pomogę ci zagubić się jeszcze bardziej. Uwiodę cię.

Przesunął palcem po skraju jej bluzki, ledwo dotykając skóry.

– Dużo czasu spędzasz na uwodzeniu kobiet? Na przykład tej blondynki o dużym biuście? Jak ona ma na imię? Isleen.

– Flirtuję dla zabawy, nie uwodzę. To niewłaściwe i nieszlachetne wykorzystywać kogoś, kto ci służy. – Nachylił się do niej, musnął ustami jej ramię i zębami ściągnął ramiączko. – Kiedyś tak żartowałem, bo nie było tu ciebie. Przysięgam na Boga, nie ma w Geallii kobiety, która mogłaby się z tobą równać. – Lekko skubnął ustami jej wargę. – Blair Murphy – wymruczał. – Piękna wojowniczka.

Przesunął dłońmi wzdłuż jej pleców, całując ją najpierw delikatnie, potem coraz mocniej. Całował jej usta, szyję i mówił do niej czule w ojczystym języku.

Od dźwięku obcych słów i dotyku warg Larkina Blair zaczęło kręcić się w głowie.

– Cały czas myślę, że to błąd. Ale taki cholernie przyjemny.

– To nie jest błąd. – Schwycił zębami podbródek Blair, jednocześnie gładząc kciukami jej sutki. – Absolutnie nie.

To część podróży, powiedziała sobie, wtulając się w niego, z której każde z nich zabierze ze sobą coś dobrego.

Dlatego teraz odpowiedziała na jego pocałunek i zatopiła się w ciepłym, silnym ciele Larkina. W łagodnych pieszczotach jego dłoni była słodycz i ekscytujący dreszcz, gdy odkrywały jej sekrety.

Wziął ją na ręce i Blair nie czuła się już jak wojowniczka. Została pokonana.

– Pragnę cię. – Gdy położył ją na łóżku, wtuliła twarz w zagłębienie jego szyi. – Jak mogę tak bardzo cię pragnąć?

– Tak musi być. – Uniósł jej dłoń i ucałował wewnętrzną stronę. – Cii – szepnął, zanim Blair zdążyła coś powiedzieć. – Dziś w nocy mamy to tylko czuć oboje.

Potrafiła być taka delikatna, pomyślał, tak uległa, tak otwarta. Poddając się, sprawiała, że czuł się jak król. Te oczy w kolorze bezkresnego błękitu patrzyły na niego, gdy razem się poruszali. Zachodziły mgłą rozkoszy, gdy jej dotykał. Te dłonie, tak silne na rękojeści miecza, drżały lekko, gdy unosiła jego koszulę.

Przycisnęła usta do jego piersi, do serca, które biło już tylko dla niej.

Wzięli się nawzajem powoli, cicho, skąpani w blasku płonącego na kominku ognia. Wystarczyły im westchnienia zamiast słów, wspinali się długo i powoli zamiast osiągać szczyt w dzikim pędzie.

Wsunął się w nią, nie odrywając oczu od jej twarzy, patrzył, gdy poruszali się razem i gdy wszystko w nim zwarło się do finalnego skoku.

Aż w końcu zatonął cały w jej oczach.

13

Gdy Blair otworzyła oczy, Larkin tulił się do niej mocno, obejmując ją w talii ramieniem, tak jak dziecko ściska ulubionego misia.

Blair nie była przyzwyczajona, że ktoś leży obok niej w nocy, i nie mogła się zdecydować, czy jej się to podoba czy nie. Z jednej strony to było dosyć słodkie i seksowne, obudzić się, mając Larkina tak blisko, w łóżku tak ciepłym, przytulnym i miękkim.

Z drugiej jednak strony, gdyby musiała się zerwać po kołek czy miecz, stanowiłby przeszkodę.

Może powinna poćwiczyć uwalnianie się z takiego uścisku i sięganie po najbliżej leżącą broń. A może lepiej po prostu się rozluźnić. Przecież to nie będzie trwało wiecznie.

Tak jest po prostu... wygodnie.

A takie myślenie to pic na wodę fotomontaż, przyznała. Jeśli nie może być teraz uczciwa sama wobec siebie i własnego serca, to kiedy?

Byli dla siebie kimś więcej niż tylko wygodą, więcej, obawiała się, niż kochankami. Przynajmniej z jej strony.

Jednak w świetle dnia musiała się stać realistką. Kimkolwiek dla siebie byli, nie mieli przed sobą żadnej przyszłości. Tylko tu i teraz. Cian w Irlandii, przy Tańcu, powiedział szczerą prawdę: zadanie, które przed nimi postawiono, jest o wiele ważniejsze niż oni sami, niż czyjekolwiek życzenia czy potrzeby. Dlatego ich spełnienie po prostu się nie liczyło.

Po Samhainie wszystko się skończy. Trzeba wierzyć, że wygrają, ale po odtańczeniu tańca zwycięstwa, po tym jak poklepią się po plecach i wzniosą toast szampanem, będą musieli spojrzeć w oczy faktom.

Larkin – lord Larkin – pochodził z Geallii, z krainy, którą Blair po zakończonej misji znowu włoży między bajki. Może zostanie tutaj przez kilka dni, urządzą piknik, o którym mówił, ale w końcu będzie musiała wrócić.

Od urodzenia ciąży na niej obowiązek, pomyślała, dotykając krzyża Morrigan. Nie mogła go zlekceważyć.

Miłość – jeśli to właśnie ona – nie wystarczy, by przeżyć. Kto wiedział o tym lepiej od Blair?

Larkin dał jej więcej, niż kiedykolwiek oczekiwała, i to w tak krótkim czasie, więc nie zamierzała skarżyć się na swoje szczęście, przeznaczenie ani bezlitosną wolę bogów. Larkin ją akceptował, troszczył się o nią, pożądał jej. Był odważny, lojalny i zabawny.

Nigdy nie była z mężczyzną, który miałby wszystkie te cechy i wciąż patrzył na nią jak na kogoś wyjątkowego.

Pomyślała, że może – nie mogła tego wykluczyć – Larkin ją kocha.

On był dla niej małym cudem. Nigdy by od niej nie odszedł, nie oglądając się nawet przez ramię. Nigdy by jej nie odtrącił tylko dlatego, że była, kim była. Dlatego przy rozstaniu nie będą niczego żałować.

Może w innych okolicznościach mogliby spróbować, przynajmniej spróbować. Ale okoliczności nie są inne.

Zostało im kilka tygodni. Odbędą razem tę podróż, z której każde zabierze cudowne wspomnienia.

Pocałowała go lekko i szturchnęła w ramię.

– Obudź się.

Zsunął dłoń z jej pleców i pogłaskał Blair leniwie po pośladkach.

– Hej, nie o to mi chodziło.

– To najlepszy sposób, poczuć pod palcami twoje jędrne, gładkie ciało. Śniłem, że kocham się z tobą w sadzie, w środku lata, bo ty zawsze pachniesz szarlotką, zielonymi jabłkami. Aż mam ochotę cię ugryźć.

– Jak zjesz za dużo zielonych jabłek, to rozboli cię brzuch.

– Mój brzuch jest z żelaza. – Wędrował palcami w górę i w dół po jej udzie. – We śnie byliśmy tylko my dwoje i drzewa uginające się pod ciężarem owoców pod nieskazitelnie błękitnym niebem.

Głos miał wciąż zaspany i niewyraźny. Seksowny, uznała Blair.

– Tak jak w raju? Z tego, co pamiętam, Adam i Ewa wpadli przez jabłko w niezłe tarapaty.

Larkin uśmiechnął się, nie otwierając oczu.

– Widzisz tylko złą stronę sprawy, ale to mi nie przeszkadza. We śnie dawałem ci taką rozkosz, że szlochałaś ze szczęścia.

Blair parsknęła.

– Pewnie. W twoich snach.

– Wykrzykiwałaś bez końca moje imię, błagałaś, bym cię wziął. „Użyj tego ciała – prosiłaś – weź je twymi silnymi dłońmi, cudownymi ustami. Przeszyj je swym ogromnym...".

– No dobra, to już wymyśliłeś.

Otworzył jedno oko, w którym igrały tak wesołe iskierki, że Blair o mało sama się nie roześmiała.

– Masz rację, ale bardzo mi się to podoba. O, widzisz, ty też się uśmiechasz. To właśnie chciałem zobaczyć, gdy otworzę oczy: uśmiech Blair.

Blair poczuła, jak zalewa ją fala czułości.

– Ale z ciebie łobuz – wymruczała i pogłaskała go po policzku.

– Ten początek naprawdę mi się przyśnił. Powinniśmy kiedyś poszukać jakiegoś sadu. – Zamknął znowu oczy i zapadł w drzemkę.

– Koniec tego, pora otworzyć oczy. Musimy brać się do roboty.

– Tak ci się śpieszy, co? No dobrze.

Przeturlał się na nią.

– Nie miałam na myśli... – I wsunął się w nią.

Rozkosz była tak wielka, że Blair jęknęła, nie przestając się śmiać.

– Powinnam była wiedzieć, że twój „ogromny" już wstał i jest gotowy do pracy.

– Zawsze na twoje usługi.

W końcu, później niż zamierzała, Blair zaczęła się ubierać.

– Musimy porozmawiać o kilku podstawowych sprawach.

– Zjemy śniadanie w małej jadalni.

– Nie wiedziałam, że w tym zamku w ogóle coś jest małe. I nie mówiłam o jedzeniu.

– Och? – Larkin popatrzył na nią z niewielkim zainteresowaniem, zapinając pas na tunice. – W takim razie o czym?

– O podstawowych urządzeniach sanitarnych. O higienie. Nocnik może się przydać w sytuacji awaryjnej, ale obawiam się, że będę miała problem z używaniem go na co dzień.

– Ach. – Zmarszczył brwi i podrapał się po głowie. – W skrzydle rodzinnym jest coś w rodzaju toalety i latryny dla strażników, ale to nie to, do czego jesteś przyzwyczajona.

– Wystarczy. Kąpiele?

– Prysznic – westchnął. – Już za nim tęsknię. Mogę kazać przynieść ci balię i podgrzać wodę. No i jest jeszcze rzeka.

– Dobrze, na razie wystarczy. – Nie potrzebowała luksusów, ale wszystko miało swoje granice. – Teraz musimy porozmawiać o wyszkoleniu armii.

– Pomówmy o tym przy śniadaniu. – Larkinowi już solidnie burczało w brzuchu, więc złapał Blair za ramię i wyciągnął ją z pokoju, zanim zdążyła zaprotestować.

Podano pikantne jabłka, które najwyraźniej bardzo lubił, i zapiekane ziemniaki z szynką. Herbata była czarna i mocna. Blair przypuszczała, że daje lepszego kopa niż kawa.

– Tęsknię już za colą – powiedział Larkin przy stole.

– Będziesz musiał jakoś przeżyć.

Pomieszczenie było mniejsze niż salon, w którym zebrali się poprzedniego wieczoru, ale i tak pomieściło wielki, dębowy stół oraz kilka długich blatów i komód, w których, jak przypuszczała Blair, trzymano bieliznę i zastawę stołową.

– Czy zwodzony most działa tak samo jak drzwi? – zastanawiała się. – Czy je powstrzyma – wyjaśniła, gdy Larkin spojrzał na nią pytająco. – Czy będą potrzebowały zaproszenia, aby wejść na teren zamku? Powinniśmy to sprawdzić, żeby chronić swoje tyłki. Może Hoyt i Glenna coś wymyślą.

– Mamy jeszcze kilka dni.

– O ile Lilith będzie trzymała się planu. Tak czy siak musimy wykonać naszą robotę. Zorganizować i przetransportować cywilów z dala od pola bitwy. Hoyt i Glenna pewnie będą chcieli wypróbować swoją magiczną strefę bez wampirów, ale nie wierzę, żeby im się udało otoczyć cały teren czarem. Nie mówimy tu o jednym domu ani nawet o małej osadzie. – Blair potrząsnęła głową, nie przerywając jedzenia. – Zbyt wielka przestrzeń, za dużo możliwości. Obawiam się, że stracą tylko czas i energię.

– Być może. Ale bezpieczeństwo ludzi jest najważniejsze. Rozmawiałem o tym wczoraj z ojcem, zanim do ciebie przyszedłem. Posłańcy już wyruszyli rozgłosić wieści.

– Dobrze. Najwięcej uwagi musimy poświęcić wyszkoleniu armii. Macie tu strażników i może wojsko... jakichś rycerzy?

– Tak.

– Mają pewnie podstawowe umiejętności walki, ale to zupełnie inna sprawa. Trzeba też nauczyć ludzi, jak mogą się bronić. Musimy zabrać się do ustawiania pułapek. I chciałabym obejrzeć pole bitwy. – W myślach odhaczała kolejne punkty. – Będziemy musieli zorganizować punkty szkoleniowe dla wojskowych i cywilów. Do tego broń, transport, zapasy. Pewnie będziemy też potrzebowali miejsca do pracy dla Glenny i Hoyta.

– Wszystko zostanie przygotowane.

Spokój w głosie Larkina przypomniał Blair, że teraz są na jego terytorium. Znał swój kraj i swoich ludzi, a ona nie.

– Nie znam waszej piramidy. Łańcucha zależności – próbowała wytłumaczyć. – Kto czym rządzi.

Dolał im obojgu herbaty i pomyślał, jak miło tak siedzieć we dwójkę przy śniadaniu, nawet jeśli główny temat rozmowy stanowiła wojna.

– Dopóki Moira nie podniesie miecza z kamienia, mój ojciec będzie rządził jako głowa pierwszej rodziny w Geallii, ale on nie jest królem. Moira rozumie, że ludzie... „wojsko", jak ich określiłaś, darzą go zaufaniem. Pójdą za tym władcą, który uniesie miecz, tylko że...

– Trzeba dać im trochę więcej czasu. Lepiej, żeby przyjmowali rozkazy i usłyszeli o idei tej wojny od człowieka, który udowodnił im swoją wartość. Rozumiem. Moira jest na tyle mądra, że sama nie chce jeszcze przejmować władzy.

– Tak, jest mądra. Ale też bardzo się boi.

– Że to nie ona uniesie miecz?

Larkin potrząsnął głową.

– Że uniesie i będzie musiała rozkazać ludziom, by walczyli, przelewali krew i umierali dla swojej królowej. Ta myśl ją dręczy.

– To Lilith przelewa ich krew, przez nią giną.

– Ale to Moira każe im walczyć. Rolnikom i kupcom, kołodziejom i kucharzom. Przez całe pokolenia Geallia żyła w pokoju, ona byłaby pierwszą królową, która miałaby to zmienić. Ta świadomość bardzo jej ciąży.

– I powinna. Posyłanie ludzi na wojnę nigdy nikomu nie powinno przychodzić łatwo. Larkin, a jeśli to nie ona? Bo takie jest przeznaczenie albo po prostu zabraknie jej odwagi, by unieść miecz?

– Jest jedyną córką królowej, na Moirze wygasa jej linia rodu.

– I korona przechodzi na następną. Jesteś jeszcze ty.

– Odpukaj to. – Westchnął, gdy Blair się nie uśmiechnęła. – Jestem jeszcze ja, a także mój brat i siostra oraz jej dzieci. Najstarsze ma dopiero cztery lata. Mój brat sam jest jeszcze dzieckiem i ciągnie go do ziemi. Siostra chce zajmować się tylko swoim domem i rodziną. Oni nigdy by tego nie unieśli. Nie wierzę, że bogowie włożyliby miecz w ich ręce.

– A w twoje?

Popatrzył jej w oczy.

– Nigdy nie chciałem sprawować władzy. Ani podczas wojny, ani w czasie pokoju.

– Ludzie by za tobą poszli. Znają cię i ufają ci.

– Być może. Zresztą, gdyby do tego doszło, jaki miałbym wybór? Ale nie marzę o koronie, Blair. – Nie takie też było jego przeznaczenie, co do tego miał pewność. Sięgnął przez stół i wziął ją za rękę. – Przecież wiesz, o czym marzę.

– Marzenia, pragnienia. Nie zawsze dostajemy to, o co prosimy. Dlatego musimy brać, co nam dają.

– A jakie pragnienia kryją się w twoim sercu? Chcę...

– Przepraszam. – Moira stanęła w drzwiach. – Przepraszam, że wam przeszkadzam, ale wuj rozmawiał już ze strażnikami i rycerzami. Jesteście oczekiwani w wielkiej sali.

– W takim razie chodźmy – powiedziała Blair.

W dżinsach i czarnym swetrze Blair czuła się stanowczo źle ubrana. Po raz pierwszy, odkąd poznała Moirę, zobaczyła ją w sukience. A może raczej sukni? Jakkolwiek nazywał się ów strój, był prosty i elegancki, dopasowana pod biustem brunatna materia spływała miękko do ziemi.

Na dekolcie Moiry lśnił srebrny krzyż, na głowie miała cieniutki złoty diadem.

Glenna również wyglądała elegancko, ale przecież ona potrafiła zadawać szyku nawet ubrana w spodnie i zwykłą białą koszulę.

Ogromną salę ogrzewały umieszczone na obu końcach paleniska, pod przeciwległą ścianą umieszczono szeroki podest przykryty czerwonym dywanem. Na podeście stał tron, najprawdziwszy w świecie tron, zdumiała się Blair, cały w królewskiej purpurze i złocie.

Siedział na nim Riddock, u jego boku stała Moira.

Po drugiej stronie tronu siedziała kobieta o przykrytych siatką blond włosach, a obok niej młodsza, w zaawansowanej ciąży. Za ich plecami stało dwóch mężczyzn.

Pierwszy ród Geallii, pomyślała Blair. Rodzina Larkina.

W tej chwili Riddock popatrzył na syna, a Larkin dotknął ramienia Blair, szepcząc:

– Wszystko będzie dobrze – i wszedł po schodach, by zająć miejsce między rodzicami.

– Proszę. – Riddock wykonał szeroki gest ręką. – Spocznijcie. – Poczekał, aż usiądą na krzesłach u stóp podwyższenia. – Moira i ja długo rozmawialiśmy. Na jej prośbę pomówiłem ze strażnikami i rycerzami, ostrzegłem ich przed nadchodzącą wojną. Moira chce, abyście to wy objęli dowództwo, byście zwoływali ludzi, uczyli ich walki i powołali armię. – Zamilkł na chwilę i przyjrzał się im uważnie. – Nie urodziliście się w Geallii.

– Ojcze – zaprotestował Larkin. – Udowodnili swoją wartość.

– Ta wojna została przyniesiona na naszą ziemię i będzie opłacona naszą krwią. Pytam, dlaczego obcy mają prowadzić naszych ludzi?

– Czy mogę przemówić? – Hoyt wstał i poczekał, aż Riddock skinie głową. – Sama Morrigan nas tu przysłała, tak samo jak posłała dwoje z was do Irlandii, do nas, abyśmy stworzyli pierwszy krąg. My, którzy tu przybyliśmy, zostawiliśmy nasze światy i rodziny, ślubowaliśmy oddać życie w walce z zarazą, która nęka Geallię.

– Ta zaraza zamordowała królową, moją siostrę, zanim tu przybyliście. – Riddock wskazał na nich palcem. – Dwie kobiety, demon i człowiek magii. Do tego jesteście obcy. Mam tu doświadczonych ludzi, wypróbowanych. Ludzi, których imiona znam, znam ich rodziny. Mężów, którzy znają Geallię i są jej całkowicie oddani, o których wiem, że bez wahania poprowadzą nasz lud do walki.

– A na polu bitwy zostaną zaszlachtowani jak prosiaki. – Pomimo że Riddock spojrzał na nią lodowatym wzrokiem, Blair i tak zerwała się na równe nogi. – Wybacz, ale tak właśnie będzie. Możemy tańczyć tu menueta i postępować zgodnie z etykietą, tracić czas, ale prawda jest taka, że twoi doświadczeni mężowie nie mają pojęcia o walce z wampirami.

Hoyt położył dłoń na ramieniu Blair, lecz ona strząsnęła ją rozgniewana.

– I nie przyjechałam tutaj, żeby rozstawiano mnie po kątach tylko dlatego, że się tu nie urodziłam i jestem kobietą. Nie przyjechałam też, żeby walczyć o Geallię. Przyjechałam walczyć o wszystko.

– Dobrze powiedziane – dodała Glenna. – Popieram. Mój mąż jest przyzwyczajony do obcowania z książętami, my nie. Więc będziecie musieli wybaczyć nam, prostym kobietom. Prostym kobietom obdarzonym mocą. – Wyciągnęła dłoń, nad którą zabłysła kula ognia, i równie zła jak Blair, cisnęła nią w kominek. – Prostym kobietom, które walczyły, przelewały krew i patrzyły na śmierć przyjaciół. A demon, o którym mówiłeś, należy do mojej rodziny, on także walczył, krwawił i przyjaciele umierali na jego rękach.

– Może jesteście wojownikami. – Riddock zaszczycił ich wybuch jedynie królewskim skinieniem głowy. – Ale do dowodzenia potrzeba czegoś więcej niż tylko odwagi i magii.

– Potrzeba doświadczenia i chłodnej kalkulacji. I zimnej krwi.

Riddock spojrzał na Blair, lekko unosząc brwi.

– Tak, ale też zaufania ludzi, których się prowadzi.

– Ja im ufam – powiedział Larkin – i Moira. Zapracowali na moje i jej zaufanie każdą minutą w ciągu tych ostatnich kilku tygodni. A czy my nie zasłużyliśmy na twoje?

– Zasłużyliście. – Riddock przez chwilę milczał, po czym znowu zwrócił się do Hoyta, Glenny i Blair. – Proszę, żebyście na razie uczyli nas walczyć i słuchali poleceń lorda Larkina i księżniczki Moiry.

– Zawsze to jakiś początek – uznała Blair. – A ty będziesz walczył? – spytała Riddocka.

Spojrzał na nią wzrokiem drapieżnika.

– Do ostatniego tchu.

– W takim razie ty też będziesz potrzebował instrukcji, inaczej wydasz ostatnie tchnienie szybciej, niż się spodziewasz.

Larkin wzniósł oczy do nieba, ale położył uspokajająco dłoń na ramieniu ojca.

– Blair ma duszę wojownika – powiedział wesoło.

– I nieokiełznany język. W takim razie wyjdźmy na plac turniejowy – polecił. – Na nasze pierwsze nauki.

– Twój ojciec mnie nie lubi.

– Nieprawda. – Larkin po przyjacielsku trącił Blair łokciem. – Musi się do ciebie przyzwyczaić, to wszystko.

– Aaa-ha. – Popatrzyła na Glennę, gdy wychodzili z sali. – Myślisz, że powinnyśmy powiedzieć Riddockowi, co ludzie w naszych czasach myślą o królach?

– Chyba mu tego oszczędzimy. Ale starcie z nim uświadomiło mi, że nie będzie łatwo przekonać gromadę geallickich macho, że kobiety mogą uczyć ich walczyć.

– Myślałam o tym i doszłam do wniosku, że ty powinnaś pracować z kobietami.

– Słucham?

– Nie dąsaj się. Masz więcej cierpliwości i taktu niż ja. – Tak jak cała reszta świata, pomyślała Blair. – Może łatwiej ci będzie się dogadać z kobietami. Je także trzeba wyszkolić, Glenna, pokazać, jak mają bronić siebie i swoich rodzin, jak walczyć. Ktoś musi to zrobić, ktoś musi wybrać te, które zostaną w domu, i te, które pójdą na wojnę.

– O Boże!

– To samo dotyczy mężczyzn. Ci, którzy nie dadzą rady walczyć, muszą pomagać w inny sposób. Będą zajmowali się rannymi, chronili dzieci i starszych, dostarczali broń i pożywienie.

– A co waszym zdaniem – zapytał Hoyt – mamy robić Cian i ja, gdy wy będziecie tak zajęte?

– Ma muchy w nosie, bo napyskowałyśmy Riddockowi – szepnęła Glenna.

– Dziękuję ci za troskę, ale z moim nosem jest wszystko w porządku – odparł Hoyt z niezmąconym spokojem. – Należało mu się, tylko że mogłyście wykazać odrobinę więcej taktu. Jeśli go obrazimy, zmarnujemy potem jeszcze więcej czasu na przeprosiny.

– To rozsądny człowiek – wtrącił Larkin. – Nie pozwoliłby, żeby obowiązujące zasady przeszkodziły w wypełnieniu takiego obowiązku. – Sfrustrowany, przesunął ręką po włosach. – Ojciec nigdy przedtem nie sprawował władzy. Królowa włożyła koronę, gdy była bardzo młoda, a on tylko od czasu do czasu służył jej radą.

W takim razie szybko się uczy, pomyślała Blair.

Mężczyźni już się zebrali na placu, gdzie, jak domyśliła się Blair, urządzano turnieje, gry i zawody. Na długim sznurze wisiały kolorowe obręcze, które Blair uznała za tablice wyników. Królewska loża, proste ławy dla ludu, padok dla koni, namioty, gdzie zawodnicy przygotowywali się do pojedynków.

– Widziałaś film „Obłędny rycerz"? – zapytała szeptem Glennę.

– „We will, we will rock you"* – zaśpiewała cicho Glenna i Blair uśmiechnęła się szeroko.

– Dobrze, że jesteś tu ze mną. Pora na przedstawienie. Wybierz jednego, z którym sobie poradzisz.

– Co? Po co? Ale jak?

– Ty też – odpowiedziała Blair, wskazując na Hoyta. – Na wszelki wypadek.

Larkin podszedł do zgromadzonych mężczyzn.

– Mój ojciec powiedział wam, z czym musimy się zmierzyć. Mamy czas do Samhainu, by się przygotować, tego dnia musimy stanąć w Dolinie Ciszy i stoczyć bitwę. Musimy wygrać. Żeby wygrać, musicie wiedzieć, jak walczyć i jak unicestwiać demony. Nie walczymy z ludźmi, wampirów nie da się zabić w taki sposób jak nas.

Blair stała za plecami Larkina i obserwowała uważnie słuchających go mężczyzn. Większość z nich wyglądała na wysportowanych i silnych. Zauważyła Tynana, strażnika, który wyszedł im na spotkanie w nocy. Wyglądał na bardziej niż gotowego do bitwy.

– Ja z nimi walczyłem – ciągnął Larkin – i księżniczka Moira także. Tak samo moi przyjaciele, którzy przybyli spoza naszego świata. Razem przekażemy wam wszystko, co powinniście wiedzieć.

– Umiemy walczyć! – zawołał mężczyzna stojący obok Tynana. – Czy możesz pokazać mi coś, czego ja sam nie nauczyłem cię na tym placu?

– To nie będzie turniej. – Blair postąpiła krok do przodu. Pyskaty mężczyzna był wielki jak skała i miał hardą minę. Szerokie, silne ramiona, mocna budowa, mnóstwo pewności siebie.

Doskonale.

– Nie dostaniesz nagrody pocieszenia, jeśli zajmiesz drugie miejsce. Zginiesz.

Nie uśmiechnął się szyderczo, ale jego ton mówił wyraźnie, co sądzi o słowach Blair.

– Kobiety nie uczą mężczyzn sztuki walki. Doglądają ognia i grzeją łóżko.

W odpowiedzi usłyszał gromki śmiech, a Larkin posłał mu współczujące spojrzenie.

– Niall – powiedział wesoło – wdepnąłeś właśnie prosto w gówno. Te kobiety to wojowniczki.

– Nie widzę tu żadnych wojowniczek. – Niall oparł ręce na biodrach i przepchnął się do pierwszej linii szeregu. – Tylko dwie kobiety przebrane za mężczyzn i czarnoksiężnika, który stoi z nimi. A właściwie za nimi.

– Ja pójdę pierwsza – szepnęła Blair do Glenny. – Wyzywam cię! – zawołała do Nialla. – Tu i teraz. Ty wybierasz broń.

* Przebój zespołu Queen.

Mężczyzna parsknął.

– Myślisz, że będę walczył z białogłową?

– Wybierz broń – rozkazał Riddock.

– Panie, jak każesz. – Odchodząc, uśmiechał się krzywo.

Natychmiast zaczęto robić zakłady.

– No dobrze. – Larkin poklepał Blair po ramieniu i ruszył w stronę mężczyzn. – Ja też chcę zarobić.

Niall wrócił z dwiema długimi tyczkami. Blair patrzyła uważnie, w jaki sposób je trzymał, jak się poruszał.

– Szybko skończymy – zapewnił Blair.

– O tak. Dobry wybór broni – zawołała, próbując przekrzyczeć głosy przyjmujących zakłady. – Drewnem możesz zabić wampira, jeśli masz wystarczająco dużo siły i na tyle dobre oko, by przebić mu serce. Ty wyglądasz na silnego. – Obejrzała Nialla od stóp do głów. – Jak twoje oko?

Wyszczerzył zęby w szerokim uśmiechu.

– Jeszcze żadna kobieta się nie skarżyła.

– Zobaczmy, co tam masz, wielkoludzie. – Złapała tyczkę i skinęła głową. – Gotowy?

– Żeby grać uczciwie, oddam ci trzy pierwsze ciosy.

– Świetnie.

Położyła go dwoma, najpierw wbijając mu koniec tyczki w brzuch, a potem podcinając nogi. Zignorowała śmiechy i okrzyki i stanęła nad pokonanym, przyciskając mu drewno do piersi na wysokości serca.

– Gdybyś był wampirem, wbiłabym ci w serce tę tyczkę, tak że wyszłaby po drugiej stronie. I zamieniłbyś się w proch. – Odsunęła się od niego. – Chyba powinniście wstrzymać zakłady, chłopaki. To była tylko rozgrzewka. – Przechyliła głowę i popatrzyła na Nialla. – Teraz gotowy?

Skoczył na równe nogi i Blair zobaczyła, jak bardzo był zszokowany i zawstydzony faktem, że pokonała go kobieta. To go naprawdę rozjuszyło. Zaatakował ostro, rąbnął w tyczkę Blair z taką siłą, że omal nie odpadła jej ręka. Gdy wycelował w nogi, Blair zrobiła obrót w powietrzu i walnęła Nialla kijem w pierś.

Umiał dobrze walczyć i był silny jak tur, ale brakowało mu pomysłowości, uznała.

Użyła tyczki jako podpory i przeskoczyła nad przeciwnikiem. Wylądowała, z wyskoku kopnęła go w dół pleców, złapała mocno tyczkę i przycisnęła mu do gardła, tak że nie mógł złapać tchu.

– Gramy do trzech? – zaproponowała.

Ryknął i chwycił za kij. Blair pozwoliła, by uniosła ją siła Nialla, odbiła się z ziemi i stopami powaliła go na ziemię.

Oczy miał okrągłe ze zdziwienia, gdy po raz drugi przycisnęła mu tyczkę do gardła. Ostatni upadek pozbawił go tchu i rumieńców.

– Mogę to robić cały dzień, a ty cały czas będziesz lądował na dupie. – Wstała i nonszalancko oparła się na tyczce. – Jesteś silny, ale ja też. Nie odrywasz stóp od ziemi i w ogóle o tym nie myślisz. To, że jesteś postawniejszy, wcale nie oznacza, że wygrasz, i na pewno nie zagwarantuje, że będziesz żył. Ważysz jakieś pięćdziesiąt kilo więcej ode mnie, ale ja trzy razy rozłożyłam cię na łopatki.

– Pierwszy się nie liczy. – Niall usiadł i potarł obolałą głowę. – Ale tamte dwa wygrałaś.

Uśmiechnął się szeroko i Blair wiedziała, że wygrała.

– Larkin, chodź i weź tę tyczkę! – zawołał. – Stań zamiast niej, w końcu to kobieta.

Blair uniosła dłoń.

– On też cię pokona. Sama go trenowałam.

– W takim razie mnie też nauczysz. A oni? – Skinął głową w kierunku Hoyta i Glenny. – Też walczą tak jak ty?

– Ja jestem najlepsza, ale oni też są cholernie dobrzy.

Odwróciła się do zebranych i odczekała, aż pieniądze przejdą z rąk do rąk. Zauważyła, że wśród niewielu mężczyzn, którzy wygrali, byli Larkin i Tynan.

– Ktoś jeszcze ma ochotę na demonstrację?

– Ja bym poprosił jedną z tą rudą – zawołał ktoś i po placu przetoczył się gromki śmiech.

Glenna zatrzepotała rzęsami i uśmiechnęła się zalotnie, po czym wyciągnęła miecz i posłała płomień wzdłuż ostrza.

Wszyscy mężczyźni cofnęli się o krok.

– Mój mąż jest jeszcze lepszy – powiedziała słodko.

– O tak. – Hoyt zrobił krok do przodu. – Może ktoś wolałby demonstrację w moim wykonaniu zamiast mojej pięknej żony? Miecze? Szpady? – Odwrócił dłonie wnętrzem do góry i pozwolił, by zatańczyły nad nimi kule ognia. – Gołe ręce? Nie kryję się za tymi kobietami, lecz jestem dumny, że mogę stać obok nich.

– Spokojnie, chłopie – powiedziała Blair. – Słuchajcie, można pokonać je ogniem, tak samo jak drewnem, jeśli użyje się go w odpowiedni sposób. Żelazo je zrani, spowolni, ale ich nie zabije, chyba że odetniecie głowę. Inaczej będą atakowały, aż rozerwą wam gardła.

Rzuciła swoją tyczkę Niallowi.

– To nie będzie łatwa i czysta walka jak nasza przed chwilą. Bitwa będzie krwawa, podstępna i tak okrutna, że nie da się tego opisać słowami. Wiele z nich będzie od was silniejszych i szybszych. Ale to wy wygracie. Bo jeśli tego nie zrobicie, one zabiją nie tylko was, żołnierzy, z którymi starły się w walce, lecz zamordują też wasze żony, dzieci i matki. Tych, których nie zabiją, przemienią w podobnych sobie lub zrobią z nich niewolników, żeby mieć pożywienie albo sługę do zabawy. Wy je powstrzymacie, bo nie macie innego wyjścia.

Przerwała na chwilę, żeby posłuchać panującej wokół niej ciszy, spojrzeć we wpatrzone w nią oczy.

– A my wam pokażemy jak.

14

Blair nie mogła się zdecydować, czy woli kąpiel w rzece czy w wannie. Woda na zewnątrz była pewnie lodowata, ale nie wyobrażała sobie, że jakiś sługa miałby dla niej targać pełne wrzątku wiadra tylko po to, aby wlać go do jeszcze większego wiadra. A po tym, jak Blair się wykąpie, biedak będzie musiał powtórzyć wszystko w drugą stronę.

To było zbyt dziwaczne.

Jednak po kilku godzinach ćwiczeń z gromadą mężczyzn najbardziej na świecie marzyła o wodzie i mydle.

Czy prosiła o tak wiele?

– Doskonale sobie poradziłaś. – Moira zrównała się z nią. – Wiem, że to musi być dla ciebie frustrujące, tak jakbyś zaczynała wszystko od nowa. I to z mężczyznami, którzy uważają, że wiedzą tak samo dużo – a może i więcej – jak ty. Ale świetnie ci poszło. To był doskonały początek.

– Większość tych facetów jest w dobrej lub nawet doskonałej formie, to ogromny plus. Niestety prawie wszyscy wciąż myślą, że to zabawa, po prostu nie wierzą. A to wielki minus.

– Bo nie widzieli ich na własne oczy. Wiedzą, co stało się z moją matką, ale i tak wierzą – wolą wierzyć – że zrobił to jakiś zdziczały pies. Pewnie ja też bym tak myślała, gdybym sama nie widziała, co ją zabiło.

– Łatwiej jest nie wierzyć. Jeremy zginął między innymi z powodu braku wiary.

– Tak, i dlatego sądzę, że ludzie muszą zobaczyć, żeby uwierzyć. Musimy dopaść te, które zabiły królową, i inne, polujące w Geallii od tamtej pory. Musimy przyprowadzić tu przynajmniej jednego z nich.

– Chcesz złapać wampira żywcem?

– Tak. – Moira dobrze pamiętała, jak Cian wciągnął kiedyś demona do sali ćwiczeń i odszedł, żeby ich piątka spróbowała z nim walczyć. I zrozumieć, czemu mają stawić czoło. – To ludziom coś udowodni.

– Na pewno łatwiej uwierzyć w to, co masz przed nosem. – Blair przemyślała szybko pomysł Moiry. – Dobrze. Zapoluję dziś w nocy.

– Nie sama. Przestań, przestań – powiedziała Moira zmęczonym głosem, gdy Blair zaczęła protestować. – Jesteś przyzwyczajona do polowania w pojedynkę i potrafisz sama to zrobić, ale nie znasz okolicy, a one już tak. Pójdę z tobą.

– Masz sporo racji, ale nie ty pójdziesz ze mną na to polowanie. Ja też nie twierdzę, że nie dasz rady, ale nie jesteś najlepsza w walce wręcz. Zabiorę Larkina i Ciana.

Moira poirytowanym gestem zerwała kwiat z krzaka.

– Teraz ty masz rację. Mam wrażenie, że od powrotu do domu zajmuję się tylko sprawami organizacyjnymi.

– Współczuję ci, ale myślę, że te sprawy też są ważne. Mężowie stanu zwołują armie. Już podjęłaś kroki, by ewakuować ludzi ze strefy wojny. Ocalasz życie swoim poddanym, Moiro.

– Wiem, ale...

– Kto poruszy serca ludzi, zachęci ich do walki, przekona, żeby ryzykowali własne życie? My ich wyszkolimy, Moira, tylko że ktoś musi ich do nas przyprowadzić.

– Wiem, masz rację.

– Znajdę ci wampira – nawet dwa, jeśli będę mogła. Ty daj mi ludzi, których będę mogła nauczyć, jak go zabić. Ale na razie muszę się umyć. Wampir wyczuje mnie na kilometr.

– Każę przygotować dla ciebie kąpiel w twojej komnacie.

– Myślałam, że po prostu wskoczę do rzeki.

– Zwariowałaś? – W końcu na twarzy Moiry rozkwitł uśmiech. – O tej porze roku woda jest lodowata.

Moirze nigdy nie było łatwo rozmawiać z Cianem. Nie dlatego, że był wampirem, do tego już się przyzwyczaiła. Kiedy o nim myślała, traktowała to jak swego rodzaju przypadłość.

Przy pierwszym spotkaniu ocalił jej życie i od tamtej chwili nigdy jej nie zawiódł.

Jego ród zamordował jej matkę, a mimo to Cian walczył u boku Moiry, ryzykując życie – a raczej egzystencję.

A jednak coś w niej tkwiło, coś, czego nie mogła do końca zbadać ani zrozumieć, przez co czuła się przy nim niezręcznie, była onieśmielona i spięta.

Nie ulegało wątpliwości, że Cian albo to widział, albo wyczuwał. Traktował ją zawsze dużo chłodniej niż pozostałych i bardzo rzadko rzucał jej uśmiech czy słowo pochwały.

Gdy jechali do Tańca i zaatakowały ich wampiry, to Cian uniósł Moirę z ziemi, a jego ramiona były ramionami mężczyzny, mocne i prawdziwe, ciało i krew.

– Trzymaj się – tylko tyle powiedział.

Jechała z nim do zamku, przytulona do mężczyzny, sprężystego i silnego. A serce jej waliło z tak wielu powodów, że bała się dotknąć tego mężczyzny. Co wtedy powiedział tym swoim ostrym, zniecierpliwionym głosem?

A tak: „Trzymaj się mnie, zanim znowu polecisz na tyłek. Przecież jeszcze cię nie ukąsiłem, prawda?".

Poczuła wstyd i zakłopotanie i bardzo się cieszyła, że Cian nie może zobaczyć ognistych rumieńców na jej policzkach.

Na pewno rzuciłby jakąś ciętą uwagę na temat jej dziewczęcych pąsów. Teraz musiała do niego pójść i poprosić o pomoc. Nie mogła pozostawić tego Blair czy Larkinowi, a już na pewno żadnemu ze sług. To ona musiała stanąć z Cianem twarzą w twarz, wyjaśnić, o co jej chodzi, i poprosić o przysługę.

Wiedziała, że on to zrobi, nie dla niej – cóż dla niego znaczyła prośba księżniczki – ale przysługa dla przyjaciela to co innego. Zrobi to dla pozostałych, dla całej sprawy.

Poszła sama. Kobiety, które jej usługiwały, oczywiście by ją potępiły i uznałyby pomysł wizyty „ich księżniczki" w męskiej sypialni za niedorzeczny, nawet szokujący.

Takie sprawy nie miały już dla Moiry żadnego znaczenia. Co pomyślałyby jej damy, gdyby wiedziały, że kiedyś, gdy był ranny, poiła go krwią?

Pomyślała, że pewnie zaczęłyby piszczeć i zakrywać twarze – oczywiście tylko te, które by nie zemdlały. Ale już wkrótce będą musiały przyzwyczaić się do takich widoków. Albo jeszcze gorszych.

Czuła kamień w żołądku, podchodząc do sypialni Ciana, ale zapukała głośno i zdecydowanie.

Otworzył drzwi, a padające z korytarza światło rozjaśniło mu twarz, pozostawiając resztę postaci w ciemności. Moira dostrzegła maleńki błysk zaskoczenia w jego oczach, gdy na nią spojrzał.

– Proszę, proszę, popatrzcie tylko. Prawie cię nie poznałem, wasza wysokość.

Przypomniała sobie, że jest w sukni i ma na czole książęcy diadem ze złota, i poczuła się niezręcznie.

– Musiałam wziąć udział w obradach i ubrać się odpowiednio na tę okazję.

– Wyglądasz ponętnie. – Oparł się nonszalancko o drzwi. – Czy moja obecność też jest tam wymagana?

– Tak. Nie. – Dlaczego zawsze czuła się przy nim taka niezdarna? – Czy mogę wejść? Chciałabym z tobą pomówić.

– Bardzo proszę.

Musiała otrzeć się o niego, żeby wejść do pokoju. Było tu ciemno jak w grobie, nie paliła się ani jedna świeczka, nie płonął ogień, a kotary pozostawały szczelnie zaciągnięte.

– Słońce już zaszło.

– Tak, wiem.

– Miałbyś coś przeciwko temu, gdybym zapaliła świecę? – Wzięła do ręki krzesiwo i hubkę. – Nie widzę w ciemności tak dobrze jak ty. – Nawet pojedynczy płomień ukoił trochę jej nerwy. – Chłodno tu – ciągnęła, zapalając więcej świec. – Może napalę w kominku?

– Rób, jak chcesz.

Cian milczał, gdy klęcząc przed paleniskiem, podpalała torf, ale wiedziała, że ją obserwował, i dłonie odmawiały jej posłuszeństwa.

– Wygodnie ci tutaj? – zaczęła. – Pokój nie jest tak wielki i luksusowo urządzony jak te, do których jesteś przyzwyczajony.

– I oddalony na tyle od reszty domowników, by mogli czuć się bezpieczni.

Zaszokowana odwróciła się do niego, a ogień strzelił z torfu za jej plecami. Nie zarumieniła się, tylko zbladła jak ściana.

– Och nie, ja nigdy nie miałam zamiaru...

– Nic nie szkodzi. – Podniósł szklankę i wypił spory haust krwi, nie spuszczając wzroku z twarzy Moiry. – Domyślam się, że niektórzy z twoich ludzi czuliby się zniesmaczeni moimi zwyczajami.

Moira ze zdenerwowania zaczęła się jąkać.

– W ogóle o tym nie pomyślałam. Ten pokój jest od północy i uznałam... Pomyślałam, że będzie ci w nim najwygodniej, bo mniej tutaj słońca. Nigdy nie obraziłabym gościa, przyjaciela. Nigdy nie chciałabym urazić kogoś, kto użyczył mi schronienia w swoim domu. – Wstała szybko. – Mogę kazać natychmiast przenieść twoje rzeczy. Ja...

Podniósł dłoń.

– Nie ma takiej potrzeby. Przepraszam za swoje słowa. – Była to jedna z niewielu chwil, gdy Cian poczuł wyrzuty sumienia. – To bardzo rozsądny wybór, nie mógłbym sobie wymarzyć lepszej komnaty.

– Dlaczego my... nie rozumiem, czemu tak często się sprzeczamy.

– Nie rozumiesz? – burknął. – Tym lepiej dla ciebie. Czemu zawdzięczam zaszczyt twojej wizyty?

– Naśmiewasz się ze mnie – powiedziała Moira cicho. – Zawsze mówisz do mnie takim surowym tonem.

Wydawało jej się, że Cian cichutko westchnął.

– Nie jestem w najlepszym humorze. Kiepsko sypiam w obcych miejscach.

– Przykro mi. A ja znowu muszę ci przeszkodzić. Poprosiłam Blair, żeby zapolowała na wampiry i przyprowadziła co najmniej jednego do zamku. Żywego.

– Sprzeczność sama w sobie.

– Nie wiem, jak inaczej to powiedzieć – ucięła. – Moi ludzie będą walczyć na prośbę władcy, ale nie mogę sprawić, żeby uwierzyli w to, co uważają za niemożliwe. Trzeba im to pokazać.

Tylko dobra królowa, pomyślał Cian, nie oczekuje, że poddani pójdą za nią na oślep. I spójrzcie tylko, jak stoi nieruchoma i poważna, chociaż w jej myślach szaleje burza.

– Chcesz, żebym z nią pojechał?

– Chcę... ona chce. Chcę. Boże, zawsze przy tobie plącze mi się język. Blair poprosiła, żebyście ty i Larkin z nią pojechali. Nie chce, żebym ja jechała, uważa – zresztą ja tak samo – że bardziej się przydam, zwołując ludzi i pomagając w ustawieniu pułapek, które wymyśliła.

– Rządząc.

– Jeszcze nie rządzę.

– Z własnego wyboru.

– Tak. Na razie. Byłabym wdzięczna, gdybyś pojechał z Blair i Larkinem i pomógł im przyprowadzić wampira.

- Wolę coś robić, niż siedzieć bezczynnie, ale muszę wiedzieć, gdzie mamy szukać.

- Mam mapę. Rozmawiałam już z moim wujem i wiem, w których miejscach atakowały - w każdym razie o tych wiemy. Larkin zna Geallię, nie moglibyście mieć lepszego przewodnika. I wiesz dobrze, że nie ma lepszego towarzysza zarówno w zabawie, jak i w walce.

- Nie mam nic przeciwko temu chłopakowi ani polowaniu.

- W takim razie jak tylko będziesz gotów, przyjdź na zewnętrzny dziedziniec. Mogę kogoś przysłać, żeby pokazał ci drogę.

- Wiem, jak tam trafić.

- Dobrze. Pójdę dopatrzyć waszych koni i prowiantu. - Podeszła do drzwi, ale Cian znalazł się tam przed nią - chociaż wydawało się, że w ogóle się nie poruszył. Podniosła wzrok na jego twarz.

- Dziękuję - powiedziała i szybko wymknęła się na korytarz.

Te oczy, pomyślał Cian, zamykając za nią drzwi. Te głębokie, szare oczy mogły odebrać mężczyźnie życie.

Dobrze, że on jest już martwy.

Ale nic nie mógł poradzić na zapach, który po sobie pozostawiła, aromat leśnej polany i chłodnego strumienia. W tym wypadku był absolutnie bezsilny.

- Będziemy was obserwowali. - Glenna położyła dłoń na nodze Blair, która dosiadła już konia. - Będziemy wiedzieli, jeśli wpadniecie w kłopoty. Zrobimy, co w naszej mocy, żeby wam pomóc.

- Nie martw się, robię to od trzynastu lat.

Ale nie w Geallii, pomyślała Glenna, jednak zrobiła krok w tył.

- Udanego polowania.

Przejechali przez bramę i skręcili na południe.

To dobra noc na polowanie, pomyślała Blair, jasna i chłodna. Łatwiej wytropić je nocą, kiedy są aktywne, niż w ciągu dnia, gdy schowają się do jakiejś nory. W każdym razie w dzień nie mogliby zabrać Ciana, którego obecność uważała za duży atut.

Jechała między mężczyznami nieśpiesznym stępem.

- Nie chciałam pytać Moiry - zaczęła Blair - ale czy śmierć jej matki była pierwszym znanym atakiem?

- Tak, pierwszym, o jakim usłyszeliśmy.

- I tamtej nocy nikt inny nie został zaatakowany?

- Nie. - Larkin potrząsnął głową. - W każdym razie nic o tym nie wiemy.

- W takim razie uderzyły w konkretny cel - myślała głośno Blair. - Możemy przypuszczać, że przyszły specjalnie po matkę Moiry. Nie wiemy jednak, w jaki sposób dostały się do zamku.

- Myślałem o tym - przyznał Larkin. - Przed śmiercią królowej nie było żadnego powodu, dla którego strażnicy mieliby kogoś nie wpuścić. Mogły wjechać wozem z warzywami lub podając jakikolwiek inny zwyczajny powód, nikt by ich nie zatrzymał.

– Zgadza się. – Blair przez chwilę kiwała głową. – Weszły zaraz po zmierzchu i pozostały w ukryciu, dopóki wszyscy nie położyli się spać. Wtedy wywabiły królową na zewnątrz i ją zabiły. – Zerknęła na Larkina. – Nie znamy żadnych szczegółów?

– Tak naprawdę Moira nie chciała o tym mówić. Nie jestem pewien, czy w ogóle pamięta jakieś szczegóły.

– Może dla nas to i tak nie ma znaczenia. Zabiły królową i zostały w Geallii. Może przechodzą przez portal tylko w określonym czasie. I nie zabijają każdej nocy, odnotowano tylko kilka przypadków przez te wszystkie tygodnie. To raczej słaby dla nich wynik.

– Na pewno było więcej – wtrącił się Cian. – Podróżnicy, dziwki, wszyscy ci, których zniknięcia nikt zbyt szybko nie zauważy. Ale były ostrożne i unikały tego, co my robimy w tej chwili: polowania. Myślę, że nie tylko przed nami się chowają.

– A przed kim? – Larkin spojrzał na towarzyszy i zobaczył, jak Blair w zamyśleniu patrzy na Ciana.

– On mówi o Lilith. Myślisz, że kryją się przed nią? Dlaczego?

– Może dlatego, że tylko w połowie masz rację. Uderzyły w konkretny cel, ale wątpię, by nim była królowa. Chodziło o Moirę, to ona została wybrana jako ogniwo pierwszego kręgu.

– Moira? – W głosie Larkina zabrzmiał lęk; obrócił się w siodle, by spojrzeć na zamek, który majaczył za ich plecami. – Jeśli już raz próbowały ją zabić...

– Próbowały zabić każdego z nas i to więcej niż raz – przypomniał mu Cian. – Bez powodzenia. W tej chwili jest tak bezpieczna, jak tylko może być.

Blair analizowała w myślach teorię Ciana.

– Myślisz, że Lilith spróbowała od końca, chciała zabić jedno z nas, zanim tak naprawdę stanie się ogniwem kręgu?

– To bardzo możliwe. Inaczej po co miałaby poświęcać czas i wysiłek na posyłanie tu morderców? Jeśli mamy się bawić w analizę tego całego przeznaczenia – ciągnął Cian – to celem ataku miała być Moira, a nie jej matka.

– Spieprzyli robotę – podsumowała Blair. – Zabili nie tę osobę, co trzeba. Może nie chodzi o to, że nie mogą wrócić, tylko po prostu nie chcą.

– Lilith nie jest szczególnie tolerancyjna, gdy chodzi o błędy swoich podwładnych. Jeśli miałabyś wybór między jej karą a ukryciem się tutaj i dyskretną przekąską z miejscowych, to co byś wybrała?

– Drzwi numer dwa – odpowiedziała Blair. – A jeśli bawimy się w analizowanie przeznaczenia, to jej największym błędem było przemienienie ciebie dawno temu. Jesteś dużo groźniejszym przeciwnikiem jako wampir niż jako człowiek. Bez urazy.

– Bez urazy.

– Za tobą wyruszył Hoyt i rozkręcił cały ten kram z misją od Morrigan.

Zamyślona Blair przesunęła palcami po krzyżach, które nosiła na szyi.

– Potem Glenna związała się z Hoytem lub, jeśli wolicie romantyczną wersję, ich przeznaczeniem było odnaleźć się i pokochać. A łącząc się, po-

151

większyli znacznie swoją siłę. Larkin jest spokrewniony z Moirą i dlatego przeszedł przez Taniec do Irlandii.

– I robi się ładny, mały krąg – dokończył Cian. – Zamknięty sam z siebie, ale wy to nazywacie wolą bogów.

– Ona nie miała umrzeć! – Larkin odetchnął głośno. – Królowa zginęła zamiast Moiry. Moira będzie cierpiała niewyobrażalne katusze, kiedy dojdzie do tego wniosku.

– Przy jej bystrym i dociekliwym umyśle byłbym zaskoczony, gdyby już się nad tym nie zastanawiała. Poradzi sobie – dodał Cian. – Co innego może zrobić?

Larkin pozwolił, aby ta myśl zadomowiła się w jego głowie i w sercu, gdy przecinali pole.

– Do następnego ataku doszło tutaj. Podobno człowiek, który uprawia tę ziemię, myślał, że to wilk przetrzebił mu owce. Jego syn znalazł je następnego ranka. Mój ojciec sam tu przyjechał, żeby zobaczyć poszarpane zwierzęta. Wyglądały tak samo jak ciało królowej.

Blair uniosła się w siodle.

– Około sześciu kilometrów na południe od zamku, żadnych kryjówek dookoła, tylko otwarte pole, ale doświadczone wampiry potrafią przemieszczać się dość szybko. Mogły wchodzić i wychodzić z zamku, jeśli miały zaproszenie, ale...

– Zamek nie jest dobrym schronieniem – dokończył Cian. – Łatwe łupy, jednak zbyt na widoku. Nie, wybrałyby jaskinię lub gęsty las.

– Dlaczego nie dom czy chatę? – zapytał Larkin. – Gdyby się postarały, poszukałyby jakiejś z dala od drogi, gdzie nikt by ich nie znalazł.

– To możliwe – przyznał Cian – ale do domu, chaty czy jakiegokolwiek innego budynku może wpaść światło słońca. To bardzo potężna broń – wystarczy, żeby ktoś odsłonił okno.

– No dobrze. – Larkin wskazał za pole. – Następne dwa ataki odnotowano na wschód od tego miejsca. Tam jest las, ale to doskonały teren łowiecki. Myśliwi tropią jelenie i zające, mogliby zakłócić dzienny wypoczynek wampira.

– Ty to wiesz – przypomniała mu Blair – ale one nie muszą. Są tu obce. Zacznijmy od tego lasu.

Przez dłuższy czas jechali w milczeniu. Blair widziała na polach bydło i owce – mała przekąska, jeśli wampir nie mógł pochwycić człowieka. Gdzieniegdzie migotały światełka – latarnie lub świece w domach, jak przypuszczała. Czuła dym, raczej ziemistą woń torfu niż drewna.

Czuła też zapach trawy i gnoju, i głęboką, gliniastą woń pól.

Czuła zapach koni i Larkina i wiedziała już, czym różni się zapach Ciana od innych jemu podobnych.

Ale gdy dojechali na skraj lasu, nie była tego taka pewna.

– Jechały tędy konie i to nie tak dawno temu.

Popatrzyła na Larkina, unosząc brwi.

– Proszę, proszę, mamy tu małego skauta.

– Ślady. – Zsunął się z konia, żeby obejrzeć dokładnie ziemię. – Niepodkute. Pewnie Cyganie, ale nie widzę kolein wozu. W każdym razie wychodzą z lasu.

– Ile sztuk?

– Dwa. Dwa konie wyszły z lasu i ruszyły w pole.

– Możemy pojechać za nimi w gęstwinę? Dowiedzieć się, skąd szły?

– Możemy. – Wskoczył z powrotem na wierzchowca. – Jeśli jadą konno, mogły pokonać spory dystans. Musielibyśmy mieć dużo szczęścia, żeby wytropić je w jedną noc.

– Pojedziemy śladami jeźdźców w drugą stronę i zobaczymy, na co natrafimy. Pozostałe ataki były na wschodzie, tak? Po drugiej stronie lasu?

– Tak. Co najmniej siedem kilometrów stąd.

– To miejsce jest dobre na bazę wypadową. – Blair popatrzyła na Ciana. – Jeśli mają tu dobrą kryjówkę, to mogą przesypiać dzień, a w nocy szukać pożywienia.

– O tej porze roku jest jeszcze sporo liści – przyznał. – Poza tym w lesie żyją małe zwierzęta, jeśli już naprawdę nie miałyby co jeść.

Larkin wysforował się do przodu, prowadząc ich po śladach tak długo, aż gałęzie drzew przesłoniły światło gwiazd. Wtedy znowu zeskoczył z konia i dalej kierował się znakami, których Blair w ogóle nie dostrzegała.

Ona sama zwykle polowała w miejskiej dżungli, kierując się miejskimi śladami, jednak Larkin poruszał się z pewnością człowieka, który wie, co robi, i zatrzymywał się tylko od czasu do czasu, by przykucnąć i obejrzeć dokładniej jakiś trop.

– Poczekaj – rzuciła nagle Blair. – Poczekaj chwilę. Czujesz? – zapytała Ciana.

– Krew. Nie jest świeża. I śmierć. Jeszcze starsza.

– Lepiej wskocz na konia, Larkin. Chyba jednak bogowie nam sprzyjają.

– Nie czuję nic poza zapachem lasu.

– Poczujesz – wymamrotała i wyciągnęła miecz z pochwy, którą miała na plecach.

Wóz stał ukryty między drzewami, z dala od ścieżki. Przypominał małą przyczepę, pomyślała Blair, z tyłu łuszczyła się i odpadała czerwona farba. Wszystko dookoła wydawało się przesiąknięte zapachem krwi.

– Kotlarze – powiedział Larkin. Blair miała rację, on także czuł teraz zapach krwi. – Cyganie, którzy jeżdżą po wsiach i sprzedają swoje wyroby.

– Dobra kryjówka – uznała Blair. – Mobilna. Można jeździć tym po nocy i nikt nie zwróci uwagi.

– Można też pojechać prosto do wioski – dodał Larkin ponuro. – Zatrzymać się przed jakąś chatą i poprosić o gościnę. W normalnej sytuacji każdy by jej udzielił.

Pomyślał o dzieciach wybiegających przed dom, żeby zobaczyć, czy obwoźni handlarze mają do sprzedania jakieś zabawki, o które mogłyby błagać rodziców. Sama ta myśl przyprawiła go o większe mdłości niż panujący wokół smród.

Wszyscy troje zsiedli z koni i podeszli do tylnej ściany wozu, w której były mocno zamknięte na skobel drzwi. Wyciągnęli miecze. Blair odsunęła skobel i pchnęła drzwi.

Gdy się uchyliły, lekko skinęła głową towarzyszom, policzyła w myśli do trzech i otworzyła je na oścież.

W ich nozdrza uderzyło cuchnące powietrze, wdzierając się do gardeł i oczu. Blair usłyszała brzęczenie wygłodzonych much i przełknęła głośno ślinę, by nie zwymiotować.

To wyskoczyło wprost na nią, potwór o twarzy ślicznej dziewczyny i czerwonych, szalonych oczach. Ciemne włosy miała poplamione krwią, tak samo jak prostą sukienkę, uszytą w domu.

Blair odskoczyła na bok, a dziewczyna wylądowała na czworakach na ziemi, szczerząc zęby niczym zwierzę, jakim się stała.

Larkin zamachnął się mieczem i zakończył jej cierpienia.

– O Boże, o słodki Jezu. Nie mogła mieć nawet czternastu lat. – Chciał tylko usiąść na ziemi i siedzieć, aż żołądek przestanie podchodzić mu do gardła. – One ją przemieniły. Ilu jeszcze...

– Niewielu – przerwał mu Cian. – Inaczej musiałyby bić się o jedzenie, walczyć o władzę.

– Ona nie przyszła z tamtymi. – Larkin nie dawał za wygraną. – Ona nie była jedną z nich, pochodziła z Geallii.

– I była młodą, ładną dziewczyną. Głód to niejedyne pragnienie wampirów.

Blair obserwowała, jak do Larkina docierał cały sens słów Ciana, widziała szok i zimną wściekłość na jego twarzy.

– Skurwysyny. Pieprzone łotry. To było prawie dziecko.

– A to cię dziwi?

Larkin obrócił się do Ciana i Blair nie wątpiła, że wyładowałby na nim swoją złość i przerażenie, być może nawet Cian specjalnie dał mu po temu okazję, ale nie mieli czasu na awanturę.

Dlatego po prostu stanęła między nimi i odepchnęła Larkina o dobre trzy kroki w tył.

– Uspokój się – rozkazała. – Po prostu o tym nie myśl.

– Jak mam to zrobić? Jak ty możesz?

– Nie możesz przywrócić jej życia, ani jej, ani pozostałym, którzy są w środku. – Wskazała podbródkiem na wóz. – Dlatego musimy pomyśleć, jak wykorzystać tę sytuację, żeby złapać potwory, które to zrobiły.

Opanowała własne obrzydzenie i weszła do wozu. W sam środek koszmaru.

To, co pozostało zapewne z rodziców dziewczynki, wrzucono po prostu pod prymitywne łóżko stojące przy jednej ze ścian. Mężczyzna umarł chyba szybko, tak samo jak mały chłopiec, który leżał pod barłogiem po drugiej stronie.

Ale kobiecie poświęciły więcej czasu. Po co inaczej miałyby zdzierać z niej ubranie, skoro nie zamierzały się z nią zabawiać? Ręce miała wciąż związane, a pozostałości jej ciała były całe pokryte śladami ukąszeń.

O tak, poświęciły jej dużo czasu.

Blair nie dostrzegła żadnej broni, ale na jednym z łóżek widniały świeższe plamy krwi niż na pozostałych czy też na ścianach i podłodze. Przypuszczała, że to tam umarła dziewczynka. I obudziła się na nowo.

– Kobieta jest martwa od kilku dni – powiedział Cian za jej plecami. – Mężczyzna i chłopiec nie żyją trochę dłużej, dzień lub dwa.

– Tak. Jezu. – Blair musiała wyjść na zewnątrz, aby zaczerpnąć powietrza, które – jak miała nadzieję – oczyści ze smrodu jej gardło i płuca.

– One po nią wrócą. – Pochyliła się i oparła dłonie o kolana, czekając, aż miną mdłości. – Przyniosą jej coś do jedzenia. Była nowa, pewnie obudziła się dopiero dziś w nocy.

– Musimy pochować tych ludzi – powiedział Larkin. – Zasługują na pogrzeb.

– To będzie musiało poczekać. Słuchaj, wkurzaj się na mnie, jeśli chcesz...

– Nie. Jestem zdruzgotany, ale nie złoszczę się na ciebie. Ani na ciebie. – Popatrzył na Ciana. – Nie wiem, dlaczego tak się czuję, widziałem przecież, co się działo w jaskiniach w Irlandii. Wiem, jak one zabijają, jak się mnożą. Ale świadomość, że uczyniły potwora z tej dziewczynki tylko po to, żeby się z nią zabawiać, rozdziera mi serce.

Blair nie potrafiła znaleźć żadnych słów na pocieszenie. Położyła dłoń na ramieniu Larkina.

– Niech za to zapłacą. Na pewno wrócą przed wschodem, a nawet wcześniej, jeśli coś upolują. Wiedzą, że ona dziś się przemieniła i będzie głodna. Dlatego zostawili...

– Dlatego zostawili w środku trupy – dokończył Larkin, gdy Blair nagle umilkła. – Żeby miała cokolwiek, zanim przywiozą jej świeżą krew. Nie jestem ociężały umysłowo, Blair. Zostawili jej na żer trupy własnej rodziny.

Skinęła głową i obejrzała się na wóz.

– Zamkniemy drzwi i będziemy czekać. Czy one nie wyczują zapachu ludzi?

– Trudno powiedzieć – odrzekł Cian. – Nie wiem, ile mają lat i doświadczenia.

Wystarczająco dużo, żeby Lilith uznała, że poradzą sobie z wyznaczonym zadaniem. Które spartaczyli. Ale możliwe, że poczują zapach ludzkiej krwi, nawet przy tym wszystkim. No i są jeszcze konie.

– O tym już pomyślałam. Prawdopodobnie wrócą z tego samego kierunku, w którym pojechali, więc zabierzemy konie dalej w las i spętamy wszystkie oprócz mojego. Jak tamci wrócą, będę go prowadziła, aby wyglądało, że okulał. Będą szczęśliwi, że napatoczyła im się samotna kobieta i nie pomyślą o niczym więcej.

– A zatem chcesz zostać przynętą – zaczął Larkin z wyrazem twarzy mówiącym jasno: „po moim trupie".

– Zabiorę konie, a wy to przedyskutujcie. – Cian wziął wodze i zniknął między drzewami.

Spokojnie, rozkazała sobie Blair. Bądź rozsądna. Pamiętaj, jak to miło, kiedy ktoś się o ciebie martwi.

– Mężczyznę szybciej zaatakują – oświadczyła. – Kobietę będą wolały mieć żywą, przynajmniej przez jakiś czas, do zabawy. To najlepszy podstęp.

I tu skończył się jej spokój i rozsądek.

– I jeszcze coś. Jeśli twoje ego cierpi, bo wiesz, że nawet gdybym była tu sama, i tak bym sobie z nimi poradziła, to twój problem.

– Moje ego nie ma tu nic do rzeczy. Równie dobrze moglibyśmy zaczaić się wszyscy troje i na nie poczekać.

– Nie, bo jeśli wyczują ciebie albo mnie, to stracimy element zaskoczenia. Moira chce mieć przynajmniej jednego z nich żywego. Dlatego tu jesteśmy, zamiast sączyć wino przed kominkiem. Gdybyśmy musieli zaatakować otwarcie, zabilibyśmy oba. Z zaskoczenia mamy większe szanse, żeby je złapać.

– Są inne sposoby.

– Pewnie z tuzin, ale wampiry mogą nie wrócić jeszcze przez pięć godzin, a mogą za pięć minut. Ten plan się powiedzie, Larkinie, bo jest prosty i logiczny. W samotnej kobiecie nie będą widziały żadnego zagrożenia. Chcę dopaść tych dwóch tak samo jak ty. Zróbmy wszystko, żeby nam się udało.

Spomiędzy drzew wyłonił się Cian.

– Doszliście do porozumienia czy będziemy debatować tu do rana?

– Chyba doszliśmy. – Larkin pogłaskał Blair po włosach. – Traciłem tylko czas. – Uniósł jej podbródek. – Jeśli będziesz musiała do nich przemówić, zorientują się, że nie jesteś z Geallii.

– Myślisz, że ja nie potrafię mówić z akcentem? – zapytała śpiewnie Blair i zatrzepotała powiekami. – I wyglądać jak bezbronna kobietka?

– Całkiem nieźle. – Pocałował ją w usta. – Ale ja osobiście nigdy bym w tę twoją bezbronność nie uwierzył.

15

*M*inęła godzina, potem druga i trzecia. Blair nie miała nic do roboty, zjadła więc trochę chleba i sera, które zapakowała im Moira, napiła się wody z bukłaka.

Przynajmniej Larkin i Cian mieli siebie nawzajem do towarzystwa, a ona tylko własne myśli. Zmarszczyła brwi; przecież była przyzwyczajona do samotnych łowów, do czekania w ciemnych, cichych kryjówkach.

Dziwne, wystarczyło kilka tygodni, żeby zmieniła swoje nawyki.

W każdym razie oczekiwanie przeciągało się dłużej, niż przypuszczała, i zaczynało jej się nudzić. Przypomniała sobie pierwszą noc w Irlandii, kiedy mniej więcej o tej samej porze złapała gumę na ciemnej, odludnej drodze.

Wtedy spotkała trzy wampiry i element zaskoczenia zadziałał na jej korzyść. Przede wszystkim napastnicy nie spodziewali się, że oberwą żelazną łyżką do opon, zwłaszcza od kobiety, która miała dużo więcej siły, niż na to wyglądała.

I na pewno nie oczekiwali, że wyciągnie kołek i zamieni ich w pył.

Ci dwaj – o ile w ogóle wrócą – też nie będą się niczego spodziewać. Musi tylko pamiętać, żeby ich nie wykończyć, ta misja miała inny cel. Trudne zadanie dla urodzonego łowcy wampirów.

Jej ojciec potępiłby tę wyprawę. Jego zasada brzmiała: zabić przeciwnika i kropka. Szybko, skutecznie. Żadnej finezji, żadnych konwersacji.

Oczywiście on już by zrobił, co w jego mocy, żeby unicestwić Ciana. Pal diabli więzy rodzinne czy wolę bogów. Nigdy nie mógłby pracować z Cianem, walczyć, mając u boku wampira.

I prawdopodobnie jeden z nich – albo obaj – już by nie żył.

Może dlatego to ona została wybrana, a nie jej ojciec. Z tego też powodu, rozmyślała Blair, czekając na leśnej ścieżce, nie napisała mu o Cianie. Nie żeby ojciec w ogóle czytał jej mejle, ale i tak nawet mu nie wspomniała o współpracy z demonem.

Według jej ojca dla łowcy demonów nie było wyjątków. Tylko ty i wróg. Czarne i białe, życie i śmierć.

Kolejny powód, dla którego nigdy nie zasłużyła na jego uznanie. Nie dość, że nie była synem, to jeszcze widziała odcienie szarości, stawiała pytania.

Bo tak jak Larkin czuła, i to nie raz, żal i litość w stosunku do istot, które zabijała. Wiedziała, co powiedziałby jej ojciec – że sekunda litości czy żalu może być sekundą wahania. A sekunda wahania może kosztować cię życie.

I miałby rację. Ale nie, nie do końca, bo istniały jeszcze odcienie szarości. Blair mogła odczuwać litość i żal i wciąż wykonywać swoją pracę.

Czyż nie stała tu teraz żywa? I cholernie chciała żyć nadal o poranku.

Zastanawiała się tylko – po raz pierwszy od czasów Jeremy'ego – czy prowadząc takie życie, mogła słuchać serca. Już dawno zabroniła sobie marzyć, że ktoś ją pokocha, a teraz pojawił się Larkin, który darzył ją uczuciem na tyle bliskim miłości, by troszczyć się o nią i jej pragnąć.

Może pokochałby ją z czasem, obdarzył miłością, jakiej nigdy nie zaznała, miłością, która przekracza wszystkie granice i wszystko akceptuje.

To było takie bezlitosne, pomyślała, że nie mieli wystarczająco dużo czasu. Nie było takiego mostu, który mógłby połączyć ich światy.

Ale kiedy wróci do swojego świata, będzie wiedziała, że ktoś kiedyś na nią popatrzył, zobaczył, kim jest, i mimo to jej nie opuścił.

Jeśli przeżyją, wygrają, a świat nadal będzie się kręcił. Wtedy Blair powie Larkinowi, jak wiele jej ofiarował. Ile zmienił w niej na lepsze.

Jednak nie powie mu, że go kocha. Takie słowa tylko by zraniły ich oboje. Nie powie mu tego, do czego w końcu przyznała się przed samą sobą.

Że zawsze będzie go kochała.

Blair bardziej poczuła ruch, niż coś usłyszała, i odwróciła się w tamtą stronę, przygotowana na atak. Ale to był Cian, poczuła jego zapach, dostrzegła zarys sylwetki między drzewami.

– Miej się na baczności – szepnął. – Dwóch jeźdźców wjechało do lasu. Ciągną za sobą człowieka. Jeszcze żyje.

Blair skinęła głową i pomyślała: kurtyna w górę.

Ruszyła wolno, prowadząc konia w kierunku wozu, tak żeby przybysze nadjechali zza jej pleców. Niech to wygląda, że dopiero w lesie koń zaczął kuleć.

Najpierw je poczuła, nie zapach, tylko jakąś pozazmysłową świadomość. Ale odczekała, dopóki nie rozległ się tętent kopyt.

Już wcześniej zdjęła płaszcz; nie sądziła, żeby Gaellianki spacerowały po lesie w czarnej skórze. W ochronie przed chłodem włożyła jedną z tunik Larkina i spięła pasem na tyle mocno, żeby wyraźnie było widać zarys jej piersi. Krzyże schowała głęboko pod materiał.

Wyglądała na bezbronną kobietę potrzebującą pomocy.

Gdy tętent stawał się coraz głośniejszy, zaczęła wołać z irlandzkim akcentem lekko przestraszonym głosem:

– Hej, hej, jeźdźcy! Mam tu mały kłopot... przed wami, na ścieżce.

Tętent ustał. O tak, pomyślała Blair, porozmawiajcie o tym przez chwilę, ułóżcie plan. Znowu zawołała, trochę bardziej drżącym głosem:

– Jesteście tam? Mój koń okulał, obawiam się, że w kopyto wbił się kamień. Zmierzam do Cillard.

Znowu ruszyli i Blair przywołała na twarz wyraz ulgi i troski – w każdym razie miała nadzieję, że tak to wyglądało.

– Och, dzięki niech będą bogom – powiedziała na widok jeźdźców. – Myślałam, że będę musiała przejść pieszo całą drogę do mojej siostry, do tego po ciemku i sama. I dobrze mi tak, za to, że wyruszyłam o wiele później, niż powinnam była.

Jeden zsiadł z konia. Wyglądał na silnego, oceniła Blair, miał mocną budowę. Gdy zsunął kaptur płaszcza, ujrzała grzywę blond włosów i głęboką, trójkątną bliznę nad lewą brwią.

Nie widziała, żeby ciągnęli kogoś za końmi, uznała więc, że na chwilę porzucili łup.

– Podróżujesz sama?

Słowianin, pomyślała, słysząc leciutki akcent. Rosjanin, może Ukrainiec.

– Tak. Nie jadę daleko i zamierzałam wcześnie wyruszyć, ale najpierw jedna rzecz, potem druga, a teraz to... – Wskazała na konia. – Jestem Beal, z rodu Dubhuir. Może przypadkiem zmierzacie w stronę Cillard?

Drugi też zsiadł i wziął lejce obu koni.

– Niebezpiecznie jest chodzić samej w nocy po lesie.

– Znam dobrze okolicę. Ale wy chyba nie pochodzicie z tej części Geallii, prawda? – Cofnęła się płochliwie jak przestraszona kobieta. – Jesteście tu obcy?

– Można tak powiedzieć. – Gdy się uśmiechnął, jego kły zalśniły w ciemności.

Blair pisnęła, dochodząc do wniosku, że w takiej sytuacji nie może przesadzić. Wampir śmiał się jeszcze, wyciągając po nią rękę, a wtedy Blair z całej siły uderzyła go kolanem w krocze. Gdy przeciwnik opadł na kolana, kopnęła go w twarz i rozstawiła nogi, żeby stabilnie przyjąć atak drugiego.

Ten nie był tak dobrze zbudowany jak pierwszy, lecz okazał się szybszy i zdążył wyciągnąć miecz. Blair odskoczyła w tył, podparła się dłońmi o ziemię i kopnęła go w rękę, w której trzymał broń. Zyskała trochę czasu i dystansu. Pierwszy wampir zerwał się na nogi, ale wtedy z lasu wyłonił się Larkin.

– Zobaczmy, jak sobie poradzisz z mężczyzną.

Blair rozpędziła się, żeby kopnąć z wyskoku, i trafiła pierwszego napastnika w brzuch, dokładnie w chwili gdy Larkin skrzyżował ostrze z mieczem drugiego. Wyciągnęła swój miecz z pochwy przytroczonej do siodła, a wszystkie trzy konie zarżały w popłochu. Instynkt kazał jej się obrócić, chwycić obiema rękami miecz i zablokować cios przeciwnika.

Miała rację co do jego siły, od uderzenia całe jej ciało przeszedł ból. I tak była w zasięgu jego ręki, więc podeszła jeszcze bliżej. Miał nad nią tę przewagę, że Blair nie chciała go zabić – ale wampir o tym nie wiedział. Z całej siły nadepnęła mu na stopę i walnęła go rękojeścią miecza w podbródek.

Cios odrzucił go do tyłu, na konia Blair. Wszystkie trzy wierzchowce rzuciły się do ucieczki, rżąc przeraźliwie.

Wampir atakował, machał mieczem i ciął, aż pot zalał oczy Blair. Słyszała, jak ktoś – albo coś – wrzasnął, ale nie mogła spojrzeć. Zamiast tego zamarkowała cios w lewo i wbiła przeciwnikowi stopę w brzuch, co powaliło przeciwnika na tak długo, by mogła na niego wskoczyć i przystawić mu ostrze miecza do gardła.

– Drgnij, a zamienię cię w pył. Larkin?

– Tak?

– Jeśli skończyłeś już się bawić z kolegą, to przydałaby mi się twoja pomoc.

Podszedł do nich i kilka razy kopnął wampira w głowę i w twarz.

– To będzie musiało na razie wystarczyć. – Blair, bez tchu, usiadła na piętach i popatrzyła na Larkina. Twarz i koszulę miał we krwi. – Dużo z tej krwi jest twojej?

– Niedużo, to głównie jego. – Odstąpił krok do tyłu, żeby mogła zobaczyć potwora, którego przygwoździł mieczem do ziemi.

– Uuch. – Blair wstała. – Musimy złapać konie, związać tych dwóch i... – Zamilkła, gdy zobaczyła Ciana idącego w ich stronę z końmi. Jeden z wierzchowców dźwigał jakiś ciemny kształt.

Popatrzył na leżące na ścieżce wampiry.

– Co za bałagan – ocenił. – Ale cel osiągnięty. Ten tutaj nie jest w najlepszym stanie. – Skinął głową w stronę zakrwawionego mężczyzny, przerzuconego przez siodło. – Na szczęście żyje.

– Dobra robota. – Blair nie po raz pierwszy zastanowiła się, jak ciężko mu się oprzeć zapachowi świeżej ludzkiej krwi. Ale to nie był dobry moment na zadawanie tego rodzaju pytań. – Lepiej zwiążmy tych dwóch, jak ten się obudzi, to narobi nam kłopotów. – Rozmasowała bolące ramię. – Jest silny jak pieprzony tur.

Mężczyźni związywali jeńców, a ona obejrzała nieprzytomnego człowieka. Był zakrwawiony i posiniaczony, ale nie został ukąszony. Chciały zabrać go do wozu, pomyślała, podzielić się z wampirzycą. Urządzić małe przyjęcie.

– Musimy pochować zmarłych – powiedział Larkin.

– Teraz nie mamy na to czasu.

– Nie zostawimy ich tak.

– Posłuchaj, tylko mnie posłuchaj. – Chwyciła dłonie Larkina, zanim zdążył się odwrócić. – Ten człowiek jest ranny i to bardzo poważnie. Potrzebuje pomocy tak szybko, jak to tylko możliwe, inaczej nie przeżyje. I wtedy będziemy musieli wykopać jeszcze jeden grób. Poza tym Cian musi wrócić do zamku przed wschodem. Musimy się pośpieszyć, żeby zdążył.

– Ja zostanę, sam się tym zajmę.

– Larkin, jesteś nam potrzebny. Jeśli nie zdążymy, Cian będzie musiał popędzić naprzód, a ja zostanę sama z dwoma wampirami i rannym człowiekiem. Poradziłabym sobie, jeślibym musiała, ale nie muszę. Przyślemy tu kogoś, żeby ich pochował. Jeśli wolisz, wrócę tu z tobą i sami się tym zajmiemy. Ale na razie trzeba ich zostawić. Musimy jechać.

Nic nie powiedział, tylko kiwnął głową i szybkim krokiem podszedł do konia.

– Przejmuje się tą młodą wampirzycą, którą zabił – powiedział cicho Cian.

– Niektóre przypadki są trudniejsze od innych. Masz ten magiczny płaszcz? Na wszelki wypadek?

– Mam, ale szczerze mówiąc, wolałbym nie ryzykować.

– W pełni cię rozumiem. Jeśli będziesz musiał nas wyprzedzić, pędź. – Popatrzyła na związane i zakneblowane wampiry, przerzucone przez siodło. – Poradzimy sobie z nimi.

– Poradziłabyś sobie z nimi sama, oboje o tym wiemy.

– Larkin nie powinien sam zajmować się tym, co zostało w wozie. – Wskoczyła na konia. – W drogę.

Jechali w ciszy przez ciemny las, a potem przez pola wysrebrzone bladym światłem księżyca. W pewnej chwili Blair zobaczyła białą sowę przelatującą bezszelestnie nad łagodnym wzgórzem przed nimi. Przez chwilę wydawało się jej, że widzi błysk oczu ptaka, zielonych niczym klejnoty, ale za moment słyszała tylko szept wiatru w wysokiej trawie i ciszę nadchodzącego świtu.

Zobaczyła, że wampir, z którym walczyła, uniósł głowę. W jego oczach dostrzegła głód krwi i wściekłość, a tuż obok czaił się strach. Zaczął szarpać się w więzach, kierując spojrzenie na wschód. Jego towarzysz leżał bez ruchu i Blair pomyślała, że dźwięki, które dochodziły spod knebla, brzmiały jak szloch.

– Czują nadchodzący świt – powiedział Cian. – Pieczenie skóry.

– Jedź. Larkin i ja poradzimy sobie.

– Och, mam jeszcze czas, jeszcze trochę.

– Zostały nam już tylko ze cztery kilometry.

– Mniej. – Poprawił ją Larkin. – Trochę mniej. Ranny mężczyzna odzyskuje przytomność. Wolałbym, żeby nadal był nieświadomy.

Szybsza podróż na koniu nie poprawi jego stanu, uznała Blair, ale już dłużej nie mogli sobie pozwolić na wolną i spokojną jazdę. Gwiazdy zaczynały blednąć.

– Przyśpieszmy. – Ponagliła konia do galopu w nadziei, że mężczyzna przerzucony przez siodło przetrwa jeszcze kilka kilometrów.

Najpierw zobaczyła migoczące światła – pochodnie i świece – majaczące w porannej mgle. A potem, wysoko na wzgórzu, sylwetkę zamku z białymi flagami łopoczącymi na tle nieba, które nie było już czarne, tylko ciemnogranatowe.

– Szybciej!

Wampiry wiły się i miotały, wydając nieludzkie dźwięki, gdy pierwsze promienie słońca zaczerwieniły horyzont nad zamkiem.

Cian jednak jechał wyprostowany w siodle, z rozwianymi włosami.

– Tak rzadko widuję to z zewnątrz.

Czuł ból, pieczenie, ale też podziw i żal, gdy przegalopował przez bramę prosto w głęboki cień budynków.

Czekała na niego Moira z bladą, spiętą twarzą.

– Wejdź do środka, proszę. Służba zajmie się twoim koniem. Proszę – powtórzyła z wysiłkiem, gdy Cian powoli zsiadł z konia. – Szybko.

Skinęła na strażników, którzy za nią stali, by zajęli się więźniami.

– Macie jakiś przytulny loch? – zapytała ją Blair.

– Nie, nie mamy.

Riddock patrzył, jak słudzy zabierają skutych jeńców.

– Na prośbę Moiry poczyniliśmy pewne przygotowania. Zostaną zamknięci w piwnicach, gdzie ustawimy straże.

– Nie zdejmujcie im łańcuchów – rozkazał Larkin.

– W środku czekają Glenna i Hoyt – powiedziała Moira. – Wzmocnimy łańcuchy magią. Nie martw się. Potrzebujesz odpoczynku i jedzenia, wszyscy tego potrzebujecie.

– Ten trzeci to człowiek. Jest ranny. – Blair podeszła do mężczyzny i zbadała puls na jego szyi. – Żyje, ale potrzebuje opieki.

– Natychmiast. Panie?

– Poślemy po medyka. – Riddock skinął na kilku strażników. – Zajmijcie się nim – rozkazał i odwrócił się do syna: – Jesteś ranny?

– Nie. Muszę tam wrócić, zostawiliśmy kilka ciał w wozie obok ścieżki do Cillard. – Larkin był blady, lecz jego głos brzmiał zdecydowanie. – Trzeba je pochować.

– Wyślemy tam ludzi.

– Chcę zająć się tym sam.

– W takim razie niech tak będzie. Musisz się umyć, zjeść posiłek. – Otoczył barki syna ramieniem. – To była długa noc dla nas wszystkich.

W środku Cian rozmawiał z Glenną i Hoytem. Urwał, gdy pozostali weszli do środka, i unosząc brew, popatrzył na Moirę.

– Masz swoich jeńców. Co zamierzasz z nimi zrobić?

– Pomówimy o tym. Kazałam przygotować posiłek w prywatnym salonie. Spotkajmy się tam, mamy wiele do przedyskutowania.

Odeszła, a dwie dwórki pośpieszyły za nią.

Blair poszła do swojego pokoju, gdzie czekały na nią ogień w kominku i świeża woda. Zmyła z siebie krew i zmieniła pożyczoną tunikę na swoją koszulę, po czym wsparła się dłońmi o biurko i przyjrzała swojej twarzy w lustrze.

Bywały dni, gdy wyglądała lepiej, uznała. Potrzebowała snu, lecz teraz nie miała czasu na odpoczynek. Dałaby wiele za godzinę w łóżku, ale na razie było to równie prawdopodobne jak kilka dni w SPA.

Zamiast tego spędzi pół dnia na grzebaniu trojga obcych ludzi. Na to także nie miała czasu, nie kiedy powinna trenować ludzi, układać strategię, sprawdzać, jak idzie wytwarzanie broni. Tuzin praktycznych i niezbędnych zajęć.

Ale jeśli nie pojedzie, Larkin zrobi to sam. Na to nie mogła pozwolić. Gdy weszła do salonu, Larkin już tam był, stał przy oknie i wpatrywał się w poranną mgłę.

– Uważasz, że marnuję cenny czas – powiedział, nie odwracając się – na niepraktyczne i niepotrzebne zajęcia.

A więc potrafił czytać w jej myślach. I to cholernie dobrze.

– To nie ma znaczenia. Musisz to zrobić, więc jedziemy.

– Podróżni powinni być bezpieczni na drogach Geallii. Młode dziewczęta nie mogą być gwałcone, torturowane i zabijane. Przemieniane w potwory, które trzeba niszczyć.

– Nie, nie mogą.

– Ty żyjesz z tym dłużej niż ja i może dlatego jesteś bardziej...

– Nieczuła.

– Nie. – Teraz się odwrócił. W świetle poranka wyglądał starzej, jakby od horroru, który oglądali w nocy, przybyło mu lat. – Nie to chciałem powiedzieć, nigdy bym tak o tobie nie pomyślał. Spokojna raczej i na pewno praktyczna. Musisz taka być. Nie będę od ciebie wymagał, żebyś ze mną jechała.

Wiedziała, że nie będzie jej o to prosił, i dlatego musiała jechać.

– Powiedziałam, że pojadę i tak zrobię.

– Tak, wiem i dziękuję ci za to. Jestem silniejszy, wiedząc, że pojedziesz tam ze mną, że rozumiesz mnie na tyle, by poświęcić swój czas.

– Myślę, że tylko silnego człowieka stać w takich okolicznościach na tak ludzki odruch. To mi wystarczy.

– Tak wiele mam ci do powiedzenia, ale dziś nie jest dobry dzień po temu. Czuję się... – popatrzył na dłoń, w której trzymał miecz. – Brudny. Wiesz, o czym mówię?

– O tak, wiem, co masz na myśli.

– To dobrze. Chodź, napijemy się mocnej herbaty i będziemy udawać, że to coca-cola. – Uśmiechnął się lekko, podchodząc do Blair, położył ręce na jej ramionach i przycisnął usta do czoła. – Jesteś taka piękna.

– Musisz mieć naprawdę zmęczone oczy.

Cofnął się lekko.

– Widzę cię dokładnie taką, jaka jesteś.

Odsunął dla niej krzesło, czego nigdy wcześniej nie robił. Gdy Blair siadała, do salonu weszli Cian i Hoyt. Cian zerknął na okno i cofnął się do stolika, który Moira kazała ustawić z dala od światła.

– Glenna zaraz przyjdzie – powiedział Hoyt. – Chciała obejrzeć rannego, którego przywieźliście. Jeńcy są dobrze spętani. – Popatrzył na brata. – I bardzo nieszczęśliwi.

– Już dawno nie jadły. – Cian nalał sobie herbaty. – Nie mówiliście, że macie w zamku nieźle zaopatrzoną piwniczkę z winami – zwrócił się do Larkina. – W tamtym kącie jest wystarczająco ciemno i wilgotno, żeby przetrwały, ale o ile twoja kuzynka nie zamierza zagłodzić ich na śmierć, to będzie trzeba je nakarmić, inaczej nie przetrwają następnego dnia w łańcuchach.

– Nie mam zamiaru ich zagłodzić. – Moira weszła do salonu ubrana w strój do konnej jazdy w butelkowozielonym kolorze. – Nie zostaną też nakarmione. Wypiły już dość gaellickiej krwi, zwierzęcej i ludzkiej. Mój wuj i ja zaraz wyjeżdżamy, zbierzemy ludzi i ogłosimy, żeby wszyscy przybyli tu przed zmierzchem. A gdy zajdzie słońce, pokażemy zgromadzonym demony, które trzymamy w piwnicy. I zniszczymy je na oczach naszych poddanych. – Popatrzyła wprost na Ciana. – Uważasz, że postępuję okrutnie, bez cienia ludzkich uczuć i litości?

– Nie. Myślę, że jesteś praktyczna i robisz to, co trzeba. Nie sądziłem, że kazałaś nam je tu przywlec na leczenie i rekonwalescencję.

– Pokażemy ludziom, czym są wampiry i jak je zabijać. Już wysłaliśmy konnych, żeby ustawili pułapki, które wymyśliłaś, Blair. Larkin, poprosiłam Phelana, żeby objął dowództwo nad tą misją.

– To mąż mojej siostry – wyjaśnił Larkin. – Tak, on na pewno sobie poradzi. Doskonały wybór.

– Mężczyzna, którego przywieźliście, jest przytomny, ale medyk chce mu podać środek nasenny. Glenna się z nim zgadza. Ranny powiedział nam, że wyszedł przed dom, bo wydawało mu się, że usłyszał lisa w kurniku. Zaczaiły się na niego. Ma żonę i troje dzieci. Krzyknął do nich, żeby zostali w domu. Nic więcej nie mógł zrobić i dziękujmy bogom, że tamci go posłuchali. Posłaliśmy już po nich.

– Do powrotu Larkina i Blair Glenna i ja możemy poprowadzić ćwiczenia. Może Cian także – dodał Hoyt – jeśli jest jakieś miejsce w zamku.

– Dziękuję, miałam nadzieję, że to zaproponujesz. Ach, trzech kowali już wykuwa broń, a niektórzy ludzie przybędą z własnymi mieczami.

– Macie drzewa – przypomniała Blair. – Zacznijcie robić kołki, strzały, kije i dzidy.

– Tak, oczywiście. Muszę już iść, czeka na mnie wuj z drużyną. Dziękuję wam za to, co zrobiliście w nocy. Wrócimy przed zmrokiem.

– Ona już wygląda jak królowa – powiedziała Blair po wyjściu Moiry.

– Wygląda na wyczerpaną.

Blair skinęła głową, patrząc na Larkina.

– Bycie królową to bardzo ciężkie zadanie, szczególnie w czasie wojny. Cian, mógłbyś opowiedzieć im o naszej nocnej wyprawie?

– Z grubsza już opowiedziałem, zostały tylko szczegóły.

– W takim razie powinniśmy ruszać – powiedziała do Larkina.

Poszli razem do stajni, gdzie Larkin przygotował niezbędne narzędzia.

– Szybciej dotrzemy na miejsce, jeśli pofrunę. Co o tym myślisz?

– Bardzo proszę.

Zaprowadził ją do ogrodu, który widziała z okna swojego pokoju.

– Ta sakwa jest ciężka, przewieś mi ją przez szyję, gdy już zmienię postać.

Podał jej sakwę i zamienił się w smoka.

Pochylił głowę, żeby Blair mogła powiesić ciężar. Popatrzyła Larkinowi w oczy i pogłaskała go po lśniącym łuskami policzku.

– Jesteś taki śliczny – wyszeptała.

Przykucnął, a Blair wspięła się na jego grzbiet.

I już wznosili się nad wieże, flanki, nad łopoczące białe flagi.

Poranek lśnił niczym klejnot, błękitem, zielenią i bursztynem. Blair odchyliła głowę, pozwalając, by wiatr zwiał z niej zmęczenie po długiej nocy.

Teraz widziała pod sobą konie i wozy, śpieszących po drogach ludzi. Mała wioska rozciągała się rzędami kolorowych budynków, na rynku właśnie odbywał się targ. Gdy przelatywali pod niebem, ludzie podnosili głowy, unosili czapki lub machali, po czym wracali do swoich codziennych spraw.

Życie, pomyślała Blair, nie tylko trwało, ono nigdy nie przestawało rozkwitać.

Popatrzyła na góry, osnute mgłą, pełne tajemnic. Między nimi znajdowało się miejsce zwane Doliną Ciszy, gdzie za kilka tygodni zapanuje śmierć i krew.

Będą walczyli i niektórzy z nich polegną, ale właśnie po to, by życie mogło toczyć się dalej.

Dolecieli do lasu i Larkin krążył przez chwilę między drzewami, zanim opadł łagodnie na małą polanę.

Blair zsunęła się na ziemię i wzięła torbę.

Usłyszała huk i pomyślała półprzytomnie, że chyba przegonili burzę. Wyprostowała się zaskoczona, że właśnie zdrzemnęła się na grzbiecie smoka, i otworzyła oczy. Musiała zamrugać nimi kilka razy, aby się upewnić, że nie śpi.

To nie był grzmot, pomyślała, wpatrując się z otwartymi ustami w ogromny wodospad, który spływał pomiędzy dwiema strzelistymi skałami do szerokiego, błękitnego jeziora.

Dookoła rosły drzewa o zielonych, grubych liściach i zaskakująco tropikalne palmy. Na wodzie unosiły się lilie, białe i różowe, zupełnie jakby ktoś je namalował. Pod błękitną taflą figlowały ławice ryb, lśniących i eleganckich jak klejnoty.

Powietrze pachniało kwiatami i czystą wodą.

Blair była tak oniemiała, że nie ruszyła się z miejsca, nawet gdy smok wylądował. Pochylił głowę, sakwa zsunęła się na ziemię i nagle Blair siedziała okrakiem na człowieku.

– Co się stało? Źle skręciliśmy?

Larkin odwrócił głowę i uśmiechnął się na widok jej oszołomionej miny.

– Mówiłem ci, że cię tu zabiorę. To Wodospad Wróżek. Tym razem nie mamy nic na piknik, ale pomyślałem... Potrzebuję godziny tylko z tobą w miejscu, gdzie nie ma nic oprócz piękna.

– Przyjmuję ofertę. – Zeskoczyła na ziemię i zakręciła się wkoło.

W trawie kwitły małe, żółte gwiazdki, a splątana winorośl o purpurowych kwiatach wspinała się na skały niczym rama otaczająca kaskadę wody. Jezioro było przejrzyste jak szkło, w kolorze niezapominajek, na jego powierzchni unosiły się lilie, a woda spływała z wysokości co najmniej trzydziestu metrów.

– To niesamowite, Larkinie, mały kawałek raju. I nie obchodzi mnie, jak lodowata jest ta woda, idę popływać.

Zrzuciła buty i zaczęła rozpinać koszulę.

– A ty?

– Pewnie. – Nie przestawał się do niej uśmiechać. – Zaraz za tobą.

Blair rozebrała się, rzucając beztrosko ubranie na miękką trawę, stanęła na brzegu, wzięła głęboki oddech i przygotowała się na szok. I zanurkowała.

Po chwili wypłynęła i wrzasnęła radośnie.

– O mój Boże, ona jest ciepła! Ciepła, jedwabista i cudowna. – Zanurkowała drugi raz i wypłynęła. – Gdybym była rybą, nigdy bym się stąd nie ruszyła.

– Niektórzy mówią, że wróżki co rano podgrzewają wodę swym oddechem – powiedział Larkin, ściągając buty. – Inni, bardziej racjonalni, stawiają na gorące źródła bijące pod ziemią.

– Wróżki, nauka, wszystko jedno. Woda jest fantastyczna.

Larkin wskoczył do jeziora i musiał przy tym, jak wszyscy mężczyźni, ochlapać Blair tak, jak to tylko było możliwe. Roześmiała się i też go ochlapała.

Zanurkowali razem, ciągnąc się nawzajem ku dnu, podszczypując i bawiąc jak młode foki. Blair płynęła przed siebie, aż poczuła wibrację wody uderzającej o taflę jeziora i wynurzyła się pod samym wodospadem.

Ostry strumień bombardował jej ramiona, kark, kręgosłup. Krzyczała z radości i ulgi, gdy wodny masaż wybijał ból i zmęczenie. Larkin dołączył do niej, objął ją ramionami i śmiali się razem, zalewani opadającą kaskadą. Siła wodospadu wypchnęła ich z powrotem na środek jeziora, gdzie spokojnie unosili się na powierzchni.

– Myślałam wcześniej, jak bardzo przydałoby mi się kilka dni w SPA, ale to jest o niebo lepsze. – Westchnęła i złożyła głowę na ramieniu Larkina. – Godzina tutaj jest lepsza od wszystkiego innego.

– Chciałem, żebyś zaznała trochę piękna, chyba sam sobie musiałem przypomnieć, że jeszcze istnieją takie miejsca. – Nie tylko groby, które trzeba wykopać, nie tylko bitwy do stoczenia. – Nie znam innej kobiety, oprócz Moiry, która zrobiłaby to, co ty dziś ze mną zrobiłaś. Co zrobiłaś dla mnie.

– Nie znam wielu mężczyzn, którzy zrobiliby to, czego ty dziś dokonałeś. Więc jesteśmy kwita.

Musnął wargami jej skroń, policzek, odnalazł jej usta. Pocałunek był miękki i ciepły jak woda. Larkin głaskał ją po włosach delikatnie niczym wiatr.

Wydawało się, że nie istnieje nic poza tym miejscem, poza tą cenną chwilą. Teraz, tutaj, mogli po prostu być. Unosili się na wodzie i Blair dostrzegła nad głową białego gołębia o lśniąco zielonych oczach.

A więc bogowie patrzą, pomyślała, w złych i w dobrych chwilach.

Oddała Larkinowi pocałunek. Co ją teraz obchodzą bogowie? To była ich chwila, ich miejsce. Zatraciła się w pocałunku, powierzając ciało wodzie i ramionom mężczyzny.

– Potrzebuję cię. – Nie odrywał wzroku od jej oczu ani ust od jej warg. – Czy wiesz, czy możesz sobie wyobrazić, jak bardzo cię pragnę? Przyjmij mnie w siebie – wymruczał, wsuwając się w nią.

Patrzyli na siebie, głaskali po twarzach, usta dotykały ust.

Blair poczuła coś więcej niż rozkosz, niż radość życia. Pomyślała, że jeśli to prawda, to pragnienie i wspólnota, to dzięki tej chwili będzie mogła przeżyć resztę życia.

Owinęła się wokół niego, poddając tej prawdzie. I wiedziała, że na imię jej „miłość".

Pewnie można być bardziej zmęczonym i sfrustrowanym, ale Glenna miała nadzieję, że nigdy się tego nie dowie. Zrobiła to, o co poprosiła ją Moira, i zabrała grupę kobiet w jeden koniec placu turniejowego, żeby nauczyć je podstaw samoobrony.

Ale jej uczennice były bardziej zainteresowane plotkami, chichotaniem i flirtem z mężczyznami, z którymi trenował w drugim końcu Hoyt, niż jakąkolwiek nauką.

Wybrała dwadzieścia młodszych, przypuszczając, że będą miały więcej entuzjazmu i siły, i to chyba był jej pierwszy błąd.

Koniec z uprzejmością, postanowiła.

– Cisza! – Ostry ton w jej głosie natychmiast uciszył grupę. – Słuchajcie, ja tak samo lubię popatrzeć na ładne męskie ciało jak każda dziewczyna, ale nie przyszłyśmy tu po to, żebyście znalazły sobie partnera na dożynkową potańcówkę. Jesteśmy tu po to, żebym nauczyła was, jak przeżyć. Ty – na chybił trafił wskazała ładną brunetkę, która wyglądała na silną – podejdź tutaj.

Parę kobiet zachichotało, a dziewczyna uśmiechnęła się krzywo i dumnie wyszła na środek.

– Jak masz na imię?

– Dervil, pani. – Pisnęła i potknęła się, odskakując, gdy pięść Glenny zatrzymała się milimetry od jej twarzy.

– Czy tak właśnie zrobisz, gdy ktoś będzie chciał cię skrzywdzić, Dervil? Piśniesz i rozdziawisz buzię jak ryba? – Złapała ją za rękę i ustawiła ramię dziewczyny tak, by osłaniało jej twarz i blokowało cios. Ich przedramiona zderzyły się ze sobą.

– To bolało! – Zszokowana Dervil aż otworzyła usta ze zdziwienia. – Nie masz prawa mnie dręczyć.

– W tej sytuacji nie liczą się prawa, ale intencja. A blokada przedramieniem boli mniej niż cios pięścią w twarz. Spodobasz im się, Dervil. Blokuj! Nie, nie machaj ramieniem jak ścierką. Musi być twarde, silne. Jeszcze raz! – Z każdym ciosem popychała Dervil w tył. – Masz na sobie sporo mięsa i ta cała krew płynąca w twoich żyłach! Piski i klapsy nie uratują twojej skóry. Co zrobisz, jak po ciebie przyjdą?

– Ucieknie! – krzyknęła któraś z kobiet i pomimo że Glenna usłyszała w jej głosie kpinę, stanęła i kiwnęła głową.

– Ucieczka jest jakimś wyjściem, czasami jedynym, ale lepiej, żebyście były szybkie. Wampir potrafi pędzić jak błyskawica.

– Nie wierzymy w demony. – Dervil wysunęła dumnie podbródek i rozmasowała bolące ramię. Z buntowniczego wyrazu jej twarzy i błysku w oczach Glenna wywnioskowała, że właśnie zyskała w Geallii pierwszego wroga.

Trudno.

– Możecie się założyć, że one wierzą w was. Więc biegnijcie. Do końca placu i z powrotem. Uciekajcie, jakby goniły was wszystkie demony piekieł. Do cholery, powiedziałam, biegnijcie! – Żeby je poderwać, rzuciła małą strugę ognia pod ich stopy.

Krzyknęły, ale pobiegły. Jak dziewczyny, pomyślała zrozpaczona Glenna. Machały ramionami, drobiły, plącząc się w spódnicach. Co najmniej trzy się potknęły, co Glenna uznała za wstyd dla wszystkich kobiet w każdym ze światów.

Doszła do wniosku, że straci ponad połowę uczennic, jeśli każe im biec z powrotem, więc ruszyła za nimi.

– No dobrze, słuchajcie mnie. Kilka z was rzeczywiście szybko biega, ale w większości jesteście powolne i niezdarne. Dlatego codziennie będziemy biegały jedną długość placu. Będziecie musiały wkładać spodnie. – Poklepała swoje dresy. – Męski strój na treningi. Spódnice tylko wam przeszkadzają.

– Dama... – zaczęła jedna z nich, ale zamilkła, gdy Glenna zmroziła ją spojrzeniem.

– Nie jesteście damami, kiedy tu z wami ćwiczę. Jesteście żołnierzami. – Trzeba zmienić taktykę, pomyślała. – Która z was ma dzieci?

Kilka kobiet podniosło ręce i Glenna wybrała jedną; jak jej się wydawało, ta przynajmniej patrzyła na nią z pewnym zainteresowaniem.

– Ty. Jak masz na imię?

– Ceara.

– Co byś zrobiła, Cearo, gdyby coś atakowało twoje dziecko?

– Walczyłabym, oczywiście. Zginęłabym, broniąc swojego synka.

– Pokaż mi. Poluję na twoje dziecko. Co mi zrobisz? – Ceara popatrzyła na nią tępo i Glenna z wysiłkiem stłumiła zniecierpliwienie. – Zabiłam twojego męża, leży martwy u twych stóp i teraz jedyną przeszkodą między mną a twoim dzieckiem jesteś ty sama. Powstrzymaj mnie.

Ceara uniosła dłonie, zginając paznokcie jak szpony, i bez przekonania zaatakowała Glennę. I straciła oddech, gdy została przerzucona przez ramię i wylądowała na plecach na ziemi.

– Jak to miało mnie powstrzymać? – zapytała Glenna. – Twoje dziecko krzyczy, błaga cię o ratunek. Zrób coś!

Ceara przykucnęła i wyskoczyła w górę. Glenna dała jej się złapać, po czym bez wysiłku powaliła przeciwniczkę na ziemię i przycisnęła łokieć do jej gardła.

– Już lepiej, ale byłaś zbyt powolna, a twoje oczy, twoje ciało mówiły mi dokładnie, co zamierzasz zrobić.

Glenna wstała, a Ceara usiadła, masując tył głowy.

– Pokaż mi – poprosiła Glennę.

Pod koniec spotkania Glenna podzieliła uczennice na dwie grupy. Grupa Ceary składała się z kobiet, które okazywały chociaż minimum zainteresowania i uzdolnień, do grupy Dervil przypisała te, które nie tylko nie miały ani talentu, ani chęci, ale też wykazywały ośli upór, uważając samoobronę za marnowanie czasu na coś, co tradycyjnie nie jest kobiecym zajęciem.

Gdy kobiety poszły, Glenna klapnęła tam, gdzie stała. Chwilę później Hoyt usiadł obok niej i wreszcie mogła oprzeć głowę na jego ramieniu.

– Chyba jestem kiepskim nauczycielem – powiedział.

– No to jest nas dwoje. Jak my mamy tego dokonać, Hoyt? Jak mamy zebrać tych ludzi razem, stworzyć z nich armię?

– Nie mamy innego wyboru. Ale Bogiem a prawdą, ja już jestem zmęczony, Glenno, a to dopiero początek.

– W Irlandii było inaczej, kiedy było nas tylko sześcioro. Wierzyliśmy, rozumieliśmy, z czym przyszło nam się zmierzyć. Przynajmniej ty pracujesz z mężczyznami, niektórzy z nich władają już biegle łukiem czy mieczem. A ja mam stado gąsek, mój Merlinie, z których większość nie potrafiłaby pokonać ślepego jednonogiego karła, nie mówiąc już o wampirze.

– Ludzie potrafią dokonać cudów, jeśli nie mają innego wyboru. My dokonaliśmy. – Pocałował jej włosy. – Musimy uwierzyć, że możemy to zrobić, wtedy nam się uda.

– Wiara jest ważna – zgodziła się. – A wielu z nich nie wierzy w to, co im mówimy.

Hoyt popatrzył, jak dwaj strażnicy wnoszą żelazne słupy i wbijają je w ziemię.

– Wkrótce uwierzą. – Wstał i wyciągnął rękę do Glenny. – Powinniśmy sprawdzić, czy tamci już wrócili.

Blair nigdy nie przypuszczała, że ktoś po nią pośle – do tej pory trafiły jej się tylko okazjonalne wezwania do gabinetu wicedyrektora w czasach liceum. Nie sądziła, żeby Moira chciała wymierzyć jej karę, ale czuła się dziwnie, eskortowana teraz do komnat księżniczki.

Moira sama otworzyła drzwi i obdarzyła Blair poważnym uśmiechem.

– Dziękuję, że przyszłaś. To wszystko, Dervil, dziękuję. Idź teraz i zajmij sobie miejsce na widowni.

– Ale, pani...

– Chcę, żebyś tam była. Tak jak wszyscy. Blair, proszę wejdź. – Odstąpiła o krok, żeby wpuścić gościa, i zatrzasnęła Dervil drzwi przed nosem.

– Zachowujesz się naprawdę jak królowa.

– Pewnie tak to wygląda. – Moira dotknęła ramienia Blair i weszła w głąb pokoju. – Ale ja jestem taka sama.

Moira była ubrana w strój, który Blair uznała za zestaw do ćwiczeń: prostą tunikę, spodnie i solidne buty – jednak i tak wyglądała jakoś inaczej.

Może to kwestia otoczenia. Pokój, cały w pluszach, musiał służyć za salon. Poduszki uszyte z bogato zdobionego materiału, aksamitne zasłony, piękny, marmurowy kominek, na którym tlił się torf – wszystko to mówiło o pozycji zajmującej go osoby.

– Poprosiłam cię tutaj, żeby ci powiedzieć, w jaki sposób przebiegnie demonstracja.

– Żeby mi powiedzieć – powtórzyła Blair.

– Nie przypuszczam, żeby spodobało ci się to, co postanowiłam zrobić, ale podjęłam już decyzję. Nie mam innego wyboru.

– Powiedz mi, co postanowiłaś, a wtedy ja ci powiem, czy mi się to podoba czy nie.

Nie spodobało się. Blair kłóciła się, groziła i perswadowała, ale Moira nie poddała się ani groźbom, ani prośbom.

– Co inni na to powiedzieli? – zapytała w końcu Blair.

– Nic im nie powiedziałam. Mówię tylko tobie. – Uznała, że obu im się to przyda, więc nalała dwa kielichy wina. – Proszę, postaw się na moim miejscu. Mówimy o potworach, które zamordowały moją matkę. Zabiły królową Geallii!

– I mieliśmy pokazać ludziom, że naprawdę istnieją. Czym są i jak z nimi walczyć, żeby je zniszczyć.

– Tak, to najważniejsze. – Moira siedziała przez chwilę w milczeniu, sącząc wino i próbując się uspokoić. Mimo wszystkich nocnych zmartwień i mnóstwa zajęć przez cały dzień przygotowywała się do tego, co miało nastąpić. – Za kilka dni udam się do kamienia. Przed tymi samymi ludźmi, których tu zebraliśmy, chwycę miecz. Jeśli go uniosę, zostanę królową, a jako królowa poprowadzę mój lud na wojnę – pierwszą wojnę w Geallii. Jak mogę posłać do bitwy moich poddanych, jak mogę posłać ich na śmierć, skoro nie udowodniłam im, że mogą mi zaufać?

– Moiro, nie musisz mi niczego udowadniać.

– Tobie nie, ale innym owszem. I samej sobie... rozumiesz? Nie przyjmę korony i miecza, jeśli nie będę czuła się ich godna.

– Moim zdaniem jesteś. Nie mówiłabym tego, gdybym myślała inaczej.

– Nie, nie powiedziałabyś. Dlatego poprosiłam ciebie, a nie kogoś innego. Ty mówisz ze mną szczerze i otwarcie, tak jak ja z tobą. Twoje zdanie jest dla mnie bardzo ważne, uważasz, że jestem gotowa unieść koronę i miecz, ale ja sama muszę to poczuć. Rozumiesz?

– Tak. Cholera. – Blair rozumiała i przegarnęła palcami włosy. – Tak.

– Blair, boję się tego, czego się ode mnie oczekuje, co muszę zrobić. Proszę cię, żebyś pomogła mi dziś wieczorem, proszę jako przyjaciółkę, towarzysza walki i kobietę, która wie, jak wyboiste bywają drogi przeznaczenia.

– A jeśli odmówię, ty i tak to zrobisz.

– Oczywiście. – Cień uśmiechu rozjaśnił twarz Moiry. – Ale czułabym się silniejsza i bardziej pewna siebie, wiedząc, że mnie rozumiesz.

– Rozumiem. Nie podoba mi się to, ale rozumiem.

Moira odstawiła kielich, wstała i wzięła Blair za rękę.

– To mi wystarczy.

Zrobili z tego jakiś festyn, pomyślała Blair. Płonące pochodnie wyznaczały miejsce walki, ich płomienie strzelały w niebo, gdzie księżyc niemal w pełni świecił jak reflektor.

Ludzie tłoczyli się na trybunach, walcząc o miejsca przy drewnianych barierkach. Pozabierali ze sobą dzieci, nawet niemowlęta, panował odświętny nastrój.

Blair była w pełni uzbrojona – miecz, kołek, kusza – i słyszała szepty na swój temat, gdy szła przez tłum do loży królewskiej.

Usiadła obok Glenny.

– Jak myślisz, ile by kosztowało ubezpieczenie takiej imprezy? Ogień, drewno, łatwo palne ciuchy.

Glenna potrząsnęła głową, uważnie studiując tłum.

– Oni nic nie rozumieją. Zachowują się jak fani przed koncertem. Na litość boską, Blair, handlarze sprzedają paszteciki z mięsem!

– Nigdy nie lekceważ potęgi darmowej rozrywki.

– Próbowałam dostać się do Moiry, zanim tu przyszliśmy. Nawet nie wiemy, jaki ma plan.

– Ja wiem. Na pewno ci się nie spodoba. – Zanim Blair zdążyła wyjaśnić szczegóły, rozległ się dźwięk trąb. Rodzina królewska weszła do loży. – Tylko nie wiń za to mnie – powiedziała Blair, przekrzykując owacje tłumu.

Riddock wysunął się na przód i podniósł ręce, żeby uciszyć zebranych.

– Ludu Geallii, przybyliście tutaj, by powitać w domu naszą księżniczkę Moirę. Żeby złożyć dzięki za bezpieczny powrót jej i lorda Larkina z rodu MacDara.

Wiwaty stały się jeszcze głośniejsze, gdy Moira i Larkin stanęli po obu stronach Riddocka. Larkin posłał Blair figlarny uśmiech.

On o niczym nie wie, pomyślała i poczuła, jak lodowata dłoń ściska ją za serce.

– Jesteście tu, by powitać dzielnych mężczyzn i kobiety, którzy przybyli z nimi do Geallii. Czarnoksiężnika Hoyta z rodziny Mac Cionaoith i jego panią Glennę, *cailleach dearg**. Lady Blair, *gaiscioch dorcha***. Ciana z rodu Mac Cionaoith, brata czarnoksiężnika. Są mile widziani na naszej ziemi, w naszych domach i sercach.

Tłum wydał potężny okrzyk. Dać im kilkaset lat, pomyślała Blair, i zrobią małe figurki czarnoksiężnika i wiedźmy do zabawy. O ile świat przetrwa tak długo.

– Ludu Geallii! Przyszło nam żyć w ciężkich czasach, pełnych rozpaczy i trwogi. Brutalnie odebrano nam ukochaną królową. Zamordowali ją nie ludzie, lecz bestie. Dziś w nocy na tej ziemi sami zobaczycie, co zabrało waszą królową. Demony zostały tu sprowadzone na rozkaz księżniczki Moiry i dzięki męstwu lorda Larkina, lady Blair i Ciana z rodu Mac Cionaoith.

Riddock postąpił do tyłu, zaciskając mocno zęby. Blair domyśliła się, że znał plan Moiry – i wcale go nie pochwalał.

Moira wysunęła się naprzód i odczekała, aż tłum się uciszy.

– Ludu Geallii, powróciłam do was, ale nie przynoszę radosnych wieści. Przybyłam, by poprowadzić was na wojnę. Sama bogini Morrigan rozkazała mi walczyć ze złem, które chce zniszczyć nasz świat, świat moich przyjaciół i wszystkie światy ludzkości. Zostałam wybrana razem z pięciorgiem towarzyszy; powierzam im moje życie, ziemię i koronę, którą – jeśli bogowie tak zechcą – będę nosiła, wiodąc was do walki.

Zamilkła i Blair widziała, że ocenia nastrój tłumu i sama próbuje się uspokoić.

---

* O rudych włosach, przydomek Glenny.
** Wojowniczka Mroku, łowczyni demonów, tak w Geallii nazywano Blair.

– To nie będzie bitwa o ziemię czy bogactwa ani o sławę czy z zemsty, lecz walka o życie. Dotychczas nie byłam waszą królową ani wojowniczką, tylko pilną uczennicą, posłuszną córką, dumną mieszkanką Geallii. Mimo to proszę was, żebyście poszli za mną, ryzykując swoje życie, i narazili się na wszystko, co was potem spotka. Bo w noc święta Samhain staniemy twarzą w twarz z armią demonów takich jak te.

Strażnicy wywlekli wampiry na środek placu. Blair wiedziała, co zobaczyli ludzie: zakutych w łańcuchy mężczyzn, morderców, ale nie demony.

Rozległy się okrzyki i westchnienia, wołania o sprawiedliwość, popłynęły nawet łzy. Ale nikt nie poczuł prawdziwego strachu.

Strażnicy przyczepili łańcuchy do żelaznych słupów i na skinienie Moiry opuścili pole.

– Ci, którzy zabili moją matkę, zamordowali waszą królową, mają imię. To wampiry. Lady Blair w swoim świecie poluje na nie i je unicestwia, jest łowczynią demonów. Pokaże wam, czym tak naprawdę są.

Blair wypuściła powietrze i popatrzyła na Larkina.

– Przykro mi.

Zanim zdążył cokolwiek powiedzieć, wyskoczyła z loży i wyszła na środek pola.

– Co się dzieje? – zapytał Larkin.

– Nie będziesz nam przeszkadzał. – Moira schwyciła kuzyna za ramię. – Takie jest moje życzenie. Co więcej, to mój rozkaz. Nie mieszaj się do tego. Żadne z was.

Kiedy Blair zaczęła mówić, Moira także wyszła na plac.

– Wampiry mają tylko jeden cel. Zabić. – Blair obeszła je dookoła na tyle blisko, by poczuły jej zapach, który wzbudził w nich potworny głód. – Żywią się ludzką krwią. Będą na was polować i pić waszą krew. Jeśli będą głodne, zrobią to szybko. Umrzecie przerażeni, w męczarniach, ale szybko. Jeśli będą chciały czegoś więcej, będą was torturować, tak jak rodzinę, którą Larkin, Cian i ja znaleźliśmy martwą tej nocy, gdy pochwyciliśmy te dwa.

Większy wampir spróbował na nią skoczyć, oczy miał teraz czerwone, a ludzie siedzący bliżej mogli dostrzec jego wyszczerzone kły.

– Wampiry się nie rodzą, nie są płodzone, nie rosną w łonie. Powstają z ludzi. Jeśli ukąszenie wampira nie jest śmiertelne, ofiara zostaje zainfekowana. Jedni stają się wtedy półwampirami, ich sługami, inni zostają wyssani niemal do cna, a potem piją krew stworzyciela i umierają tylko po to, by znowu powstać. Nie jako ludzie, lecz jako potwory.

Zataczała wokół jeńców coraz mniejsze koła.

– Wasze dziecko, wasza matka czy ukochany też mogą zostać tak przemienieni. Wtedy nie będą już waszym dzieckiem, matką czy kochankiem. Staną się demonami takimi jak te, opanowanymi pragnieniem krwi, które każe im zabijać i niszczyć.

Odwróciła się, a wampiry za jej plecami miotały się w łańcuchach z głodu i wściekłości, bo Blair stała na samej granicy ich zasięgu.

– To właśnie po was przyjdzie. Setki, może tysiące. Z tym będziecie musieli walczyć. Żelazo ich nie zabije, tylko zrani.

Okręciła się i przecięła ostrzem noża pierś większego wampira.

– Krwawią, ale rany goją się szybko i na pewno ich nie zatrzymają. Oto broń, która niszczy wampiry: drewno.

Wyciągnęła kołek i zamarkowała cios w mniejszego wampira; ten cofnął się i skulił, by osłonić pierś.

– Wbite w samo serce. I ogień.

Złapała pochodnię i machnęła nią w powietrzu, a oba wampiry zaskrzeczały.

– Polują w nocy, bo giną od promieni słońca, ale w ciągu dnia mogą przemykać w cieniu, chodzić po deszczu. Zdołają zabić, gdy słońce jest za chmurami. Krzyż je parzy i czasem, jeśli macie szczęście, może utrzymać na dystans. Parzy je też święcona woda. Jeśli walczycie mieczem, musicie ściąć im głowę.

Ona także potrafiła ocenić nastrój tłumu. Podniecenie, wahanie i te pierwsze zalążki strachu. I ogromny brak wiary. Ci ludzie nadal widzieli przed sobą tylko mężczyzn w łańcuchach.

– To jest wasza broń, to macie do dyspozycji oprócz sprytu i odwagi przeciwko bestiom, które są silniejsze, szybsze i trudniejsze do zabicia niż wy. Jeśli nie będziemy walczyć, jeśli nie wygramy, za niewiele więcej niż miesiąc one was zniszczą.

Przerwała, gdy Moira podeszła do niej przez plac.

– Jesteś pewna? – wyszeptała Blair.

– Jestem. – Moira uścisnęła jej dłoń i odwróciła się do tłumu wznoszącego okrzyki pełne troski i zaniepokojenia.

Moira podniosła głos, by przekrzyczeć ludzi.

– Morrigan jest nazywana królową wojowników, choć podobno sama nigdy nie stanęła do walki. Mimo to ja skłaniam głowę przed jej rozkazem. Bo mam wiarę. Nie proszę was, żebyście wierzyli we mnie jak w boginię. Jestem kobietą, tak samo śmiertelną jak wy, ale kiedy poproszę, abyście ruszyli za mną do bitwy, pójdziecie za wojowniczką. Udowodnię to wam. W koronie czy bez, będę niosła miecz. Będę walczyła razem z wami.

Uniosła wysoko ostrze.

– Dziś wieczorem, na tej ziemi zniszczę to, co zabrało waszą królową i moją matkę. Robię to dla niej, za jej krew. Robię to dla was, dla Geallii i dla ludzkości.

Obróciła się twarzą do Blair.

– Zrób to. Jeśli kochasz mnie choć trochę – dodała, gdy zobaczyła, że Blair się waha. – Wojowniczka dla wojowniczki, kobieta dla kobiety.

– To twój wieczór.

Wybrała mniejszego z dwóch wampirów, który i tak był jakieś dwadzieścia kilogramów cięższy od Moiry.

– Na kolana – rozkazała, przystawiając mu miecz do gardła.

– Łatwo ci mnie zabić, kiedy jestem w łańcuchach – wysyczał, ale padł na kolana.

– Tak, łatwo. I już żałuję, że nie ja to zrobię. – Nie odrywając ostrza od gardła wampira, stanęła za jego plecami. Wyjęła klucz, który dostała od Moiry, i otworzyła kłódkę.

Z dumą i lękiem wbiła miecz w ziemię obok demona i odeszła.

– Coś ty zrobiła? – zapytał Larkin, gdy Blair stanęła obok niego z przodu loży.

– To, o co mnie prosiła. To, co chciałabym, żeby zrobiła dla mnie, gdyby sytuacja była odwrotna. – Dopiero teraz na niego spojrzała. – Jeśli ty w nią nie wierzysz, to dlaczego oni mieliby jej zaufać? – Złapała go za rękę. – Jeśli my nie możemy jej zaufać, to jak ma uwierzyć w samą siebie?

Puściła jego rękę i patrząc na plac, modliła się, aby się okazało, że postąpiła właściwie.

– Weź miecz – rozkazała wampirowi Moira.

– Z tuzinem wycelowanych we mnie strzał? – odwarknął.

– Żadna nie pofrunie, dopóki nie będziesz uciekał. Boisz się stanąć do równej walki z człowiekiem? Uciekłbyś tamtej nocy, gdyby moja matka miała miecz?

– Była słaba, ale miała pyszną krew. – Rzucił krótkie spojrzenie na towarzysza, który wciąż był przykuty do słupa zbyt daleko, by mu pomóc. – To miałaś być ty.

Ta świadomość już od dawna raniła serce Moiry niczym nóż. Jego słowa tylko obróciły ostrze.

– Tak i zabiliście ją bez powodu. Ale teraz to mogę być ja. Czy Lilith przyjmie cię z powrotem, jeśli dziś w nocy posmakujesz mojej krwi? Pragniesz jej. – Z rozmysłem rozcięła lekko skórę na dłoni. – Tak dawno nic nie jadłeś.

Patrzyła, jak wysunął język i oblizał spierzchnięte usta. Uniosła dłoń, a krew spłynęła po jej ramieniu na ziemię.

Wampir wyrwał miecz z ziemi, uniósł go i zaatakował.

Moira nie zablokowała pierwszego ciosu, lecz odskoczyła na bok i kopnęła przeciwnika, a ten rozciągnął się jak długi.

Dobry ruch, uznała Blair, upokorzenie dobrze pasuje do głodu i strachu. Wampir wstał i rzucił się na Moirę z niesamowitą, nadnaturalną szybkością właściwą tylko niektórym przedstawicielom jego gatunku. Ale ona była gotowa. Może, pomyślała Blair, była gotowa przez całe życie.

Żelazo zwarło się z żelazem i Blair widziała, że podczas gdy on był szybszy i silniejszy, Moira miała dużo lepszą kondycję. Uniosła jego miecz i wbiła swój w pierś przeciwnika. Odskoczyła do tyłu i przyjęła bojową pozycję.

Chciała pokazać ludziom, że rana, która dla człowieka mogła być śmiertelna, na wampirze nie zrobiła żadnego wrażenia.

Blair zignorowała wrzaski, odgłosy paniki i tupot stóp za plecami, nie odrywając wzroku od placu.

Wampir przycisnął dłoń do rany i zlizał z palców własną krew. Blair usłyszała za sobą odgłos padającego ciała, gdy ktoś z widzów zemdlał.

Potwór zaatakował znowu, ale tym razem przewidział ruch Moiry. Drasnął ostrzem miecza jej ramię i grzbietem dłoni mocno uderzył ją w twarz.

Moira poleciała do tyłu, zablokowała następny cios, lecz znalazła się niebezpiecznie blisko drugiego wampira.

Blair uniosła kuszę gotowa złamać dane słowo.

Jednak Moira przykucnęła, przeturlała się na bok i wyrzuciła nogi w górę jak tłoki, a serce Blair odśpiewało pieśń radości.

– Brawo, dziewczyno. A teraz go załatw. Koniec zabawy.

Ale Moirze chodziło o coś więcej niż tylko pokazanie ludziom, ile wampir mógł znieść w walce. Opuściła miecz, rozpłatała mu ramię i odskoczyła do tyłu, zamiast zadać ostateczny cios.

– Jak długo żyła? – krzyknęła. – Jak długo cierpiała? – Blokowała i cięła, nawet gdy dłoń trzymająca miecz zrobiła się śliska od jej własnej krwi.

– Dłużej niż będziesz ty i tchórz, który cię spłodził!

Zaatakował, a zszokowana Moira ledwie dostrzegła jego ruch i prawie nie wiedziała, że się obroniła. Poczuła ból, gdy ostrze miecza zatopiło się w jej boku. Usłyszała własny wrzask, gdy zamachnęła się mieczem i odcięła głowę wampirowi.

Opadła na kolana bardziej osłabiona rozdzierającą rozpaczą niż ranami. Próbowała się opanować, a ryk tłumu brzmiał w jej uszach jak szum dalekiego oceanu.

Wstała z trudem i obróciła się do Blair.

– Uwolnij drugiego.

– Nie. Wystarczy, Moiro. Już wystarczy.

– Ja sama powiem, kiedy wystarczy. – Podeszła zdecydowanym krokiem i wyrwała Blair klucz z ręki. – Ja muszę to zrobić.

Na placu zapadła śmiertelna cisza, gdy szła w stronę drugiego wampira. W jego oczach dostrzegła błysk. Głód i rozkosz na myśl o tym, co miało się stać.

Nagle świsnęła koło jej ucha strzała i wbiła się prosto w jego serce.

Moira obróciła się na pięcie, przepełniona wściekłością. Ale to nie Blair trzymała kuszę, lecz Cian.

Rzucił broń na ziemię.

– Dość – powiedział tylko i odszedł.

17

Moira nie myślała, nie czekała. Nie wróciła na swoje miejsce w loży, by przemówić do ludzi. Gdy biegła przed siebie, usłyszała podniesiony głos Larkina, mocny i czysty. Wiedziała, że on przemówi w jej imieniu, i to na razie musiało wystarczyć.

Nie wypuszczając z ręki zakrwawionego miecza, pognała za Cianem.

– Jak śmiesz! Jak śmiałeś mi przeszkodzić!

Szedł już przez dziedziniec.

– Ja nie wykonuję twoich rozkazów. Nie jestem jednym z twoich poddanych.

– Nie miałeś prawa. – Zabiegła mu drogę, nie pozwalając wrócić do zamku. Na jego twarzy dostrzegła lodowatą furię.

– Nie obchodzą mnie żadne prawa.

– Nie mogłeś tego wytrzymać? Nie mogłeś patrzeć, jak walczę z jednym wampirem, torturuję go, zabijam. Nie mógłbyś stać bezczynnie i patrzeć, jak zwyciężam drugiego.

– Skoro tak wolisz myśleć.

Nie przepchnął się koło niej, lecz zmienił kierunek i teraz szedł w stronę bramy.

– Nie będziesz się ode mnie odwracał. – Tym razem, gdy stanęła przed nim, położyła ostrze miecza płasko na jego piersi. Jej furia nie była lodowata, lecz gorąca, wrzała niczym lawa w wulkanie. – Jesteś tu, bo ja tak chciałam, bo ja na to pozwoliłam. Nie rządzisz tutaj.

– Ach, już wkładamy gronostajowy płaszcz. Musisz zrozumieć, księżniczko, że jestem tutaj, bo sam tego chcę, a twoje pozwolenie nie znaczy nic dla takich jak ja. A teraz albo użyj tej broni, albo ją opuść.

Odrzuciła miecz daleko, aż zabrzęczał na kamieniach.

– Ja miałam to zrobić.

– Umrzeć na oczach rozwrzeszczanego tłumu? Jesteś trochę za mała na gladiatora.

– Ja bym...

– Podała głodnemu wampirowi ostatni posiłek – warknął Cian. – Nie dałabyś rady pokonać drugiego. Może, ale tylko może, miałabyś jakąś szansę, gdybyś była wypoczęta i nie odniosła tych ran, ale Blair wybrała na początek mniejszego z nich, dając ci najlepszą szansę na pokazanie tego, co chciałaś pokazać. I udało ci się, niech ta satysfakcja ci wystarczy.

– Myślisz, że wiesz, do czego jestem zdolna?

Cian uścisnął ranę w jej boku i odsunął dłoń, gdy Moira pobladła jak ściana i oparła o mur.

– Tak. I on też wiedział. Wiedziałby dokładnie, jak cię pokonać. – Wytarł zakrwawioną rękę o skraj jej tuniki. – Nie minęłyby dwie minuty, a byłabyś równie martwa jak twoja matka, którą tak straszliwie chcesz pomścić.

W jej oczach zapłonął ogień.

– Nie mów o niej.

– Więc przestań używać jej jako pretekstu.

Usta jej zadrżały, ale natychmiast zacisnęła wargi.

– Pokonałabym go, bo nie miałabym innego wyjścia.

– Bzdury. Byłaś wyczerpana i zbyt dumna, zbyt głupia, by to przyznać.

– Nigdy się tego nie dowiemy, bo ty go zabiłeś.

– Myślisz, że udałoby ci się go powstrzymać przed wbiciem tutaj kłów? – Przesunął palcem po jej szyi, ledwo unosząc brew, gdy Moira odepchnęła jego dłoń. – W takim razie powstrzymaj mnie. Musisz zdobyć się na więcej niż mały klaps, żeby ci się udało.

Podniósł miecz, który przed chwilą odrzuciła, i uśmiechnął się ponuro, gdy skrzywiła się z bólu, wyciągając dłoń. Ścisnęła rękojeść słabymi palcami.

– Ty masz miecz, ja nie. Powstrzymaj mnie – powiedział Cian.

– Nie mam zamiaru...

– Powstrzymaj mnie – powtórzył i popchnął ją lekko na mur.

– Nie waż się mnie tknąć.

– Powstrzymaj mnie. – Pchnął ją jeszcze raz i wytrącił jej broń.

Wymierzyła mu siarczysty policzek, zanim schwycił ją za ramiona i przycisnął plecami do ściany. Poczuła coś, co mogło być strachem, gdy Cian spojrzał jej prosto w oczy.

– Na litość boską, powstrzymaj mnie.

Przycisnął usta do jej warg i Moira poczuła wszystko. Zbyt wiele. Ciemność i jasność, rozkosz i ból. Całą swą istotą popędziła ku temu uczuciu, bez tchu, jak oszalała.

Potem stał o krok przed nią i wydawało się jej, że całe powietrze uszło z jej ciała.

– On inaczej by ciebie smakował.

Zostawił ją drżącą przy ścianie i odszedł, zanim popełni jeszcze bardziej niewybaczalny błąd.

Bardziej poczuł, niż zobaczył Glennę.

– Trzeba się nią zająć – powiedział, nie przystając ani na chwilę.

Blair siedziała przed kominkiem w rodzinnym salonie i próbowała dojść do siebie.

– Tylko nie zaczynaj – ostrzegła Larkina. – Ona wydusiła ze mnie słowo honoru, poza tym rozumiem, dlaczego musiała to zrobić.

– Czemu nic mi nie powiedziałaś?

– Bo ciebie wtedy nie było. Zostawiła to na ostatnią chwilę. Wciągnęła mnie w zasadzkę. Swoją drogą cholernie dobra strategia, jeśli ktoś pytałby mnie o zdanie. Kłóciłam się z nią i może powinnam być bardziej stanowcza, ale miała rację. I Jezu, udowodniła to, co chciała.

Podał jej kielich wina i przykucnął przed nią.

– Myślisz, że jestem na ciebie zły. Nie jestem. Trochę na nią, za to, że mi nie zaufała. Te potwory zabiły nie tylko jej matkę, ale też moją ciotkę, którą kochałem. Nie tylko swoich ludzi chciała przekonać tym, co zrobiła dziś wieczorem, ale także moich. I mogę ci obiecać, że pomówię o tym z Moirą.

– Dobrze, dobrze. – Blair napiła się wina i popatrzyła na Hoyta. – Ty też masz do wtrącenia jakieś trzy grosze?

– Jeśli pytasz mnie, czy mam coś do powiedzenia na ten temat, to tak, mam. Nie powinna była działać sama. Jest zbyt cenna, byśmy mogli ją stracić i podobno stanowimy krąg. Nikt z nas nie powinien sam podejmować tak istotnych decyzji.

– Cóż, jeśli pomyśleć o tym logicznie. – Blair westchnęła. – Masz rację i gdybym miała trochę więcej czasu, uparłabym się, żeby wam wszystkim o tym powiedziała. Nie powstrzymalibyśmy jej, ale byśmy się przygotowali. Zachowywała się wobec mnie jak królowa. – Blair jeszcze raz westchnęła i rozmasowała sztywny kark. – Kurde, dostała niezłe lanie.

– Glenna się nią zaopiekuje – odpowiedział Hoyt. – Oberwałaby gorzej, gdyby Cian nie zareagował.

– Nie pozwoliłabym, żeby coś jej się stało. Nie zamierzam go skopać za to, że wyrwał mi kuszę z rąk, ale nie dałabym jej się zbliżyć do tego drugiego. Ledwo żyła. – Blair napiła się znowu. – I wcale nie jest mi przykro, że to on teraz zbiera baty, a nie ja.

– Ma wystarczająco twardą skórę. – Hoyt bezmyślnie szturchał polana w kominku. – Teraz będziemy mieli naszą armię.

– Tak, będziemy mieli – zgodził się Larkin. – Nikt nie ma już wątpliwości, z czym przyjdzie nam walczyć. Nie byliśmy nigdy zawodowymi żołnierzami, ale też nie jesteśmy tchórzami. Do Samhainu stworzymy armię.

– Lilith może pojawić się w każdej chwili – przypomniała Blair. – Czeka nas mnóstwo pracy. Lepiej chodźmy spać i zaczynajmy z samego rana.

Ale gdy już miała wstać, w drzwiach stanęła Dervil.

– Proszę o wybaczenie, ale przysłano mnie po lady Blair. Moja pani chce z nią pomówić.

– Kolejny rozkaz – wymamrotała Blair.

– Poczekam u ciebie – powiedział Larkin. – Powiesz mi, jak się czuje Moira.

– Dobrze. – Blair ruszyła do wyjścia, rzucając spojrzenie Dervil. – Znam drogę.

– Kazano mi panią przyprowadzić.

Gdy doszły do drzwi sypialni Moiry, Dervil zapukała. Otworzyła im Glenna i na widok Blair wydała westchnienie ulgi.

– Dzięki, że przyszłaś.

– Pani. – Dervil odchrząknęła na widok uniesionych brwi Glenny. –

Chciałabym cię przeprosić za moje niegrzeczne zachowanie i zapytać, o której godzinie kobiety mają się stawić na ćwiczenia.

– Godzinę po świcie.

– Czy mogłabyś nauczyć mnie walczyć?

– Oczywiście.

Uśmiech Dervil był pełen powagi.

– Będziemy gotowe.

– Coś mnie ominęło? – zapytała Blair Glennę, gdy Dervil wyszła.

– Tylko część bardzo długiego dnia. Ale coś rzeczywiście ci umknęło. – Zniżyła głos. – Widziałam, jak Cian kłócił się z Moirą w kącie dziedzińca.

– Żadna niespodzianka.

– Była niespodzianka, gdy zamknął jej buzię własnymi ustami.

– Słucham?

– Pocałował ją. Mocno i namiętnie.

– O kurczę!

– Była potem roztrzęsiona. – Glenna zerknęła przez ramię. – I to moim zdaniem nie do końca z powodu urażonej dumy czy złości.

– Powtórzę tylko: o kurczę!

– Mówię ci o tym, bo nie chcę sama się martwić tym wszystkim.

– Dzięki za troskę.

– Od czego ma się przyjaciół? Dokończ napój, Moiro – powiedziała głośniej, idąc w stronę rannej. – Mówię serio.

– Już, już kończę.

Moira siedziała przy kominku, przebrana w suknię, rozpuszczone włosy okrywały jej plecy. Siniaki na twarzy odcinały się ciemnymi plamami od jej bladości.

– Blair, dziękuję, że przyszłaś. Wiem, że musisz być zmęczona, ale nie chciałam, żebyś się położyła, zanim ci podziękuję.

– Jak się trzymasz?

– Glenna się mną zajęła i dała lekarstwa. – Wypiła do końca zawartość kielicha. – Czuję się dobrze.

– To była dobra walka. Miałaś kilka niezłych ruchów.

– Zbyt długo się z nim bawiłam. – Moira wzruszyła ramionami i skrzywiła się, gdy rana w boku zaprotestowała. – To był głupi dowód pychy. A jeszcze głupsze było rozkazanie ci, żebyś uwolniła drugiego. Miałaś rację, że tego nie zrobiłaś.

– Tak, miałam. – Blair usiadła na podnóżku u stóp Moiry. – Nie zamierzam ci wmawiać, że wiem coś o obowiązkach królowej, ale bycie dowódcą wcale nie oznacza, że musisz wszystko robić sama. A każdy wojownik musi unikać walki, jeśli nie jest ona niezbędnie konieczna.

– Wiem, pozwoliłam, by emocje przyćmiły mi zdrowy rozsądek. To już się nie powtórzy.

– No cóż, wszystko dobre, co się dobrze kończy. – Poklepała Moirę po kolanie.

– Jesteście najlepszymi przyjaciółkami, jakie kiedykolwiek miałam. I najbliższymi kobietami poza moją matką. Zorientowałam się po wyrazie waszych twarzy, gdy stałyście w drzwiach, że Glenna powiedziała ci, co zaszło między mną i Cianem.

Blair, niepewna co powiedzieć, potarła dłońmi uda.

– Aha.

– Chyba przyda się nam trochę wina. – Moira zaczęła wstawać, lecz Glenna położyła rękę na jej ramieniu, by ją powstrzymać.

– Ja przyniosę. Nie zamierzałam plotkować za twoimi plecami.

– To także wiem. Powiedziałaś jej z troski, jako przyjaciółka i kobieta, ale nie musicie się martwić. Byłam zła. Nie, wściekła – poprawiła, gdy Glenna przyniosła wino – że samowolnie zgładził wampira, którego ja miałam zabić.

– Wyprzedził mnie tylko o kilka sekund – powiedziała Blair.

– Cóż. No właśnie. Poszłam za Cianem, chociaż obowiązek nakazywał mi zostać i przemówić do moich ludzi. Ale ja pobiegłam za nim i go zaatakowałam. Zrobił, co w jego mocy, by powstrzymać mnie przed popełnieniem głupiego, a może nawet fatalnego w skutkach błędu. I to właśnie mi powiedział, ale nie byłam gotowa go wysłuchać, przyjąć jego słów do wiadomości. To, co zrobił, było tylko częścią demonstracji, pokazał mi, że nie jestem wystarczająco silna, żeby powstrzymać jakikolwiek atak. To nie znaczyło nic więcej.

– Okay... – Blair szukała odpowiednich słów. – Jeśli jesteś tym usatysfakcjonowana.

– Trudno, żeby kobieta czuła się usatysfakcjonowaną, kiedy zostaje pocałowana w taki sposób, a potem chłodno odepchnięta. – Moira uniosła ramię. – Ale oboje zrobiliśmy to w złości. Nie będę go przepraszała ani nie oczekuję przeprosin z jego strony. Będziemy działali dalej, pamiętając, że są ważniejsze sprawy niż duma i temperament.

– Moiro. – Glenna pogłaskała ją po włosach. – Czy ty coś do niego czujesz?

Moira zamknęła oczy, jakby próbowała odnaleźć w sobie odpowiedź.

– Czasami wydaje mi się, że nie ma mnie poza tym uczuciem. Ale znam swoje obowiązki, zgodziłam się pójść do kamienia i spróbować unieść miecz. Nie jutro, mamy zbyt wiele pracy, ale pod koniec tygodnia. Pokazałam moim ludziom, że jestem wojowniczką. Wkrótce, jeśli bogowie pozwolą, pokażę się im jako królowa.

Gdy wychodziły, Moira wciąż siedziała w fotelu, wpatrzona w ogień.

– Lekarstwo, które jej dałam, pomoże jej zasnąć, mam nadzieję że wkrótce. – Glenna wypuściła głośno powietrze i wbiła ręce w kieszenie.

– To może nie być łatwe.

– A co jest? Powinnam była wcześniej zauważyć coś takiego.

– Pora zamienić kryształową kulę na nowszy model?

– No cóż. – Ruszyły razem w stronę swoich pokoi. – Myślisz, że powinnyśmy porozmawiać o tym z Cianem?

– Pewnie. Ty pierwsza!

Glenna ze śmiechem potrząsnęła głową.

– No dobrze, zostawmy to. Nie będziemy się wtrącać, przynajmniej na razie. Wiesz, sądzę, że ludzie w związku nie powinni mieć przed sobą żadnych tajemnic, ale nie zamierzam nic mówić Hoytowi.

– Jeśli uważasz, że wypaplę coś Larkinowi, to musisz pomyśleć jeszcze raz. Wszyscy mamy wystarczająco dużo zmartwień.

Poranek był chłodny i wilgotny, ale na placu turniejowym zebrała się gromada kobiet. Większość z nich włożyła spodnie – które nazywały *braes* – i tuniki.

– Jest ich ponad dwa razy więcej niż wczoraj – powiedziała Glenna do Blair. – To dzięki Moirze.

– Trzeba przyznać, że nieźle to rozegrała wczoraj w nocy. Słuchaj, poćwiczę z wami godzinkę, trochę je rozruszam, a potem chcę zabrać na przejażdżkę mojego smoczka.

Czy to z powodu chmurnego poranka, czy po wydarzeniach zeszłego wieczoru Blair była niespokojna.

– Chcę obejrzeć pole bitwy, upewnić się, że wioski w pobliżu są puste. Sprawdzić, czy ustawiono pułapki.

– Kolejny dzień w raju. Cóż, chyba będziemy musiały ćwiczyć w zamku. – Glenna oparła ręce na biodrach i obróciła się w koło. – Pójdę sprawdzić, czy jest tam dla nas jakieś miejsce.

– Dlaczego?

– Pada, jakbyś nie zauważyła.

– Trudno nie zauważyć, skoro kapie mi z włosów, ale nie wiemy, jaka pogoda będzie w Samhain. Możemy równie dobrze zacząć od zapasów w błocie.

– Cholera.

– Głowa do góry, sierżancie. – Blair dała jej przyjacielskiego kuksańca w ramię.

Po godzinie Blair była umorusana, trochę posiniaczona i w doskonałym nastroju. Małe zapasy w błocie doskonale wpłynęły na jej skołatane nerwy.

Ruszyła przez dziedziniec w poszukiwaniu Larkina i nagle stanęła, gdy w nadchodzących z przeciwka kobietach rozpoznała jego matkę i siostrę.

Świetnie, pomyślała. Strzał w dziesiątkę. Cała spocona i umorusana błotem miała spotkać matkę faceta, z którym sypiała. Po prostu jej szczęście.

Ponieważ nie miała jak umknąć, wydukała z trudem:

– Dzień dobry.

– I tobie również. Jestem Deirdre, a to moja córka Sinann.

Blair już miała wyciągnąć dłoń, ale się opamiętała. W tych okolicznościach nie potrafiłaby zdobyć się na dygnięcie, więc po prostu skinęła głową.

– Miło was poznać. Ja... uch... ćwiczyłam z kobietami.

– Patrzyłyśmy na was. – Sinann położyła rękę na wydatnym brzuchu ruchem charakterystycznym dla ciężarnych kobiet. – Masz wielki talent. I energię.

Uśmiechnęła się, mówiąc te słowa, i Blair spróbowała się rozluźnić.

– Mój syn dobrze o tobie mówi – odezwała się matka Larkina.

– Och. – Blair popatrzyła na Deirdre i odchrząknęła. Do diabła, zrelaksuj się. – Miło to słyszeć. Dziękuję. Właśnie go szukam. Musimy pojechać na zwiady.

– Jest w stajniach. – Deirdre przez dłuższą chwilę patrzyła w milczeniu na Blair. – Myślisz, że nie wiem, iż on dzieli z tobą łoże? – Zanim Blair zdążyła coś powiedzieć lub w ogóle pomyśleć, Sinann wydała dźwięk przypominający zduszony śmiech.

– W końcu jestem jego matką – ciągnęła Deirdre tym samym łagodnym tonem. – Wiem, że wcześniej dzielił łoże z innymi kobietami, ale o żadnej nie mówił ze mną tak, jak o tobie. To zmienia postać rzeczy. Proszę cię o wybaczenie, ale z tego, co mówił, wywnioskowałam, że wolałabyś szczerość.

– Tak, wolę. Wolałabym. O kurczę, przepraszam, po prostu nigdy nie prowadziłam takiej rozmowy, nie z kimś takim jak ty.

– Z matką?

– Przede wszystkim. Nie chcę, żebyś myślała, że dzielę łoże z kimkolwiek, kto jest... – Czy sytuacja mogłaby być bardziej kłopotliwa? – zastanawiała się Blair, gdy Deirdre wpatrywała się w nią z lekkim rozbawieniem. – Larkin jest dobrym człowiekiem. Do diabła, jest zadziwiający. Doskonale wykonałaś swoją robotę.

– Nie ma milszych słów dla ucha matki i w pełni się z tobą zgadzam. – Rozbawienie zniknęło. – Ta wojna przyjdzie do nas wkrótce i on poprowadzi ludzi do walki. Nigdy nie stanęłam przed takim obowiązkiem i muszę wierzyć całym sercem, że zrobi to, co do niego należy, i przeżyje.

– Jeśli ci to pomoże, ja też w to wierzę.

– Pomoże. Mam też inne dzieci. – Deirdre dotknęła ramienia Sinann. – Jeszcze jednego syna, a także męża mojej córki. W nich tak samo wierzę, ale moja córka nie może walczyć jak kobiety, które uczysz.

– Dziecko ma przyjść na świat przed Nowym Rokiem – powiedziała Sinann. – To moje trzecie. Moje dzieci są zbyt małe, by walczyć, a to się jeszcze nawet nie narodziło. Jak mam je chronić?

Blair pomyślała o krzyżach wykonanych przez Hoyta i Glennę. Bez wątpienia wszyscy się zgodzą, że ciężarna siostra Larkina powinna nosić jeden z nich.

– Możesz zrobić bardzo wiele – zapewniła ją Blair. – Pomogę ci.

Zwróciła się do Deirdre.

– Nie powinnaś martwić się o swoją córkę i wnuki. Twoi synowie, twój mąż, moi przyjaciele i ja nigdy nie dopuścimy do was potworów.

– Wlewasz spokój w moją duszę i jestem ci za to wdzięczna. Może nie jesteśmy zdolne do walki, ale nie będziemy stać bezczynnie. Jest wiele rzeczy, które niemłode już kobiety i te, noszące nowe życie mogą zrobić. Nie będziemy bierne. A teraz masz pracę do wykonania, więc nie będziemy dłużej cię zatrzymywać. Życzę ci dobrego dnia i niech bogowie cię chronią.

– Dziękuję.

Blair stała przez chwilę, patrząc, jak odchodzą. Kobiety z kręgosłupem, pomyślała. Lilith nie dorastała im nawet do pięt.

Usatysfakcjonowana, znalazła Larkina w kuźni, gdzie rozebrany do pasa i lśniący od potu pomagał wykuwać broń.

Humor Blair jeszcze bardziej się poprawił. Co mogło być lepszego od widoku półnagiego, przystojnego mężczyzny wykuwającego miecz z gorącej stali?

Z liczby broni odłożonej do wystygnięcia wywnioskowała, że raźno zabrali się do pracy. Kowadło dzwoniło od uderzeń miecza, a gęsty dym unosił się nad wiadrem zimnej wody, w której zanurzali czerwone z gorąca ostrza.

Czy można się dziwić, że od razu pomyślała o seksie?

– Czy możesz na jednym coś dla mnie wygrawerować? – zawołała. – Na przykład: Dla kobiety, która przebija serca. Staroświeckie, ale zabawne.

Larkin podniósł wzrok i błysnął zębami w uśmiechu.

– Wyglądasz, jakbyś tarzała się w błocie.

– Bo się tarzałam. Właśnie miałam iść się umyć.

Oddał swój młot jednemu z mężczyzn i podszedł do niej, wycierając ścierką pot z twarzy.

– Do Samhainu uzbroimy każdego mężczyznę i kobietę w Geallii. Cian wcale nie minął się z prawdą, mówiąc, że przekujemy lemiesze na miecze. Wieści już się rozeszły.

– Dobrze, tak powinno być. Możesz się stąd wyrwać?

Larkin starł palcem trochę błota z jej twarzy.

– Co masz na myśli?

– Chciałabym się trochę przelecieć. Wiem, że pogoda jest kiepska, ale nie możemy czekać na słońce i tęczę. Muszę zobaczyć pole bitwy, zanim to wszystko się zacznie.

– W takim razie zgoda. – Wziął swoją tunikę i przemówił szybko po gaellicku do mężczyzn.

– Doskonale poradzą sobie beze mnie.

– Widziałeś dziś rano Moirę?

– Tak. Przeprowadziliśmy dosyć gorącą dyskusję, a potem uspokoiliśmy się i pogodziliśmy. Poszła do wioski, żeby pomówić z ludźmi i z kupcami, wydębić więcej koni, wozów, zapasów i co tam jeszcze naskrobała na tej swojej liście zakupów na najbliższe tygodnie.

– Dobrze, że o tym pomyślała. I świetnie, że ludzie ją zobaczą po wczorajszej nocy. Wszyscy już pewnie słyszeli, co zaszło, więc im bardziej będzie widoczna, tym lepiej.

Przez nadchodzące tygodnie, rozmyślała Blair, wchodząc do zamku, żeby się umyć, zakupy i sporządzanie list zapasów będzie jedynym zajęciem kobiet takich jak Deirdre i Sinann. Trzeba dać im zajęcie, pokazać, że cała rodzina królewska coś robi.

Zmyła z siebie błoto, włożyła w miarę czystą koszulę i przypięła broń.

Spotkała się z Larkinem na dziedzińcu i zabrała mu pochwy na jego miecz i kołki.

– Mam coś dla ciebie. – Podniosła z ziemi uprząż i wsunęła pochwy w pętle. – Zrobiłam ją dla ciebie, żebyś mógł nosić ze sobą broń, latając nad chmurami.

– Proszę, proszę, czyż nie jest wspaniała? – Roześmiał się jak dziecko na widok nowego, czerwonego autka. – Dziękuję, że o mnie pomyślałaś, Blair. – Pochylił się, żeby ją pocałować.

– Zrób swoją sztuczkę i wypróbujemy uprząż.

– Jestem ci winien podarunek. – Pocałował ją jeszcze raz.

Przemienił się w smoka, a Blair założyła mu uprząż, zacisnęła popręg.

– Nieźle, jeśli pytasz mnie o zdanie. – Wskoczyła na niego. – Lećmy, kowboju.

Nigdy się do tego nie przyzwyczai. Nawet w deszczu czuła dreszcz na myśl o cudzie, który wraz z nią wzbijał się w powietrze przez zasnuwającą ziemię wilgotną mgłę. Czuła się, jakby fruneli w chmurze, gdzie wszystkie dźwięki są wyciszone i nie istnieje nic poza nimi.

Doszła do wniosku, że już nigdy nie zadowoli jej coś tak zwyczajnego jak samolot.

Deszcz osłabł i gdy słońce próbowało przebić się przez chmury, Blair zobaczyła tęczę. Łuk delikatnych kolorów wyłonił się spomiędzy kropel deszczu. Leniwie machając skrzydłami, Larkin zrobił obrót, tak że tęcza stanęła przed nimi otworem niczym brama. Jej barwy nabrały głębi, połyskując jak mokry jedwab. Promienie słońca przebiły chmury, a deszcz i miękkie, lśniące kolory zamieniły niebo w cud.

Blair usłyszała dźwięk podobny do trąby, radosną fanfarę i niebo zaroiło się od smoków.

Zabrakło jej tchu, naprawdę poczuła, że wypuściła całe powietrze z płuc, gdy otoczyły ją piękne, skrzydlate stwory. Mieniły się jeszcze piękniejszymi kolorami niż tęcza, lśniły jak szmaragdy, rubiny, szafiry. Poczuła, że Larkin zadrżał, odpowiadając na ich zew, i śmiała się jak szalona, gdy popatrzył na nią roześmianym złotym okiem.

Leciała z gromadą smoków. Stadem? Ławicą? Bandą? A jakie to miało znaczenie? Wiatr, który robiły ich skrzydła, unosił jej włosy i poły płaszcza, kiedy tak szybowali przez tęczowe niebo. Tamte smoki kołowały, robiły pętle i koziołkowały w radosnym tańcu. Podekscytowana Blair chwyciła się uprzęży i zawołała do Larkina:

– Zrób to! Zrób to też!

I krzyczała z radości, gdy zanurkował i przekoziołkował. Wisząc do góry nogami, gdy leciał grzbietem do góry, zobaczyła w rozdartej mgle lśniącą zieleń i głęboki brąz pól Geallii.

Larkin przemknął nad czubkami drzew, niemal dotknął tafli rzeki i wzniósł się wysoko, wysoko w powietrze, które teraz mieniło się od słońca.

Fruneli dalej, wśród tęczy i mieniących się skrzydeł, aż zostali tylko we dwójkę na niebie. Blair pochyliła się i przytuliła policzek do szyi smoka. Powiedział, że jest jej winien podarunek, i dał jej coś, czego nie można przecenić.

Lecieli teraz w słońcu, zraszani od czasu do czasu zaskakującym prysznicem deszczu. W dole Blair widziała małe wsie i osady, drogi, plątaninę strumieni i wąskich rzek, zielone wysepki lasów.

A przed nimi majaczyły góry, ciemne i osnute mgłą, zwiastujące nieszczęście.

Widziała skraj doliny u ich stóp, popękaną ziemię usianą kamieniami. Poczuła, jak dreszcz przebiega jej po krzyżu, gdy na własne oczy ujrzała to, co tak często widziała w snach.

Tam nie świeciło słońce, jak gdyby jego promienie pochłonęła ciemna głębia wąwozów i jam, jak gdyby odrzuciła je blada trawa walcząca o miejsce z chwastami i pooranymi wiatrem skałami.

Ziemia wznosiła się i opadała, a wyniosłe góry rzucały na nią złowrogi cień.

Teraz Blair poczuła coś więcej niż dreszcz, odczuła irracjonalny, pierwotny strach. Lęk, że ta twarda nieszczęsna ziemia stanie się jej grobem.

Larkin skręcił, a Blair zamknęła na chwilę oczy, poddając się strachowi. Wiedziała, że nie potrafi go pokonać, zniszczyć bronią ani pięścią. Musiała go poznać i zaakceptować.

Gdy to zrobi, będzie mogła nad nim zapanować. Jeśli będzie wystarczająco silna, użyje swego strachu, by walczyć, by przeżyć.

Smok wylądował i Blair zsunęła się na ziemię. Stała na lekko drżących nogach, ale o własnych siłach i tylko to się liczyło. Być może palce miała lekko zesztywniałe, lecz wciąż mogła nimi poruszać. Odpięła smoczą uprząż.

I już stał obok niej Larkin-człowiek.

– To nieszczęsne miejsce.

Poczuła niemal ulgę, słysząc jego słowa.

– Tak, naprawdę złe.

– Niemal czuję, jak to zło unosi się nad ziemią. Bywałem tu już wcześniej i zawsze wydawało mi się, że to miejsce nie należy do Geallii, ale nigdy nie czułem się tak, jak dziś, jak gdyby ziemia miała się otworzyć i mnie pochłonąć.

– Och, kurczę, jeśli mam być szczera, to nieźle mnie trzepnęło. Aż krew mi się ścięła w żyłach. – Przesunęła dłońmi po twarzy i rozejrzała się wokoło. – Gdzie my jesteśmy?

– Parę kroków od pola bitwy. Nie chciałem tam lądować, to niedaleko i pomyślałem, że przyda nam się kilka chwil przerwy.

– Oj, przyda.

Dotknął jej policzka.

– Daleko stąd do tęczy.

– Powiedziałabym, że jesteśmy po złej stronie tęczy. I chciałabym powiedzieć coś jeszcze, zanim zobaczymy dolinę. Ten lot – tęcza, inne smoki i w ogóle wszystko – był najbardziej niesamowitym doświadczeniem w moim życiu.

– Naprawdę? – Larkin przekrzywił głowę. – Myślałem, że najbardziej niesamowitym przeżyciem w twoim życiu było kochanie się ze mną.

– Och tak, rzeczywiście. No to zaraz po tym.

– W takim razie w porządku. – Uniósł podbródek Blair, by ją pocałować. – Cieszę się, że sprawiłem ci radość.

– Dałeś mi więcej niż radość, to było po prostu niewiarygodne. Najlepszy prezent, jaki w życiu dostałam.

– Szczęśliwie się złożyło z tą tęczą. Smoki zawsze podążają za współbratem.

– Naprawdę? Są takie piękne. Myślałam, że oczy wyskoczą mi z orbit.

– Przecież widziałaś smoka już wcześniej – przypomniał jej.

– Ty jesteś z nich najpiękniejszy i najbardziej przystojny, bla, bla, ale naprawdę, Larkin, są fantastyczne. Wszystkie te kolory i siła... Poczekaj, czy ludzie jeżdżą na nich tak jak ja na tobie?

– Nie, nikt nie jeździ tak jak ty, *a stór*. Ale na ogół nie, w końcu to nie konie.

– A gdyby mogli? Porozmawiaj ze swoimi smoczymi kumplami.

– Tego nie można nazwać rozmową. Komunikujemy się bez słów, wyrażamy myśli i uczucia. I mogę robić to tylko wtedy, kiedy sam jestem smokiem.

– Producenci anten by was ozłocili. Muszę o tym pomyśleć.

– To łagodne stworzenia, Blair.

– Tak samo jak większość kobiet, które ja i Glenna uczymy walczyć. Kiedy ważą się losy świata, musisz wykorzystać wszystko, co masz pod ręką. – Wyraźnie widziała opór na jego twarzy. – Pozwól mi trochę się nad tym zastanowić. To tędy, prawda?

– Tak.

Ruszyli wąską dróżką między żywopłotami, pod którymi rosły kępy pomarańczowych lilii. Larkin zerwał jedną z nich i podał Blair.

Popatrzyła na delikatne płatki i mocny, pełen życia kolor. Coś dzikiego i pięknego.

Ona mówiła o wojnie, pomyślała, a on dał jej kwiat.

Może to był głupi gest – może oboje byli głupcami – ale wsunęła kwiatek w jedną z dziurek u płaszcza. I wdychała jego słodki zapach w drodze na pole walki.

18

*U*szli ledwie kilka kroków, gdy Blair usłyszała stukot kopyt i skrzypienie osi. Wyszli za róg i zobaczyli dwa wozy pełne dobytku i ludzi. Wokół nich jechali jeźdźcy na koniach, niektórzy ledwie wyszli z dziecięcego siodła. Z tyłu wozów przywiązano muły. Człapały leniwie z wyrazem skrajnej irytacji na mordach.

Pierwszy z wozów stanął, a mężczyzna, który powoził, uniósł czapkę w stronę Blair i przemówił do Larkina.

– Podróżujecie w złą stronę – powiedział. – Z rozkazu rodziny królewskiej wszyscy mieszkańcy tej okolicy mają się udać do Dunglas albo jeszcze dalej, nawet do samego Miasta Geallii, jeśli zdołają. Mówi się, że nadchodzą demony i będzie wojna.

Obok niego siedziała kobieta, przyciskająca niemowlę do piersi.

– Nikt nie jest tu bezpieczny – powiedziała. – Wszyscy opuszczają swoje zagrody. Sama księżniczka Moira zakazała wszystkim mieszkańcom Geallii wychodzić z domów po zmroku. Znajdzie się dla was miejsce na wozie, możecie pojechać z nami do Dunglas, gdzie mieszka mój brat.

– To bardzo uprzejmie z twojej strony, pani, i dziękujemy ci za propozycję, ale przybyliśmy tu w sprawach rodziny królewskiej i Geallii. Poradzimy sobie.

– Musieliśmy zostawić nasze owce i bydło – mężczyzna popatrzył za siebie – ale posłańcy, którzy przybyli z zamku, powiedzieli, że nie ma innego wyjścia.

– Mieli rację.

Mężczyzna odwrócił się i przyjrzał uważnie Blair.

– Mówią też, że spoza Geallii przybyli wojownicy i czarnoksiężnicy, żeby walczyć w tej wojnie i przegnać demony.

– To prawda. – Ale Larkin dostrzegł na twarzy mężczyzny wyraz powątpiewania i strachu. – Ja opuściłem ten świat i przybyłem do niego z powrotem. Jestem Larkin z Mac Dara.

– Panie. – Mężczyzna zdjął czapkę. – Rozmawiać z tobą to dla mnie zaszczyt.

– A to lady Blair, wielka wojowniczka spoza Geallii.

Chłopiec, który jechał na koniu obok wozu, aż podskoczył w siodle.

– Zabijałaś demony? Walczyłaś z nimi i zabijałaś je, pani?

– Seamas – zganiła go ostrym tonem kobieta, najwyraźniej jego matka.

- Nikt nie dał ci pozwolenia, byś mówił, a co dopiero zasypywał damę pytaniami.

- Nic się nie stało. - Blair pogłaskała jego konia. Chłopiec miał szeroką, otwartą twarz, na której odcinały się piegi niczym cynamon na lukrze. Nie mógł mieć więcej niż osiem lat. - Tak, walczyłam z nimi i je zabijałam. Lord Larkin także.

- I ja też będę!

Miała nadzieję, że nie. Prosiła Boga, żeby dziś o zmroku leżał bezpiecznie w łóżku i tak samo we wszystkie wieczory, które nadejdą.

- Tak silny chłopiec jak ty ma inne zadanie. Każdej nocy, do końca wojny, musisz czuwać w domu i strzec matki, braci i sióstr. To będzie wymagało odwagi.

- Żaden demon ich nie tknie!

- Lepiej ruszajcie już w drogę i szczęśliwej podróży.

- I wam także, panie, pani.

Woźnica wziął lejce, świsnął batem. Blair patrzyła za nimi, aż oba wozy przejechały.

- Muszą bardzo ufać twojej rodzinie, skoro na jedno słowo Moiry spakowali się i opuścili dom. To kolejna silna broń, taka wiara.

- Mądrze przemówiłaś do tego chłopca, pokazałaś mu, że zostanie w domu z matką to jego obowiązek. Szczeniak Lilith był mniej więcej w tym samym wieku, właściwie trochę młodszy. - Larkin dotknął palcami blizny na karku. - Też miał słodką buzię. Był synem jakiejś matki, zanim ta diablica zmieniła go w potwora.

- Zapłaci za to i za wszystko inne. Czy to ukąszenie daje ci się we znaki? - zapytała, gdy znowu ruszyli.

- Nie, ale na pewno nigdy o tym nie zapomnę. Jestem pewien, że sama wiesz, jak to jest. - Ujął jej dłoń, obrócił i pocałował bliznę. - I wciąż jestem wkurzony, jak to ty mówisz, że ten mały gówniarz tak mnie urządził. Ledwo wyrósł z pieluch, a prawie mnie zabił.

- Dzieciaki-wampiry są tak samo groźne jak dorosłe. I moim zdaniem dużo bardziej przerażające.

Nagle żywopłoty się urwały i przed Larkinem i Blair rozciągnęła się Dolina Ciszy.

- A mówiąc o przerażających rzeczach - mruknęła. - Stąd wygląda jeszcze gorzej, mam już gęsią skórkę. Nie jestem tchórzem, ale nie obraziłabym się, gdybyś wziął mnie za rękę.

- Ja nie sprzeciwiłbym się, gdybyś ty trzymała moją.

I tak stali, ściskając się za ręce w miejscu, które wydawało się Blair końcem świata.

Ziemia opadała tu gwałtownie poszarpanym stokiem, upstrzonym paskudnymi wzgórkami i potrzaskanymi fragmentami skał. Całe hektary pustki i cienia, pomyślała, zakłócanego jedynie podmuchami niespokojnego wiatru w dzikiej trawie.

- Mnóstwo kryjówek - zauważyła. - Możemy wykorzystać je tak samo jak tamci. Przez większość czasu będziemy musieli walczyć pieszo. Tylko najlepszym jeźdźcom uda się poprowadzić konie po takim terenie. – Zmrużyła oczy. – Lepiej zejdźmy na dół, zobaczmy pole z bliska.

– Co myślisz o przejażdżce na kozie?

– Bez entuzjazmu. – Ale ścisnęła jego dłoń. – Poza tym jeśli nie poradzimy sobie teraz, na spokojnie i w biały dzień, to nie pójdzie nam najlepiej w nocy, w ogniu walki.

Po drodze Blair odkryła, że w skałach jest mnóstwo szczelin, w które można wcisnąć stopy, a ziemia była zbyt twarda, żeby się osypywać pod ich butami. Bez wątpienia wolałaby, żeby najważniejsza z bitew rozegrała się na płaskim polu, ale to, co mieli, też mogli wykorzystać.

– Niektóre płytsze jaskinie mogą się przydać jako schowki na broń i kryjówki dla ludzi.

– To prawda. – Larkin przykucnął i zajrzał w niewielką jamę. – Ale, jak mówiłaś w Irlandii, one też o tym pomyślą.

– Musimy być tutaj pierwsi i zablokować niektóre wejścia. Może magią... trzeba pomówić o tym z Hoytem i Glenną. Albo krzyżami.

Larkin skinął głową i wyprostował się.

– Musimy zająć ten płaski kawałek na górze i może tam. – Wskazał palcem, studiując rozkład terenu. – Zasypać je stamtąd strzałami. Właśnie tak załatwimy pieprzonych sukinsynów, na górze ustawimy łuczników.

Blair wspięła się na półkę skalną.

– Będziemy potrzebowali światła, to najważniejsze.

– Nie możemy liczyć na księżyc.

– Tej nocy, gdy daliśmy Lilith wycisk przed domem Ciana, Glenna wyczarowała jakieś światło. Wybiją nas jak muchy, jeśli będziemy walczyli w ciemności. To ich terytorium. Nie możemy zastawić tu pułapek – dodała, marszcząc brwi. – Nie możemy ryzykować, że wpadną w nie nasi ludzie.

Larkin wyciągnął dłoń, żeby pomóc Blair zeskoczyć na dół.

– Ona także przyjdzie tu nocą obejrzeć pole i opracować strategię. Mogła zresztą być tu już wcześniej, jeszcze zanim my się urodziliśmy i zanim przyszli na świat ci, którzy nas zrodzili. Plotła swoją pajęczą sieć i marzyła o tej jednej, jedynej nocy.

– Tak, na pewno tu była. Ale...

– Co?

– Ja też. Widzę w głowie tę dolinę, odkąd tylko pamiętam, z każdej strony, w słońcu i ciszy i w ciemności przepełnionej wrzawą bitwy. Znam to miejsce – wyszeptała – i boję się go przez całe życie.

– A mimo to przyszłaś tutaj. Stanęłaś na tej ziemi.

– Czuję się, jakby ktoś mnie popychał ku temu miejscu, każdego dnia coraz bliżej. Nie chcę tu umrzeć, Larkin.

– Blair...

– Nie, nie boję się śmierci. Ani nie mam obsesji na jej punkcie, ale, Boże, nie chcę tu skonać, w tym ponurym, odludnym miejscu. Nie chcę utonąć we własnej krwi.

– Przestań. – Złapał ją za ramiona. – Natychmiast przestań.

Oczy miała teraz ogromne, bezdennie błękitne.

– Nie wiem, czy ja to widziałam, czy też wyobraziłam sobie ze strachu. Nie wiem, czy patrzyłam na swoją śmierć. Niech szlag trafi bogów za ich dziwaczne wiadomości i nierozsądne żądania.

Poklepała go po piersi, by się odsunął i dał jej trochę miejsca.

– W porządku, nic mi nie jest. To tylko mały atak paniki.

– To przez to złe, nieszczęsne miejsce. Wpełza ci pod skórę i ścina lodem krew.

– Dlatego musimy je wykorzystać. Ale wiesz, co przemawia na naszą korzyść? Ludzie, którzy tu przyjdą, którzy będą walczyć w tej dolinie, będą mieli coś w sobie. Cokolwiek to jest, już pokazało złu środkowy palec.

– Jaki palec?

Blair nie myślała, że to możliwe, ale w tej okropnej ciszy i potwornym miejscu śmiała się, aż rozbolał ją brzuch.

Wyjaśniła mu, co miała na myśli, gdy szli po usianej kamieniami ziemi, i nagle zaczęła myśleć jaśniej, uważniej patrzyła, sprawniej planowała. Gdy wrócili na górę, czuła się dużo spokojniejsza, bardziej pewna siebie.

Otrzepała dłonie, zaczęła coś mówić i zamarła.

Przed nimi stała bogini w strumieniu światła, które zdawało się wydobywać z jej białej sukni, chociaż przyćmiewała je oszałamiająca uroda Morrigan.

Nie śpię, pomyślała Blair, to coś nowego. Jestem w pełni przytomna, a ona tam jest.

– Larkinie, czy ty widzisz...

Ale on już przykląkł na jedno kolano i skłonił głowę.

– Pani.

– Mój synu, klękasz przed tym, w co nigdy tak naprawdę nie wierzyłeś?

– Zacząłem wierzyć w wiele rzeczy.

– A zatem uwierz, że jesteście dla mnie cenni. Każde z was. Patrzyłam na waszą podróż tutaj, przez światło i ciemność. A ty, córko moich córek, nie uklękniesz?

– A chcesz tego?

– Nie. – Bogini uśmiechnęła się. – Tylko byłam ciekawa. Wstań, Larkinie. Jestem wam wdzięczna i dumna z was.

– Czy z wdzięczności nie mogłabyś nam przysłać armii bogów? – zapytała Blair, a Larkin sapnął zszokowany, ale i rozbawiony.

– Wy jesteście moją armią, wy i to, co nosicie w sobie. Czy prosiłabym was o coś, co byłoby niemożliwe do wykonania?

– Nie wiem – odpowiedziała Blair. – Nie mam pojęcia, czy bogowie proszą tylko o to, co możliwe.

– A jednak przybyłaś tu, przygotowujesz się, walczysz. Dlatego masz moją wdzięczność i podziw. Dobiega końca drugi miesiąc, czas nauki już niemal skończony. Po nim nadejdzie czas wiedzy. Musicie wiedzieć, żeby wygrać tę bitwę.

– Co musimy wiedzieć, pani?

– Będziecie wiedzieli, gdy się dowiecie.

– Widzisz? – Blair rozłożyła ręce. – Tajemnica. Dlaczego to zawsze musi być takie tajemnicze?

– Wiem, że to cię złości. – Morrigan podeszła bliżej, a w jej oczach zabłysły wesołe iskierki. Czule musnęła palcami policzek Blair. – Śmiertelnicy mogą zobaczyć drogę, którą wytyczyli im bogowie, ale zawsze sami wybierają kierunek, w którym chcą podążyć. Powiem wam, że jesteście moją nadzieją, wy i pozostała czwórka, która stworzyła z wami krąg. Jesteście nadzieją moją i całej ludzkości. Jesteście moją radością, jesteście przyszłością.

Teraz dotknęła policzka Larkina.

– I jesteście błogosławieni.

Zrobiła krok w tył, a uśmiech w jej oczach zastąpiły smutek i żelazna determinacja.

– To, co nadchodzi, musi się stać. Nadejdą ból, krew i nieszczęście. Za życie trzeba zapłacić swoją cenę. Zapadnie mrok, ciemność nad ciemności, a z niej powstaną demony. Płonie w niej miecz i lśni korona. Magia bije jak serce, a to, co utracone, zostanie odzyskane, jeśli tego zechce serce. Przekażcie członkom kręgu te słowa i pamiętajcie o nich. To nie wola bogów wygra bitwę, lecz wola ludzkości.

Zniknęła w smudze światła, a Blair i Larkin zostali na skraju przeklętej doliny.

– Zapamiętałeś? – Blair uniosła ręce, po czym pozwoliła im opaść. – Jak mamy to wszystko zapamiętać? Zrozumiałeś coś z tego?

– Zapamiętałem. To była moja pierwsza rozmowa z boginią, więc mogę cię zapewnić, że nie zapomnę jej tak szybko.

Zostawili za sobą dolinę i polecieli do pierwszego z trzech punktów, gdzie Blair kazała ustawić pułapki. Wylądowali na zielonej łące przeciętej rzeką.

Blair stanęła nad wodą i wyjęła mapę, którą wyrysowali wcześniej.

– No dobrze, jeśli przyjmiemy, że nasz portal tutaj znajduje się mniej więcej w tym samym miejscu co w Irlandii, i licząc na łut szczęścia, uznamy, że tak samo jest z przejściem Lilith, to klify są około trzydziestu kilometrów na zachód.

– Tak jest, zobacz sama. – Przesunął palcem po linii wybrzeża na mapie. – I jaskinie, które ona może wykorzystać jako bazę.

– Może – zgodziła się Blair. – Ale postąpiłaby sensowniej, zakładając obóz bliżej pola bitwy. Nawet jeśli tego nie zrobi, to i tak w którymś momencie będzie musiała ruszyć na wschód i jeśli wybierze najprostszą drogę, będzie musiała przejść tędy. Przekroczyć tę rzekę. – Wskazała głową na wodę. – Najlepiej tam, gdzie jest najwęższa. Moira obiecała, że się tym zajmie.

– Przyprowadziła tu błogosławionego człowieka, tak jak chciałaś. Woda została poświęcona.

– Nie wątpię w moc waszego błogosławionego, ale byłabym spokojniejsza, gdybym sama to sprawdziła.

Wyciągnęła z kieszeni buteleczkę krwi.

– Mam ją dzięki uprzejmości wampira, którego przygwoździłeś do ziemi tamtej nocy. Pobawmy się w małego chemika.

Larkin przyklęknął na brzegu, by napełnić bukłak wodą z rzeki. Zwinął dłoń i sam się napił.

– Na pewno jest świeża i chłodna. Szkoda, że niewystarczająco głęboka, żeby popływać, bo znowu bym cię namówił do zrzucenia ubrania.

– Mamy mało czasu, przystojniaku. – Ukucnęła obok niego i otworzyła flakonik. – Tylko kilka kropli, albo zadziała, albo nie.

Larkin wpuścił kilka kropli wody do środka, a krew w buteleczce zaczęła wrzeć i parować.

– Super! Sam wykonałeś robotę błogosławionego. Popatrz na ten dym! – Blair wyprostowała się i odtańczyła mały taniec radości. – Wyobraź sobie tylko: oto maszeruje złowroga armia wampirów. Muszą przejść przez rzekę, jeśli nie tu, to gdzieś indziej. „Cholera, zamoczymy stopy, ale jesteśmy złowrogą armią wampirów, nie boimy się jakiejś śmierdzącej wody". Więc wchodzą do rzeki. Kurde, już to słyszę! „Au, au, w mordę, kurwa!". Miotają się do przodu, do tyłu i robi się coraz gorzej. „Do diabła z mokrymi stopami, nogi nas palą, płoną". A jeszcze gorzej, jeśli zaczną przewracać się w panice i potykać. Co za radość, co za frajda.

Larkin klęczał nadal, uśmiechając się szeroko na widok jej zadowolonej miny.

– Miałaś cholernie dobry pomysł.

– Fantastyczny. Piątka! – Złapała go za rękę i uderzyła dłonią o jego dłoń. – O to chodzi.

Larkin wstał, przyciągnął Blair do siebie i pocałował, namiętnie i mocno.

– Wolę tak.

– A kto nie woli? Och, czyż nie byłoby cudownie, czyż nie byłoby słodko, gdyby to Lilith je prowadziła i pierwsza weszła do rzeki? Cudowna myśl.

Blair wzięła głęboki oddech.

– No dobrze, wystarczy tych czułości. Sprawdźmy pozostałe zasadzki.

To był dobry dzień, pomyślała, gdy ruszyli w kierunku drugiej pułapki. Tęcze, smoki, boginie. Stawiła czoło najgorszemu ze swoich koszmarów, weszła do doliny i wyszła z niej cała. Jej partyzancka taktyka zaczynała się sprawdzać.

Armia Lilith dostanie niezłego kopniaka w tyłek jeszcze przed Samhainem. Wampiry raczej nie zajmowały się rannymi, z którymi nie były mocno związane, istniała więc szansa, że Lilith straci sporą część swoich żołnierzy w tym marszu ku przeznaczeniu.

Larkin zaczął opadać i Blair przygotowała się na kolejną pochwałę, ale on nagle zmienił kierunek. Zaniepokojona spojrzała w dół i zobaczyła przewrócony wóz.

Obok niego leżał mężczyzna i stała kobieta z niemowlęciem na ręku, drugie dziecko trzymało się jej spódnicy.

Młodsze wydało pisk, który mógł być zarówno oznaką radości, jak i strachu, gdy złoty smok z kobietą na plecach sfrunął na drogę.

Młoda matka zbladła jak ściana i cofnęła się o kilka kroków, kiedy na jej oczach smok stał się człowiekiem.

– Och, święta matko!

– Nie bój się – powiedział Larkin łagodnie, dodając olśniewający uśmiech. – To tylko odrobina magii. Jestem Larkin, syn Riddocka.

– Panie. – Twarz nadal miała białą, ale zdobyła się na dygnięcie.

– Macie kłopoty. Czy mężczyzna jest ranny?

– Moja noga. – Mężczyzna spróbował usiąść, ale udało mu się tylko jęknąć. – Chyba jest złamana.

– Pozwól mi zobaczyć. – Blair uklękła przy nim. Zauważyła, że ranny miał szarą twarz i wielki siniak na szczęce.

– Złamała się oś. Dzięki niech będą bogom, że moja rodzina jest cała, ale ja zaliczyłem paskudny upadek. A potem uciekł ten piekielny koń.

– Możesz mieć tutaj małe złamanie. – Blair próbowała uśmiechem dodać mu otuchy. – Nie jest tak źle, jak z waszą osią, ale przez pewien czas nie będziesz mógł chodzić. On potrzebuje pomocy, Larkin.

Larkin oglądał koło.

– Nie naprawię tego bez nowego kołka. Dokąd zmierzacie? – zapytał kobietę.

– Panie, chcieliśmy się zatrzymać na odpoczynek w gospodzie na drodze do Miasta Geallii, a potem ruszyć dalej. Mój mąż ma rodzinę w mieście. Jego brat, Niall, pełni straż na zamku.

– Znam dobrze Nialla. Weźcie to, co wam niezbędne na wieczór, odprowadzimy was do gospody.

Starsze dziecko, dziewczynka w wieku około czterech lat, pociągnęło Larkina za tunikę.

– Gdzie twoje skrzydła?

– Na razie je schowałem, ale zaraz znowu je wam pokażę. A teraz pomóż matce. – Skinął na Blair. – Czy on da radę dojść? – zapytał ją.

– Musielibyście iść bardzo powoli. Możemy unieruchomić tę nogę prowizoryczną szyną, ale nie powinien nią poruszać. Bardzo go boli.

– W takim razie pofruniemy. Do gospody jest tylko kilka kilometrów.

– Zabierz ich. Dwójka dorosłych – z czego jeden ranny – i dwoje dzieci. Więcej nie dasz rady.

– Nie chcę cię zostawiać samej.

– Mamy środek dnia – przypomniała mu – a ja jestem uzbrojona. Pójdę dalej, sprawdzę następną pułapkę. To jakieś pół kilometra stąd, prawda?

– Tak, ale wolałbym, żebyś poczekała tutaj. Nie zajmie mi to dłużej niż pół godziny.

– I mam liczyć drzazgi w połamanym wozie? Sprawdzę tę pułapkę i będę tu, zanim wrócisz. Potem możemy polecieć do ostatniej i może rozejrzymy się trochę po okolicy, zobaczymy, czy jeszcze jacyś maruderzy nie potrzebują pomocy. Wrócimy do domu na długo przed zmierzchem.

– No dobrze, i tak pójdziesz, jak tylko oderwę się od ziemi.

– Cieszę się, że tak dobrze mnie rozumiesz.

Sporo czasu zajęło im nie tyle zapakowanie rodziny na smoka, ile przekonanie kobiety, że trzeba tak zrobić. Że muszą na nim polecieć.

– Ani trochę się nie martw, Bredo. – Larkin używał całego swego czaru.
– Będę leciał tak nisko, jak tylko będę mógł. Dostarczę ciebie i twoją rodzinę do gospody w mgnieniu oka i zorganizuję pomoc dla twojego męża. Rano ktoś przyjedzie tu, naprawi wasz wóz i przyprowadzi go wam. Nie mogłabyś wymyślić nic lepszego.

– Nie, panie, nie mogłabym. Jesteś taki dobry. – Wciąż jednak stała, załamując dłonie. – Oczywiście słyszałam o twoim darze, cała Geallia o tym wie, ale tak zobaczyć na własne oczy... I wsiąść na smoka...

– Czyż twoja córka nie będzie mogła potem opowiadać wspaniałych historii? No chodź, twój mąż potrzebuje pomocy.

– Tak. Dobrze. Oczywiście, oczywiście.

Zmienił postać, zanim kobieta zdążyła mrugnąć, i zostawił całą resztę Blair. Pomogła wstać mężczyźnie, który oparł się na jej ramieniu, a Larkin położył się brzuchem na ziemi. Blair wzięła sznur z wozu i przywiązała rannego do grzbietu smoka.

– Jestem wam bardzo wdzięczny – powiedział mężczyzna. – Nie wiem, jak byśmy sobie poradzili.

– Jeśli jesteś choć trochę podobny do brata, to coś byś wymyślił. On jest dobrym człowiekiem. Usiądź za nim – poinstruowała Blair jego żonę. – Trzymajcie dzieci między sobą. Przywiążę was. Będziecie bezpieczni, naprawdę.

– Ma takie ładne skrzydła. – Dziewczynka wspięła się na górę, zanim jej matka zdążyła choćby pisnąć. – Jak błyszczą.

Gdy wszyscy byli już gotowi do drogi, Larkin złapał w pazury sakwy z rzeczami, odwrócił głowę i przytulił policzek do szyi Blair.

I wzbił się w powietrze. Blair słyszała, jak dziewczynka krzyczała z radości, gdy polecieli nad drogą.

– Znam to uczucie – powiedziała do siebie ze śmiechem. Z mapą w dłoni przeszła przez trakt i ruszyła w poprzek pola.

Dobrze było tak iść i mieć chwilę dla siebie. Szalała za tym facetem, pomyślała, muskając palcem kwiatek wpięty w dziurkę od guzika, ale była przyzwyczajona do samotności, a ten cały kram zupełnie pozbawił ją luksusu własnego towarzystwa.

Odkąd to się zaczęło, stała się członkiem drużyny – kręgu, poprawiła samą siebie. Kręgu ludzi, których szanowała i w których wierzyła, ale którzy potrzebowali też jej rady.

W każdym razie okazała się lepsza w pracy zespołowej, niż sama się spodziewała. Może cała rzecz w tym, kto tworzył ów zespół.

I w jakiś sposób, będąc członkiem tej grupy, stała się połową pary. Nie wierzyła, że jeszcze jest jej to pisane, a już na pewno nie z mężczyzną, który wiedział o niej wszystko i nie tylko ją rozumiał, ale i cenił.

Blair już wiedziała, że w chwili rozstania pęknie jej serce, ale nie mieli innego wyboru, więc nie było sensu o tym rozmyślać, a już na pewno szkoda czasu na użalanie się nad sobą.

I tak oboje muszą najpierw przeżyć, żeby potem pogrążyć się w smutku i samotności.

Lepiej zrobi, jeśli będzie się rozkoszowała czasem, który im został, bo kiedy ów czas dobiegnie końca, będzie mogła spoglądać wstecz, pamiętając, że kochała i była kochana.

Popatrzyła na niebo, zastanawiając się, jak nieszczęsna rodzina radzi sobie podczas pierwszego – i sądząc z reakcji matki ostatniego – lotu na smoku.

Larkin się nimi zaopiekuje. Troska o innych to jedna z rzeczy, w których był naprawdę dobry. Jeśli dodać do tego urodę księcia z bajki, odwagę w walce i parę w łóżku, okazał się wprost idealny.

Zerknęła na mapę i przeskoczyła przez niski murek na następne pole. Rosło za nim kilka drzew i biegła bezpośrednia droga z wybrzeża do doliny.

Będą tędy szły, pomyślała Blair, dwie, może trzy godziny przedtem, zanim dotrą do rzeki ze święconą wodą. W nocy przemkną szybko po otwartej przestrzeni do bezpiecznego lasu kilka kilometrów dalej w głąb lądu.

Ta droga była najkrótsza i najprostsza. Jest tu kilka gospodarstw i chat dookoła, więc mają szansę na świeży prowiant.

O tak, rozmyślała Blair, właśnie tędy przyjdzie Lilith. Musi. Może partiami, zostawiając część wojska w jaskiniach, a część w bezpiecznych punktach po drodze, żeby wampiry polowały, urządzały zasadzki, chodziły na zwiady.

– Ja bym tak zrobiła – mruknęła, ostatni raz sprawdziła mapę i ruszyła na południowy wschód w kierunku małej kępy drzew.

Zobaczyła to niemal natychmiast i najpierw pomyślała, że jakiś dzieciak lub przechodzień wpadł do pułapki.

Serce podskoczyło jej do gardła. Popędziła nad krawędź szerokiego dołu przerażona, że zobaczy ciała nabite na zaostrzone kołki w środku.

Ale ujrzała tylko stertę broni i martwego konia.

– Przyśpieszyły – powiedziała miękko i pomimo słonecznych promieni sięgnęła po miecz.

Musiały się pośpieszyć, gdy się dowiedziały, że krąg wyruszył do Tańca z bronią i zapasami. I zniknął.

Lilith z pewnością wiedziała, gdzie zniknęli. A zatem jej armia już jest w Geallii, wyruszyła w drogę i minęła ten punkt. Pułapka spełniła swoje zadanie. Sądząc po ilości broni, musiała wykończyć co najmniej z tuzin potworów – i wyjątkowo pechowego konia.

Blair przykucnęła, żałując, że nie zabrała ze sobą sznura. Będą musieli wyciągnąć porzuconą broń, nie mogą sobie pozwolić na takie marnotrawstwo. I biedne zwierzę też.

Zastanawiała się, jak z Larkinem to zrobią, gdy zauważyła, że światło zaczyna się zmieniać. Podniosła wzrok na niebo czarne od chmur.

W ułamku sekundy zapadł zmrok i Blair zerwała się na równe nogi.

– O cholera.

Odsunęła się od dołu, myśląc, że nie tylko kilku wrogów wpadło w pułapkę. Ona sama także do niej weszła.

I nagle wampiry wyrosły przed nią jak spod ziemi.

19

Dwa wykończyła błyskawicznie instynktownym cięciem miecza, zanim jeszcze wydobyły się z dołu. Ale jakiś przerażony głos w głowie mówił jej, że ma naprawdę poważne kłopoty.

Naliczyła osiem, oprócz dwóch, które już zamieniła w popiół. Otoczyły ją, odcięły drogę ucieczki. A ona sama wlazła im w łapy, niemal gwiżdżąc wesołą piosenkę. Jeśli uda jej się przeżyć – a szanse na to miała niewielkie – da sobie za to w twarz. Na razie musiała walczyć, skoro ucieczka nie wchodziła w rachubę.

Jedyne, co miała, to ogromną wiarę. Wyciągnęła kołek i zablokowała mieczem pierwszy cios, jednocześnie kopiąc w tył. Okręciła się, machając mieczem i tnąc wrogów, żeby zyskać choć odrobinę czasu. Dostrzegła odsłoniętą pierś, wbiła kołek.

Następny z głowy.

Ale to nie byli zieloni rekruci, którzy popełniali fatalne w skutkach błędy. Walczyła z doświadczonymi żołnierzami i wciąż było ich siedmiu na nią jedną.

Oczami wyobraźni zobaczyła ogień i posłała go wzdłuż ostrza zaczarowanego przez Glennę miecza.

– No chodź, dalej. No chodź!

Zadała cios i odrzuciła przeciwnika w tył z płonącym ramieniem.

I nagle poleciała w powietrze, gdy któryś wampir przytrzymał jej kopiącą nogę. Walnęła z całej siły o pień drzewa i zobaczyła gwiazdy na szarym polu obramowanym mdlącą czerwienią. Na szczęście ten, który ją zaatakował, spotkał się z ogniem i stalą i wrzeszcząc, wpadł do dołu.

Blair przetoczyła się i rozrywana bólem, pchnęła płonącym mieczem. Nie czuła lewej ręki od ramienia w dół i zgubiła kołek. Rąbała, wbijała, cięła, ale przyjęła potężny cios w twarz, który o mało jej samej nie posłał do dołu. Udało jej się nad nim przeskoczyć, znalazła oparcie dla stóp i morderczym ciosem odparła kolejny atak.

Jeden z wampirów chciał rzucić się do jej gardła, więc strzaskała mu nos rękojeścią miecza. Poczuła, jak rwie się łańcuszek, który miała na szyi, a krzyże lecą na ziemię.

Bez kołka i krzyża. A zostało jeszcze pięciu napastników. Nie przeżyje tego, nie uda jej się walczyć, dopóki Larkin nie przybędzie na pomoc.

A więc nie umrze w dolinie, tylko tutaj i teraz. Lecz, na Boga, zabierze ze sobą tak wiele wampirów, ile tylko zdoła, a Larkin jedynie dokończy dzieła.

Jej lewa ręka zwisała bezwładnie, ale Blair wciąż miała nogi, którymi kopała w górę i na boki, gdy prawa cięła ognistym mieczem. Potwory ją osłabiły, wybiły z rytmu. Zablokowała opadający miecz, ale czubek ostrza drasnął ją w udo. Potknęła się lekko, odsłaniając na tyle, żeby któryś z nich kopnął ją w brzuch, odbierając oddech.

Poleciała do tyłu, a gdy padała, poczuła, jak coś rozrywa się w jej wnętrzu. Resztką sił pchnęła na oślep mieczem i z ponurą satysfakcją patrzyła, jak jeden z napastników staje w płomieniach.

Wtedy ktoś wytrącił jej miecz z dłoni i Blair nie miała już czym walczyć. Ile jeszcze zostało? Zastanawiała się. Trzy? Może trzy. Larkin poradzi sobie z trzema. Nic mu nie będzie. W głowie jej się kręciło, ale z trudem podniosła się na nogi. Nie chciała umierać, leżąc na plecach. Próbowała odzyskać równowagę, zaciskając pięści.

Może, ale tylko może, uda jej się wykończyć jeszcze jednego, tylko jednego, gołymi rękami, zanim ją dopadną.

Nagle zobaczyła, że się odsunęły. Trzy? Cztery? Zaczynało jej się dwoić w oczach. Z całej siły postarała się skupić i zobaczyła unoszącą się nad ziemią Lorę.

Nie zamierzały mnie zabić, pomyślała półprzytomnie, chciały mnie tylko osłabić. Zostawiły mnie dla niej. To gorsze niż śmierć – na tę myśl krew ścięła się w jej żyłach. Zastanawiała się gorączkowo, czy znajdzie jakąś broń, jakiś sposób, żeby sama ze sobą skończyć, zanim Lora zamieni ją w potwora.

Może uda jej się rzucić w pułapkę. Lepiej nadziać się na pal niż przemienić w wampira.

– Jestem pod wrażeniem. – Lora z uśmiechem klasnęła lekko w dłonie. – Pokonałaś naszych siedmiu doświadczonych wojowników. Przegrałam zakład z Lilith, stawiałam, że nie zabijesz więcej niż czterech.

– Cieszę się, że pomogłam ci przegrać.

– Cóż, miałaś lekką przewagę. Otrzymały rozkaz, by cię nie zabijać. Ta przyjemność należy do mnie.

– Tak sądzisz?

– Wiem. A ten płaszcz? Podoba mi się od chwili, gdy zobaczyłam cię na tej bocznej drodze w Irlandii. Wspaniale będę w nim wyglądała.

– A więc to byłaś ty? Wybacz, wszystkie śmierdzicie dla mnie tak samo.

– Nie mogę powiedzieć tego samego o was, śmiertelnikach. – Lora uśmiechnęła się promiennie. – A skoro mówimy o śmiertelnikach, muszę przyznać, że twój Jeremy był przepyszny. – Wciąż uśmiechnięta, dotknęła palcami ust, jakby przypominała sobie ten smak.

Nie myśl o Jeremym, rozkazała sobie Blair. Nie daj jej tej satysfakcji. Nic nie powiedziała, kwitując gest Lory kamiennym milczeniem.

– Ale gdzie moje maniery? Oczywiście już się spotkałyśmy, ale nigdy nas sobie oficjalnie nie przedstawiono. Jestem Lora i zostanę twoją stworzycielką.

– Blair Murphy, to ja zamienię cię w pył. A ten płaszcz leży dużo lepiej na mnie niż na tobie.

– Będziesz fantastyczną towarzyszką zabaw! Już nie mogę się doczekać. Ponieważ darzę cię podziwem i szacunkiem, stoczymy o to walkę. Tylko ty i ja. – Lora pogroziła palcem trzem żołnierzom. – Odsuńcie się, sio, sio, sio. To sprawa między nami dziewczętami.

– Chcesz walczyć? – Myśl, myśl, myśl, nakazała sobie Blair. Zignoruj ból. – Miecze, noże, gołe dłonie?

– Uwielbiam walkę wręcz. – Lora uniosła dłonie i pomachała palcami. – Jest taka intymna.

– Dla mnie bomba. – Blair rozchyliła poły płaszcza, żeby pokazać, że nie jest uzbrojona. – Mogę zadać ci pytanie?

– *Bien sur.*

– Ten akcent jest prawdziwy czy tylko go podrabiasz? – Odpięła od paska butelkę z wodą.

– Urodziłam się w Paryżu w tysiąc pięćset osiemdziesiątym piątym roku.

Blair parsknęła.

– Przestań.

– No dobrze – powiedziała Lora ze śmiechem. – W tysiąc pięćset osiemdziesiątym trzecim. Ale jaka kobieta nie oszukuje choć troszkę przy dacie urodzin?

– Byłaś młodsza niż ja, kiedy umarłaś.

– Kiedy otrzymałam dar prawdziwego życia.

– Wszystko zależy od punktu widzenia. – Blair uniosła bukłak, odkręciła korek. – Mogę? Twoi chłopcy nieco mnie zmęczyli. Czuję się trochę odwodniona.

– Proszę bardzo.

Blair przechyliła bukłak i pociągnęła łyk. Woda cudownie ukoiła jej suche gardło.

– Czy twoi chłopcy mnie wykończą, jeśli cię zabiję?

– Nie zabijesz mnie.

Blair przechyliła głowę i odmówiła w duchu krótką modlitwę.

– Chcesz się założyć?

I machnęła bukłakiem tak, że święcona woda trysnęła na twarz i szyję Lory.

Jej wrzaski wdarły się w umysł Blair niczym sztylety. Poczuła dym i obrzydliwą woń płonącego ciała. Odsunęła się od Lory, która biegała, skrzecząc.

Broń, pomyślała Blair, ledwo stojąc na nogach. Wszystko mogło posłużyć jako broń.

Schwyciła nisko wiszącą gałąź drzewa, bardziej żeby się na niej oprzeć, niż walczyć. Zebrała ostatnie resztki sił i poczuła, jak drewno się łamie. Na pół wrzeszcząc, na pół szlochając, zamachnęła się na trzy wampiry, które ruszyły w jej stronę.

Smok spadł prosto z nieba, wymachując ogonem. Blair zobaczyła, jak jeden z wampirów leci w pułapkę głową w dół, a wyskakujący z uprzęży Larkin wyciąga miecz i rzuca się na pozostałe demony.

Ostatnią rzeczą, jaką widziała, był jasny płomień ostrza przecinający ciemność.

Larkin walczył jak szaleniec, bez jednej myśli o własnym bezpieczeństwie. Nie czuł żadnych ciosów, wściekłość i strach przyćmiewały ból. Wrogów było trzech, ale gdyby pojawiło się trzydziestu, walczyłby z nimi jak bóg zemsty.

Smok zepchnął ogonem jednego do dołu, a teraz człowiek odciął ramię drugiemu. Odcięta ręka zamieniła się w pył, a zraniony wampir pognał, wrzeszcząc, przez pole. Trzeci też rzucił się do ucieczki, ale Larkin cisnął w niego kołkiem. Posłał demona do piekła.

Z mieczem w dłoni przykucnął nad Blair, powtarzając bez przerwy jej imię. Jej twarz była biała jak płótno, pokryta krwią i ciemniejącymi już siniakami.

Jej powieki zadrżały i gdy otworzyła oczy, zobaczył, że są szkliste z bólu.

– Mój bohaterze – wyszeptała z trudem. – Musimy iść, musimy się ruszyć, może być ich tu więcej. Och, Boże, och, Boże, jestem ranna. Musisz mi pomóc.

– Nie ruszaj się przez chwilę, muszę zobaczyć, jak bardzo.

– Bardzo. Tylko... znowu świeci słońce czy wjeżdżam w ten głupi tunel, o którym mówią ludzie?

– Świeci słońce. Już wszystko dobrze.

– Dziesięć, było ich dziesięć, a z tą francuską dziwką jedenaście. Moja głowa... do diabła z tym. Wstrząs mózgu. Dwoi mi się w oczach. Ale... – Nie mogła stłumić wrzasku, gdy dotknął jej ramienia.

– Przepraszam. *A stór, a stór* przepraszam.

– Wybite. Nie sądzę, żeby było złamane, wyskoczyło tylko ze stawu. Och, Boże. Musisz je nastawić. Ja nie mogę... nie mogę. Musisz to zrobić, dobrze? Potem... Jezu, Jezu. Idź po wóz. Nie mogę jechać inaczej.

– Zaufaj mi teraz, zaufaj, dobrze, kochanie? Zaufaj, zaopiekuję się tobą.

– Tak, ufam. Ale musisz...

Zrobił to szybko, oparł Blair o drzewo i przycisnął się do niej mocno całym ciałem, gdy szarpnął ramię z powrotem na miejsce.

Tym razem nie krzyknęła, ale patrzył jej w twarz i widział, jak oczy Blair uciekły w tył głowy. Opadła na niego zemdlona.

Oderwał rękaw od tuniki i użył go do zatamowania krwi z rany na udzie, po czym sprawdził, czy Blair nie ma złamanego żebra. Gdy zrobił wszystko, co mógł, położył ją delikatnie na ziemi i zebrał broń. Umieścił ją bezpiecznie w uprzęży, którą powiesił sobie na szyi.

Potem zmienił się w smoka i wziął Blair w szponiaste łapy, trzymając tak, jakby była ze szkła.

– Dzieje się coś złego. – Glenna chwyciła Moirę za ramię, gdy stały na placu turniejowym, trenując z garstką bardziej obiecujących uczennic. – I to bardzo. Obudź Ciana. Natychmiast.

Obie zobaczyły czarny wir na południowo-wschodnim krańcu nieba i zasłonę ciemności, która z niego opadła.

– Larkin, Blair.

– Idź po Ciana – powtórzyła Glenna i pobiegła.

Nie musiała wołać Hoyta, bo już pędził w jej stronę.

– Lilith – tylko tyle powiedziała.

– Midir, jej czarnoksiężnik. – Złapał ją za ramię i zaczął ciągnąć w stronę zamku. – To jego robota.

– Ona już tu jest, a Larkin i Blair są gdzieś tam, w ciemności. Musimy coś zrobić, szybko. Rzućmy czar. Musi być jakiś sposób.

– Riddock powinien posłać konnych.

– Nigdy nie dojadą tam na czas, oni są kilometry stąd, Hoyt.

– Niech i tak pojadą.

Gdy weszli do środka, Cian zbiegał po schodach, Moira była tuż za nim.

– Sam już schodził – powiedziała.

– Poczułem zmianę. Fałszywa noc. Ja mogę być tam szybciej niż którykolwiek z was, śmiertelników.

– A jeśli słońce wyjdzie zza chmur? – zapytała Moira.

– Pora wypróbować tę cholerną pelerynę.

– Nie rozdzielajmy się, nie możemy podjąć takiego ryzyka. A co do konnicy, Hoyt. – Glenna potrząsnęła głową. – Teraz to już na nic. Musimy stworzyć krąg i posłać im na pomoc czar. – A właściwie cud, pomyślała. – I to szybko.

– Musimy to zrobić na zewnątrz, pod niebem. – Hoyt popatrzył bratu w oczy. – Zaryzykujesz? Możemy zrobić to bez ciebie – dodał, zanim Cian zdążył się odezwać. – We trójkę.

– Ale większe szansę mamy we czwórkę. Zróbmy to.

Zebrali potrzebne rzeczy. Hoyt i Glenna byli już na zewnątrz i dokonywali pośpiesznych przygotowań, gdy Cian zszedł z peleryną.

Moira podeszła do niego u stóp schodów.

– Myślę, że twoja wiara w brata doda magii siły.

– Tak?

– Myślę – ciągnęła tym samym spokojnym tonem – że twoja gotowość, by podjąć tak wielkie ryzyko dla przyjaciół, już dała ci ochronę.

– Zaraz się dowiemy. – Zarzucił pelerynę na plecy i włożył kaptur. – Kto nie ryzykuje, ten nie ma – powiedział i po raz pierwszy od niemal tysiąca lat wyszedł na światło dnia.

Poczuł gorąco, peleryna ciążyła mu jak ołów, uciskała pierś, odbierając oddech. Mimo to Cian przeszedł przez dziedziniec.

– Jeszcze się nie zamieniłem w ludzką pochodnię – zauważył – ale wolałbym, żeby to nie potrwało zbyt długo.

– Najszybciej, jak tylko się da – zapewniła go Glenna. – Stokrotne dzięki, Cian.

– Dobrze, dobrze.

– Chalcedon na szybkość – wyliczała, układając kryształy w pentagram na ziemi – kamień księżycowy dla światła, agat drzewiasty dla ochrony, pióro ku połączeniu.

Teraz zaczęła wsypywać zioła do miski.

– Czosnek dla ochrony. Przepraszam – zwróciła się do Ciana.

– To mit.

– Okay, dobrze. Ostrokrzew dla odzyskania równowagi. Róża i wierzba. Siła i miłość. Weźcie się za ręce. Nie wyjmuj dłoni spod peleryny, Cian, podejdziemy do ciebie.

– Skupcie się – rozkazał Hoyt z wzrokiem wbitym w czarne, wrzące niebo na wschodzie. – Sięgnijcie po wszystko, co jest w was. Oboje macie w sobie moc. Sięgnijcie po nią i stwórzcie krąg.

– Strażnicy Wież! – zawołała Glenna. – Wzywamy was.

– Ze wschodu, z południa, z zachodu i północy wzywamy wasz ogień do tego kręgu – dodał Hoyt.

Po tych słowach Hoyta zapłonęły żółte świece, które Glenna ustawiła jako symbol słońca.

– Wielka Morrigan, przyłącz się do nas – ciągnął. – Jesteśmy twoimi sługami, twoimi żołnierzami.

Glenna podniosła wzrok na niebo, zebrała całą moc, którą miała w sobie, i cisnęła z całej siły.

– Bądź błogosławiona ty i ci, którzy walczą z nieprawością. Magia przeciwko magii, biała i czysta przeciw złowrogiej i czarnej. Wołamy do ciebie, łącząc swoją moc, wielka jasna bogini, odepchnij tę noc. Wysłuchaj wołania miłości do ciebie i rozpędź te chmury diabelskie na niebie.

Ręka Glenny zadrżała w dłoni Hoyta, gdy cały krąg przeszył dreszcz magii. Z oczami wbitymi w niebo patrzyła na szalejącą tam bitwę. Błyskawice rozdzierały czerń, ścierając się w walce niczym miecze, by wydać grzmot, od którego drżała ziemia.

– Odpieramy siłę czarnej magii! – zawołał Hoyt. – Rozkazujemy jej wracać tam, skąd przyszła, i wzywamy słońce, by przebiło promieniami fałszywą noc.

Nad ich głowami nadal trwała walka między bielą i czernią.

Blair powoli odzyskiwała przytomność i zaczęła odczuwać ból.

Frunie? Ona leci? Czy to właśnie dzieje się po śmierci? Ale jeśli nie żyje, to dlaczego wszystko tak strasznie ją boli?

Spróbowała się poruszyć, ale nie mogła, była przywiązana. A może po prostu ciało odmówiło jej w końcu posłuszeństwa. Wtedy udało jej się obrócić głowę i zobaczyła tuż nad sobą złote gardło.

Larkin, pomyślała. Znowu fruną.

Poczuł, że się poruszyła, i delikatnie zacisnął łapy, chcąc dodać jej otuchy, zapewnić, że jest już bezpieczna. Pochylił głowę, by spojrzeć na Blair, ale oczy rannej już się zamykały z bólu.

Była taka blada i wyglądała tak krucho.

Zostawił ją tam samą!

Do końca swoich dni będzie żył z obrazem zakrwawionej Blair, jedynie z gałęzią drzewa do obrony, otoczonej potworami czyhającymi na nią jak sępy.

Gdyby zjawił się choć sekundę później, już by nie żyła. Bo zostawił ją samą. Zadbał o bezpieczeństwo innych i zamarudził chwilę dłużej, bo mała dziewczynka chciała pogłaskać smocze skrzydła.

Nie było go z Blair, gdy nastała ciemność.

Dręczył go strach, że nieważne, jak szybko ją znalazł, nieważne, że wyrwał ją trzem potworom, i tak zjawił się zbyt późno, by uratować jej życie.

Strach nie minął, nawet gdy Larkin doleciał do zamku. Zobaczył biegnącą Moirę, Glennę, swojego ojca i pozostałych, ale i tak nie czuł nic oprócz strachu.

Ledwo dotknął ziemi, a już zmienił postać, trzymając Blair w ramionach.

– Jest ranna.

– Zanieś ją do środka, szybko. – Biegnąc koło niego, Glenna sprawdziła puls na szyi Blair. – Do jej pokoju. Pobiegnę po lekarstwa. Moira, idź z nim, pomóż jej, jak możesz. Zaraz wracam.

– Jak poważnie jest ranna? – zapytał Cian, pędząc po schodach obok Glenny.

– Nie wiem. Puls ma słaby, urywany. Jej twarz... stoczyła walkę.

– Ukąszenia?

– Żadnych nie widziałam. – Porwała swoją walizeczkę z pokoju i znowu wybiegła.

Larkin położył Blair na łóżku i stał nad nią, gdy Moira przykładała dłonie do jej twarzy, ramion i serca.

– Jak długo jest nieprzytomna? – spytała Glenna, wpadając do pokoju.

– Ja... nie wiem. Zemdlała – wykrztusił Larkin. – Musiałem... ramię wyskoczyło jej ze stawu. Musiałem... zemdlała, gdy je nastawiałem. Chyba po drodze odzyskała na chwilę przytomność, ale nie jestem pewny. Nadeszła ciemność, a mnie tam nie było, potwory zastawiły na nią pułapkę, gdy była sama.

– Przyniosłeś ją z powrotem. Moira, pomóż mi zdjąć jej płaszcz i ubranie. Muszę zobaczyć, gdzie jest ranna.

Cian podszedł do łóżka i sam zdjął Blair buty.

– Mężczyźni powinni wyjść... – zaczęła Moira.

– Ona nie jest pierwszą kobietą, którą zobaczę nagą, i nie sądzę, żeby Blair się tym przejmowała. Ile ich było? – spytał Cian Larkina.

– Blair powiedziała, że dziesięć. Dziesięć i ta Francuzka. Zostały tylko trzy, kiedy przyleciałem.

– Dała im niezłego łupnia. – Cian delikatnie zdjął jej spodnie.

Na widok siniaków Blair Glenna zdusiła okrzyk.

– Żebra. – Postarała się, by jej głos zabrzmiał dziarsko. – Pewnie ma potłuczoną wątrobę, ramię też jest w kiepskim stanie. Rana na udzie wydaje się dosyć płytka, ale Boże, jej kolano! Dobrze, że przynajmniej nie wygląda na złamane. Nie ma żadnych złamań.

– Ona... – Larkin ujął jedną bezwładną dłoń Blair. – Powiedziała, że widzi podwójnie. Wstrząs mózgu.

– Może wyjdziesz na chwilę? – zaproponowała delikatnie Glenna. – Moira i ja się nią zajmiemy.

– Nie, nie zostawię jej po raz drugi. Ona bardzo cierpi, musicie dać jej coś, co uśmierzy ból.

– Dam, obiecuję, zrobię dla niej wszystko, co w mojej mocy. W takim razie może rozpalisz w kominku? Chciałabym, żeby było jej ciepło.

Blair słyszała ich głosy. Nie mogła do końca oddzielić jednego od drugiego ani rozróżnić słów, ale dźwięki mówiły jej, że żyje.

Teraz czuła też zapachy. Płonący torf, Glennę i jeszcze coś mocnego, kwiatowego. Lecz gdy spróbowała otworzyć oczy, powieki nie chciały jej posłuchać. Poczuła rosnącą w piersi panikę niczym płonące krople kwasu.

Śpiączka? Nie chciała być w śpiączce. Ludzie zapadali w śpiączkę i czasem wcale się nie budzili. Wolała być martwa niż uwięziona w ciemności, słysząc, czując, ale nie widząc i nie mogąc powiedzieć ani słowa.

Poczuła, jak coś jedwabistego przesuwa się po jej skórze, wpływa pod nią, a potem głębiej, głębiej i jeszcze głębiej, tam gdzie zaciśnięty w pięść chował się ból.

Nagle jedwab zaczął ją rozgrzewać, potem parzyć. O Boże. Siła ognia rozwarła tę pięść i ból rozlał się po jej ciele, roztrzaskał na tysiąc poszarpanych kawałków.

Otworzyła oczy, oślepione białym światłem, które niemal odebrało jej zmysły.

– O kurwa mać! – wrzasnęła w myśli, jednak z jej ust wydobył się tylko ochrypły skrzek.

Wciągnęła powietrze, by zakląć jeszcze raz, ale najgorszy ból przeszedł w powolne, rytmiczne pulsowanie.

– To boli. Wiem, uzdrawianie boli. Możesz na mnie popatrzeć? Blair? Nie odpływaj, popatrz na mnie.

Blair zmusiła się do otwarcia oczu i zobaczyła przed sobą zamazaną twarz Glenny, która delikatnie unosiła jej głowę.

– Wypij to, tylko trochę. Nie mogę dać ci za dużo z powodu urazów głowy, ale to pomoże.

Blair przełknęła i skrzywiła się.

– Smakuje jak gotowana kora.

– Prawie zgadłaś. Wiesz, gdzie jesteś?

– Z powrotem.

– Jak się nazywasz?

– Blair Murphy. Mam podać rangę i stopień?

Glenna się uśmiechnęła.

– Ile palców?

– Dwa i pół. Trochę niewyraźnie widzę. – Ale spróbowała rozejrzeć się dookoła i zauważyła, że pokój jest pełen ludzi. – Hej, Dorotka, Strach na Wróble i Cynowy Drwal*. – Zdała sobie sprawę, że ściska dłoń Larkina z taką siłą, że pewnie pogruchotała mu kości. Rozluźniła palce i zdobyła się na uśmiech. – Dzięki, że ocaliłeś mi życie.

– Żaden kłopot, sama prawie się z nimi uporałaś.

– Byłam wykończona. – Zamknęła oczy. – O krok od śmierci.

– Nigdy nie powinienem był zostawiać cię samej.

– Przestań. – Blair uderzyłaby go lekko w ramię na poparcie swoich słów, gdyby miała na to siłę. – Nie powinieneś tak myśleć, to strata czasu.

– Dlaczego ją zostawiłeś? – zapytał Cian. – Dlaczego się rozdzieliliście?

Larkin opowiedział im o rannym mężczyźnie. Blair znowu zamknęła oczy. Słyszała, jak Glenna i Moira szepczą coś do siebie. Odpływając, pomyślała, że Glenna ma głos jak jedwab – seksowny i gładki. Głos Moiry przypominał raczej aksamit, miękki i ciepły.

To była naprawdę dziwna myśl, uznała. Ale przynajmniej w ogóle miała jakieś myśli.

Pracowali nad nią, a ból rozkwitał i cofał się, rozkwitał i zamierał. Zaczęła przewidywać jego pływy, zanim zdała sobie sprawę jeszcze z czegoś.

* Postacie z bajki „Czarnoksiężnik z Oz".

– Czy ja jestem naga? – Uniosłaby się na łokciach, przynajmniej by spróbowała, gdyby Glenna jej nie powstrzymała. – Jestem naga. O kurczę.

– Jesteś przykryta prześcieradłem. Musieliśmy obejrzeć twoje rany – wyjaśniła Glenna. – Jesteś też prawie cała pokryta siniakami i skaleczeniami, więc na twoim miejscu nie martwiłabym się w tej chwili skromnością.

– Moja twarz. – Blair uniosła dłoń, żeby samej sprawdzić. – Jak źle wygląda moja twarz?

– Skromność i próżność – podsumowała Glenna. – Dobre znaki. Akurat w tej chwili nie doszłabyś do finałów Miss Łowców Demonów, ale moim zdaniem wyglądasz cholernie dobrze.

– Jesteś piękna. – Larkin pocałował jej dłoń. – Nie mogłabyś być piękniejsza.

– Jest aż tak źle? No cóż, dobrze, że moje rany szybko się goją. Nie tak błyskawicznie jak wasze – zwróciła się do Ciana – ale i tak szybko.

– Możesz nam powiedzieć, co się stało, jak rozdzieliliście się z Larkinem? – Hoyt dotknął jej kostki. – Powiedział, że było ich dziesięć.

– Tak, dziesięć i Lora jedenasta. Pułapka zadziałała, zobaczyłam w niej broń i martwego konia. Chciałam wyciągnąć tę broń. Były w dole, w ziemi.

– Miecze? – upewnił się Hoyt.

– Nie, wampiry. Zakopały się w ziemi. Pułapka w pułapce. Nagle, bam, zrobiło się ciemno, jak zaćmienie słońca, ale szybciej. I wtedy na mnie wyskoczyły. Wykończyłam pierwsze dwa, zanim jeszcze wyszły. Później zrozumiałam, że wcale nie zamierzały mnie zabić, szczerze mówiąc, dlatego jeszcze żyję, chciały mnie tylko zmiękczyć dla niej. Tchórzliwa suka.

– Ale ty ją zabiłaś.

Potrząsnęła głową, patrząc na Larkina, i natychmiast pożałowała tego gestu.

– Nie, nie sądzę. Nie mogłam z nią walczyć, ledwie trzymałam się na nogach. Ona dobrze o tym wiedziała, wyszła do mnie i gadała bzdury. Myślała, że zrobi sobie ze mnie kochankę. Pewnie. Ona teraz także cierpi, o tak. I też nie wygląda najlepiej. Bukłak.

– Święcona woda – wyszeptał Larkin. – Ale jesteś sprytna!

– Wszystko może posłużyć jako broń. Chlusnęłam jej w twarz i lałam na oślep. W twarz, w gardło. Słyszałam, jak wrzeszczała. Ale to był mój koniec, nie miałam już więcej siły. Dobrze, że się zjawiłeś.

– Trzymałaś gałąź.

– Gałąź?

– Tak, z drzewa. – Znów pocałował jej palce. – Machałaś gałęzią.

– Tak. Hm. Świetnie. Mam pewne luki w pamięci tu i ówdzie.

– Na razie wystarczy. – Glenna przytknęła kubek do ust Blair. – Jeszcze trochę.

– Wolałabym mrożoną margaritę.

– A kto by nie wolał? – Przesunęła dłonią po twarzy Blair. – Teraz śpij.

20

*T*raciła i odzyskiwała przytomność, a ból czekał na nią, gdy tylko wynurzyła się z niebytu. Osłabienie zatapiało ją z powrotem, ale najpierw słyszała pomruki i szepty, odpowiadała na pytania, którymi zasypywano ją za każdym razem, gdy odzyskiwała przytomność.

Dlaczego nie mogą pozwolić jej spać?

Wtedy ktoś wlewał w jej gardło kolejną porcję płynnej kory i znowu odpływała.

Chwilami wracała na tamto pole i na nowo przeżywała każdy cios, każdy blok, każdy ruch w chwili, którą uważała za ostatnią w życiu.

A potem znowu odpływała w nicość.

Larkin siedział przy Blair, patrząc, jak Moira i Glenna po kolei zajmowały się ranną. Czuwał, gdy zapalały świece, dorzucały torfu do ognia albo po prostu kładły dłoń na jej czole, żeby sprawdzić, czy nie podnosi się gorączka.

Dokładnie co dwie godziny jedna z nich budziła Blair i zadawała jej pytania. To z obawy przed wstrząsem mózgu, wyjaśniła Glenna, muszą przedsięwziąć środki ostrożności, bo otrzymała tyle ciosów w głowę.

Myślał, co by się stało, gdyby Blair tam padła nieprzytomna, co wampiry by z nią zrobiły.

Za każdym razem gdy o tym pomyślał, gdy wyobrażał sobie najgorsze, brał ją za rękę, żeby wyczuć puls bijący pod blizną na nadgarstku.

Zabijał czas, opowiadając jej różne bzdury i grając na fujarce, którą przyniosła mu Moira. Myślał – miał taką nadzieję – że muzyka pomaga jej spać.

– Powinieneś odpocząć godzinkę lub dwie. – Moira przesunęła ręką po włosach. – Ja przy niej posiedzę.

– Nie mogę.

– Ja też bym nie mogła, gdybym była na twoim miejscu. Ona jest silna, Larkin, a Glenna jest bardzo biegła w sztuce leczenia. Chciałabym, żebyś nie martwił się tak bardzo.

– Nie wiedziałem, że mogę czuć tak wiele do jednej osoby. I nie mam żadnej wątpliwości, że ta kobieta jest... cóż, jest dla mnie wszystkim.

– Ja wiedziałam. Nie, że to będzie ona, ale że będzie ktoś taki. I że jak ją znajdziesz, wszystko się odmieni. – Moira ucałowała go w czubek głowy. – Jestem trochę zazdrosna. Przeszkadza ci to?

– Nie. – Odwrócił się i przytulił policzek do jej twarzy. – Całe życie będę cię kochał. Myślę, że mogę być oddalony od ciebie o tysiące mil, a i tak będę mógł wyciągnąć dłoń i cię dotknąć.

Łzy napłynęły Moirze do oczu.

– Sama nie dokonałabym lepszego wyboru, ale i tak Blair jest najszczęśliwszą z kobiet.

– Budzi się.

– Dobrze, mów do niej. Niech przez chwilę pozostanie przytomna, potem znowu dam jej lekarstwo.

– Jesteś – powiedział Larkin cicho i wstał, żeby wziąć Blair za rękę. – *Mo chroi.* Otwórz oczy.

– Słucham? – Powieki jej zadrżały. – Co się dzieje?

– Jak się nazywasz?

– Scarlett O'Hara. Nie możecie tego zapamiętać na pięć minut? – zapytała zaczepnym tonem. – Blair Murphy. Nie mam wstrząsu mózgu, jestem tylko zmęczona i poirytowana.

– Jest wystarczająco przytomna – uznała Moira i nalała trochę naparu Glenny do kubka.

– Nie wypiję już ani kropli. – Słysząc rozdrażnienie w swoim głosie, Blair zamknęła oczy. – Słuchajcie, nie chcę być upierdliwa. No dobrze, może chcę. I co z tego? Ale od tego świństwa czuję się słaba i odpływam. Co nie byłoby takie złe, gdyby ktoś nie budził mnie co pięć minut i nie pytał, jak mam na imię.

Niezrażona połajanką Moira odstawiła kubek.

– Glenna powiedziała, że powinnam ją obudzić, gdy Blair odmówi wypicia lekarstwa.

– O nie, nie wzywaj siostry Ratched*.

– Zaraz wrócę.

Moira wyszła, a Larkin usiadł na brzegu łóżka.

– Wiesz, wróciły ci kolory. Co za ulga.

– Założę się, że w tej chwili w ogóle jestem kolorowa. Niebieski, czarny, fioletowy i ta mdła żółć. Dobrze, że jest ciemno. Słuchaj, nie musisz tu siedzieć.

– Nigdzie się nie wybieram.

– Doceniam to. Ale... czy możemy pomówić o czymś innym niż ja i mój doszczętnie skopany tyłek? Opowiedz mi coś. Opowiedz mi... w jaki sposób dowiedziałeś się, że potrafisz zmieniać postać?

– Och, miałem jakieś trzy lata i strasznie chciałem dostać szczeniaka. Mój ojciec trzymał charty, ale one były zbyt dostojne, żeby bawić się z takim brzdącem, gonić za piłką i przynosić patyki.

– Szczeniaka. – Rozluźniała się, słuchając jego głosu. – Jakiego szczeniaka?

– Wszystko jedno, ale matka nie chciała nawet słyszeć o kolejnym psie

* Sadystyczna siostra oddziałowa z powieści „Lot nad kukułczym gniazdem" Kena Keseya.

w domu, powiedziała, że musi opiekować się dwojgiem dzieci i to jej naj-
zupełniej wystarczy. Miała wtedy mnie i mojego brata, który jeszcze nie
skończył roku, i nie wiedziałem, że była znowu w ciąży, z moją siostrą.

– Nic dziwnego, że nie marzyła o psie.

– Była tutaj, moja matka. Dwa razy. Moja siostra i ojciec też.

– Och. – Blair dotknęła twarzy, wyobrażając sobie, jak musi wyglądać.
– Wspaniale.

– A zatem kończąc historię, niezmordowanie błagałem o psiaka, ale bez
skutku. Mama nie dała się wzruszyć. Siedziałem nadąsany w pokoju dzie-
cinnym i planowałem, że ucieknę z Cyganami i będę mógł mieć tyle szcze-
niaków, ile będę chciał i tak dalej. Cały czas myślałem o psie i nagle był...
zaczął poruszać się we mnie. A wokół mnie wirowało światło. Byłem przerażony, więc zawołałem matkę. I usłyszałem własne szczekanie.

– Zamieniłeś się w szczeniaka.

Oczy miała już przejrzyste i Larkin widział w nich rozbawienie.

– Ależ byłem przerażony, a jaki podekscytowany! Nie mogłem mieć
psa, więc sam zamieniłem się w szczeniaka, czyż to nie cudowne?

– Rzuciłabym jakiś żarcik o zabawianiu się ze sobą, ale ci daruję. Mów dalej.

– Wybiegłem z pokoju i popędziłem po schodach na dół, gdzie zauważyła mnie moja matka. Myślała, że wbrew jej woli przemyciłem szczeniaka do domu, i zaczęła mnie gonić. Pomyślałem, że spierze mi skórę, jak się
dowie, co zrobiłem, więc rzuciłem się do ucieczki, ale zapędziła mnie do
kąta. Zawsze była szybka. Podniosła mnie za kark, aż zacząłem skamleć.
Musiałem wyglądać naprawdę żałośnie, bo westchnęła głęboko i podrapa-
ła mnie za uszami.

– Zmiękła.

– O tak, moja matka ma dobre, kochające serce. Słyszałem wyraźnie,
jak mówi: „Ach ten chłopak". Westchnęła: „Co ja mam z nim zrobić? I z tobą?". Powiedziała tak do mnie, nie wiedząc, że ja to właśnie ten chłopak.
Usiadła i wzięła mnie na kolana, a gdy zaczęła mnie głaskać, wróciłem do
ludzkiej postaci.

– A gdy odzyskała przytomność?

– O, moja mama jest z twardszej gliny, niż myślisz. Pamiętam, że oczy
o mało nie wyszły jej z orbit, zresztą moje też musiały być jak spodki. Rzuciłem się jej na szyję, tak bardzo się cieszyłem, że znowu jestem chłopcem.
A ona nie mogła przestać się śmiać. Okazało się, że jej babcia miała taki
sam dar.

– Fantastycznie. To u was rodzinne.

– Nie wszyscy go dziedziczą. Pod koniec tygodnia babcia, która, przysięgam, była starsza niż sam księżyc, przyjechała do nas i nauczyła mnie
wszystkiego, co powinienem wiedzieć. I przywiozła ze sobą małego, łacia-
tego psiaka, którego nazwałem Conn*, po wojowniku stu bitew.

– To śliczna historia. – Powieki zaczęły jej opadać. – Co się stało z Con-
nem?

* Conn Sto Bitew – władca Irlandii.

– Przeżył dwanaście dobrych lat i przeszedł na drugą stronę Mostu Tęczy, gdzie znowu jest szczeniakiem i może cały dzień hasać na słońcu. A teraz śpij, *a ghrá*. Będę przy tobie, gdy się obudzisz.

Popatrzył na wchodzącą cicho Glennę i nawet zdołał się uśmiechnąć.

– Znowu zasnęła, ale już bez pomocy leków. To dobrze, prawda?

– Tak. Nie ma gorączki – powiedziała Glenna, dotykając czoła Blair. – Ból musiał zelżeć, skoro nie chciała wziąć lekarstwa. I nie jest już taka blada. Moira powiedziała, że nie chcesz stąd wyjść.

– Jak bym mógł?

– Powiedziałabym tak samo, gdyby leżał tu Hoyt. Ale może położysz się obok niej i sam też odpoczniesz?

– Mogę potrącić ją we śnie. Nie chcę sprawić jej bólu.

– Nie sprawisz. – Glenna podeszła do okna i zaciągnęła zasłony. – Nie chcę, żeby obudziło was słońce. Jeśli będziesz mnie potrzebował, to przyjdź lub kogoś po mnie przyślij, ale myślę, że teraz będzie spała spokojnie przez kilka godzin. – Położyła dłoń na ramieniu Larkina i pochyliła się, by pocałować go w policzek. – Połóż się obok niej i też zaśnij.

Gdy tak zrobił, Blair poruszyła się i odwróciła w jego stronę. Tak delikatnie, jak tylko mógł, ujął jej dłoń.

– Ona zapłaci za to, co ci zrobiła, przysięgam. Zapłaci.

Wsłuchany w jej spokojny oddech zamknął oczy. Wreszcie zasnął.

W innym pokoju też płonął ogień i okna były szczelnie zasłonięte, żeby nie wpuszczać światła poranka.

Pokój wypełniało dzikie wycie Lory. Próbowała się wyrwać, gdy Lilith po raz kolejny polała bladozielonym balsamem oparzenia i rany, które pokrywały twarz, szyję, a nawet piersi jej kochanki.

– No już, już, spokojnie. Nie, moja kochana, moja słodka dziewczynko, nie walcz ze mną. To ci pomoże.

– Piecze! Pali!

– Wiem. – Łzy zatykały gardło Lilith i napływały jej do oczu, gdy smarowała potworne oparzenia na szyi Lory. – Och, moje biedactwo, wiem. No już, już. Wypij trochę tego.

– Nie chcę! – Lora odwróciła twarz, zaciskając mocno usta i powieki.

– Ale musisz. – Sprawianie bólu poparzonej kochance rozdzierało Lilith serce, ale schwyciła Lorę mocno za kark i wlała jej trochę płynu do gardła. – Jeszcze troszeczkę, jeszcze odrobinkę. Dobrze, tak dobrze, moja ukochana.

– Ona mnie skrzywdziła, Lilith, zrobiła mi krzywdę.

– Cicho, już cicho. Naprawimy to.

– Mam przez nią blizny. – Łzy spłynęły po warstwie balsamu, gdy Lora znowu odwróciła twarz. – Jestem brzydka. Jak w ogóle możesz na mnie patrzeć, po tym co zrobiła z moją twarzą?

– Teraz jesteś dla mnie jeszcze piękniejsza. Jeszcze bardziej cenna. – Dotknęła wargami delikatnie, bardzo delikatnie, ust Lory. Lilith nie pozwoliła nikomu innemu nią się zająć. Przysięgła sobie, że nikt oprócz niej nie będzie dotykał tej spalonej skóry. – Moja najsłodsza dziewczynko. Moja najodważniejsza.

– Muszę chować się pod ziemią!

– Cii. To nie ma żadnego znaczenia. Wróciłaś do mnie. – Lilith ujęła dłoń Lory, odwróciła wnętrzem do góry i pocałowała. – Mam cię z powrotem.

Drzwi otworzyły się i do pokoju wszedł Davey. Na srebrnej tacy niósł kryształowy kielich, zaciskając w skupieniu usta.

– Nie rozlałem ani kropli.

– Jaki zręczny chłopiec. – Lilith wzięła od niego kielich, a drugą dłonią pogłaskała Daveya po włosach.

Lora po raz kolejny odwróciła twarz.

– Nie powinien mnie widzieć w takim stanie.

– Ależ tak. Powinien wiedzieć, do czego oni są zdolni, ci śmiertelnicy. Chodź, Davey, chodź, usiądź z naszą Lorą. Delikatnie, nie potrąć jej.

Chłopiec ostrożnie wspiął się na łóżko.

– Czy bardzo cię boli?

Lora skinęła głową.

– Bardzo.

– Chciałbym, żeby cię nie bolało. Mogę przynieść ci zabawkę.

Lora uśmiechnęła się pomimo bólu.

– Może później.

– Przyniosłem ci krew. Jest jeszcze ciepła. Ani trochę nie wypiłem po drodze – dodał, głaszcząc dłoń Lory. – Mama powiedziała, że ty musisz wszystko wypić, żebyś była znowu silna i zdrowa.

– Właśnie. Proszę. – Lilith przystawiła kielich do jej ust. – Pij, ale powoli.

Krew jej pomogła, a lekarstwo, które dostała wcześniej, przytępiło ból.

– Już mi lepiej. – Położyła się i zamknęła oczy. – Ale czuję się taka słaba. Myślałam, och, Lilith, najpierw myślałam, że oślepłam. Tak bardzo paliły mnie oczy. Ona mnie oszukała. Jak mogłam być tak głupia?

– Nie możesz siebie winić. Nie, nie zgadzam się na to.

– Powinnaś być na mnie wściekła.

– Jak mogłabym, w takiej chwili? Jesteśmy razem od wieków, ukochana, na dobre i na złe. Czy można powiedzieć, że zachowałaś się nierozsądnie? Oczywiście, ale czymże jest zabijanie bez odrobiny fantazji? – Odsłoniła koronkę gorsetu, żeby pokazać bliznę w kształcie pentagramu między piersiami. – Czyż ja nie noszę tego, bo kiedyś zbyt długo bawiłam się ze śmiertelnikiem?

– Hoyt. – Lora wypluła to imię. – Walczyłaś z czarnoksiężnikiem. Ta suka, która mnie skrzywdziła, nie miała ani krzty magii.

– Kiedy mama zabije czarnoksiężnika, będę mógł wychłeptać jego krew jak kociak mleko.

Lilith roześmiała się i zmierzwiła chłopcu włosy.

– Mój dzielny chłopak. I nie bądź taka pewna, że łowczyni demonów nie włada magią. – Posadziła sobie Daveya na kolanach. – Nie wierzę, że zdołałaby cię zranić, gdyby jej nie miała.

– Ona także jest ranna. Być może śmiertelnie.

– No widzisz, zawsze są jakieś plusy – Lilith pocałowała Daveya. – To

Midir musi się bardziej postarać. Czyż noc nie wymknęła mu się z rąk? Czy biała magia nie pokonała czarnej? – Lilith zaczerpnęła powietrza, by się uspokoić. Niekompetencja czarnoksiężnika doprowadzała ją do furii. – Już dawno bym się go pozbyła, gdybyśmy miały innego, równie potężnego. Ale obiecuję ci jedno, przysięgam, oni za to zapłacą. W Samhain będziesz się kąpała w jej krwi, najdroższa. Wszyscy będziemy ją pili, długo i do syta. A gdy ja zacznę rządzić, ty będziesz u mego boku.

Uspokojona Lora wyciągnęła dłoń.

– Zostaniesz jeszcze chwilę? Posiedzisz przy mnie, gdy zasnę?

– Oczywiście. W końcu jesteśmy rodziną.

Blair budziła się stopniowo. Najpierw ocknął się jej umysł i powoli krążył wokół tego, gdzie była, co się stało. Poczuła w głowie niskie, rytmiczne pulsowanie bólu, które po chwili przeniosło się na oczy. Teraz już wszystko zaczynało ją boleć: ramię, żebra, brzuch, nogi. Kiedy tak leżała cicho, przytomniejąc powoli, zdała sobie sprawę, że na całym jej ciele nie ma żadnego nieobolałego miejsca.

Ale dzisiejszy ból był znośny, nie tak ostry jak zapierające dech rwanie wczorajszego wieczoru. Posmak naparu, który wczoraj wlewała w nią Glenna, pozostał w gardle Blair. Nie było to nawet niemiłe uczucie, tylko potrzebowała litra lub dwóch wody, żeby rozpuścić ten osad.

Ostrożnie otworzyła oczy. Płomienie świec, ogień w kominku. A zatem jeszcze nie nadszedł świt. Dobrze. W sumie czuła się całkiem nieźle.

Właściwie to miała się na tyle dobrze, że zaczęła odczuwać głód; to musiał być dobry znak. Zbierała się w sobie, aby usiąść, gdy zobaczyła Larkina zbliżającego się do łóżka od strony okna.

– Hej, prześpij się trochę.

Zatrzymał się i przez chwilę patrzył na nią w milczeniu.

– Obudziłaś się.

– Tak i zanim zapytasz, nazywam się Blair Murphy. Jestem w Geallii i banda wampirów skopała mi tyłek. Myślisz, że mogłabym dostać coś do jedzenia?

– Jesteś głodna. – Niemal zaśpiewał te słowa, podbiegając do łóżka.

– Tak. Mam ochotę na małą przekąskę o północy – czy która tam jest godzina.

– Boli cię?

– Mam potworną migrenę – przyznała. – I kilka innych dolegliwości, ale przede wszystkim jestem zupełnie nieprzytomna. No i jeszcze – skrzywiła się – strasznie chce mi się siusiu. Dlatego, no wiesz, sio na chwilę.

Ale on już wziął ją na ręce i zaniósł za ozdobny parawan, gdzie stał nocnik.

– Nie mogę tego zrobić, kiedy ty tu jesteś, po prostu nie mogę. Wyjdź na chwilę z pokoju i policz do trzydziestu. – Skrzywiła się, gdy poczuła ból pęcherza. – Albo lepiej do czterdziestu. No dalej, daj dziewczynie trochę prywatności.

Przewrócił oczami, ale zrobił to, o co go prosiła. Wrócił dokładnie po czterdziestu sekundach, gdy Blair stawiała pierwsze chwiejne kroki w poprzek pokoju. Podskoczył i złapał ją za ramię.

– Glenna uprzedzała, że może ci się kręcić w głowie.

– Troszkę. Mam kłopoty z koordynacją i boli mnie absolutnie wszystko, ale mogłoby być dużo gorzej. Mogłabym być martwa albo marzyć w tej chwili o solidnym łyku krwi. Chcę się zobaczyć.

Z pomocą Larkina pokuśtykała do lustra. Lewy policzek miała rozorany od nosa do ucha, oczy podbite. Glenna założyła opatrunek na rozcięcie na czole. Blair odwróciła się i zauważyła, że siniaki na barku nabierały już żółtozielonej barwy.

– Tak, mogłoby być gorzej. – Przesunęła dłońmi po żebrach. – Jeszcze trochę bolą, ale żadne nie jest złamane. To plus.

– Nigdy w życiu tak się nie bałem.

– Ja też nie. – Pochwyciła jego spojrzenie w lustrze. – Nie wiem, czy ci podziękowałam, czy tylko mi się to śniło, ale ocaliłeś mi życie. Nigdy nie zapomnę twojego widoku, gdy szarżowałeś na te trzy wampiry jak tur.

– Gdybym był wcześniej...

– Czyż przeznaczenie nie gra głównej roli w całym tym kramie? Gdybyś miał być wcześniej, tobyś był. Przyleciałeś na czas, tylko to się liczy.

– Blair. – Oparł głowę na jej zdrowym ramieniu i wyszeptał coś po gaellicku.

– Co to było?

– Później ci powiem. – Podniósł się. – Na razie przyniosę ci coś do jedzenia.

– Nie zaprotestuję. Czuję się, jakbym nie jadła od tygodnia. Nie chcę wracać do łóżka, usiądę.

Pomógł jej usadowić się w fotelu przy kominku i przyniósł koc do przykrycia nóg.

– Mam odsłonić okno?

– Tak, pewnie. Słuchaj, poproś kogoś, żeby zrobił coś do jedzenia, a sam połóż się spać. Och!

Zamrugała i zasłoniła dłonią oczy przed słońcem.

– Trochę spałem – przyznał z uśmiechem.

– Tak, najwidoczniej ja też. Która godzina?

– Powiedziałbym, że już po południu.

– Po południu... – Wypuściła głośno oddech.

– Pójdę po jedzenie, jeśli obiecasz mi, że nie ruszysz się z miejsca.

Ostrożnie potarła obolałe kolano.

– Nigdzie się nie wybieram.

Najwidoczniej nie uwierzył jej słowom, bo gdy tylko wyszedł, pojawiła się Glenna.

– Wyglądasz lepiej.

– W takim razie wcześniej musiałam wyglądać jak sto nieszczęść.

– Wyglądałaś. – Glenna położyła na stole swoją walizeczkę i otworzyła ją.

Blair popatrzyła na nią ze zmarszczonymi brwiami.

– Naprawdę nie potrzebuję już tej magicznej kory.

– Przerzucimy się na coś innego. Podwójne widzenie?

– Nie, ale głowa mnie boli jak diabli.

– Mam coś na to. – Glenna podeszła i położyła jej dłonie na skroniach. – Jak twoje ramię?

– Boli, bardziej niż żebra, ale nie jest źle. Musiałam też nieźle oberwać w kolano, nie bardzo mogę stać.

– Wziąwszy pod uwagę, że gdy Larkin cię przyniósł, było prawie dwa razy większe niż normalnie, „nie bardzo" to zadowalający wynik. Wiesz, odkąd wróciliście, teraz po raz pierwszy opuścił ten pokój.

– Ale powiedział, że trochę spał.

– Namówiłam go, żeby położył się obok ciebie i trochę odpoczął.

– On się obwinia. To głupie.

– Przyznaję, że głupie. Ale to nie wszystko. On czuwał przy tobie przez całą noc, bo kocha cię na zabój. A jak twoja głowa?

– Jak moje co? Och, lepiej... – Blair spróbowała się skupić. – Dużo lepiej. Dzięki. Och Boże, co ja teraz zrobię?

– Coś wymyślisz. Zaraz przyniosą herbatę, sama ją przygotowałam. Dodamy trochę tego i powinnaś poczuć się lepiej. Zobaczmy, co mogę zrobić z twoim ramieniem.

– Gdybym została tu, w Geallii, musiałabym porzucić to, do czego zostałam stworzona. Dzięki czemu w ogóle go spotkałam. Glenno, nie mogę tego zrobić. Bez względu na to, co czuję i czego chcę, nie mogę być nikim innym, niż jestem.

– Obowiązek i miłość. Potrafią staczać okrutne bitwy, prawda? A teraz odpocznij. Spróbuj pooddychać jak na jodze. Jesteś silną kobietą, Blair. Masz siłę w sercu, ciele i głowie. Wielu mężczyzn nie rozumie, jak trudno być silną kobietą. Gdybyśmy miały się zakładać, postawiłabym sto do jednego, że Larkin to wie.

Później, gdy zjadła i poczuła się lepiej, przekonała Larkina, że potrzebny jej spacer, choć wiedziała, że tylko czekał, by wziąć ją na ręce, na każdą, najmniejszą oznakę słabości. Czuła się słaba, ale raczej w sercu niż na ciele. Musiała mu powiedzieć, Larkin na to zasługiwał, że nie może niczego obiecać. Kiedy wypełnią to, do czego ich wyznaczono, będzie musiała go zostawić.

Znała uczucie odrzucenia i z całego serca pragnęła, by sytuacja była inna, by ona, Blair, była inna.

Poszli na dziedziniec z fontanną, który widziała ze swojego okna. Słońce mocno grzało, ale w powietrzu czuło się pierwsze chłodne powiewy jesieni.

– Został tylko miesiąc – powiedział Larkin, gdy siadali na ławce z niebieskiego marmuru.

– Będziemy gotowi.

– Tak. Za kilka dni Moira spróbuje podnieść miecz.

– A co będzie, jeśli to nie ona? Jeżeli to ty?

– To nie ja. – Podniósł rękę. – Zastanawiałem się nad tym długo i doszedłem do wniosku, że wiedziałbym, gdyby było inaczej. Zawsze bym wiedział, tak jak Moira wie gdzieś w głębi serca. I dzięki Bogu.

– Ale twoja rodzina, to miejsce. Jesteś do niego przywiązany, tu się urodziłeś.

– To prawda. – Wziął Blair za rękę i zaczął bawić się jej palcami. – Tu się urodziłem i zawsze będę tęsknił za tym miejscem.

– Będziesz... co? Tęsknił? Dlaczego? Przecież wygramy. Nie pokonają nas tylko dlatego, że udało im się trochę mnie poszturchać.

– Nie, nie wygrają. – Popatrzył jej w oczy źrenicami koloru złotej stali. – Bo my będziemy walczyć do ostatniego człowieka. Do ostatniej kropli krwi.

– Więc dlaczego...

– Pozwól, że zadam ci pytanie, którego żadne z nas jeszcze nie wypowiedziało. Czy wszystkie wampiry z twojego świata przybyły tu razem z Lilith?

– Nie, oczywiście, że nie.

– To znaczy, że nawet gdy wygramy bitwę, wojna będzie trwała nadal. Wciąż będziesz musiała polować. Tutaj, jeśli jakieś wampiry przeżyją, będzie armia gotowa z nimi walczyć. Poza tym ludzie w Geallii wiedzą, czym one są, a mieszkańcy twojego świata nie.

– Tak. – A więc ją rozumiał. – Chciałabym... Tak mi przykro. Ja nie mogę tu zostać. Gdybym miała wybór... Ale nie mam.

– Nie, nie masz wyboru. A ja mam. Wracam z tobą i będę walczył u twego boku.

– Słucham?

– *A stór.* Myślałaś, że pozwolę ci odejść?

– Nie możesz stąd wyjechać.

– Dlaczego? To Moira zacznie rządzić, a mój ojciec będzie jej doradzać. Mój brat i szwagier zajmą się ziemią i końmi.

Pomyślała o jego matce, siostrze, bracie. O jego ojcu – o wyrazie twarzy księcia Riddocka, gdy objął syna po jego powrocie.

– Nie możesz zostawić swojej rodziny.

– Prawda, ciężko jest zostawiać najbliższych i powinno się to robić tylko wtedy, jeśli nie ma innego wyboru. Nigdy tak, jak zrobił twój ojciec, zostawiając ciebie, Blair.

– Efekt jest ten sam.

– Nieprawda. Nie kiedy odchodzisz otoczony miłością. Poza tym mężczyźni często mieszkają z dala od rodziców, taka jest kolej rzeczy.

– Wyprowadzają się do innego miasta, nie do innego świata.

– Marnujesz czas, próbując mnie od tego odwieść. Podjąłem decyzję już jakiś czas temu. Moira wie, chociaż nie mówiliśmy o tym otwarcie. Moja matka też. – Popatrzył jej prosto w oczy. – Myślisz, że walczyłbym, ryzykowałbym wszystko, a potem zostawił kobietę, która znaczy dla mnie najwięcej na świecie, na każdym ze światów? Oddałbym za ciebie życie, jeśli byłoby trzeba. Jeżeli przeżyję, będziesz należała do mnie. I koniec dyskusji.

– Koniec?

– Myślę sobie, że skoro nie masz w Chicago żadnej bliższej rodziny, to równie dobrze możemy pobrać się tutaj. Jeśli będziesz chciała, później powtórzymy ceremonię.

– Pobrać? Nigdy nie mówiłam, że chcę za ciebie wyjść. Za kogokolwiek.

– Oczywiście, że za mnie wyjdziesz, nie bądź niemądra. – Poklepał ją po przyjacielsku po zdrowym kolanie. – Kochasz mnie. A ja kocham ciebie – dodał, zanim Blair zdążyła coś powiedzieć. – Niemal ci to powiedziałem pierwszej nocy, gdy byliśmy razem. Ale sądzę, że mężczyzna nie powinien mówić takich rzeczy, kiedy kocha się z kobietą. Skąd będzie mogła mieć pewność, że jego słowa płyną z serca, a nie z... cóż, z jego...

– Och, kurczę!

– Chciałem ci powiedzieć przy kilku innych okazjach, ale cały czas sobie powtarzałem, że powinienem zaczekać. I o mało nie czekałem zbyt długo. Pytałaś, co powiedziałem do ciebie tam, przed lustrem. Teraz ci powiem. Spójrz na mnie.

Przytknął palce do jej policzków.

– Powiedziałem, że jesteś moim oddechem, tętnem, sercem, głosem. Będę cię kochał, nawet gdy one wszystkie odmówią posłuszeństwa. Będę kochał tylko ciebie aż do końca światów. Wyjdź za mnie, Blair, a pójdę z tobą wszędzie tam, gdzie ty pójdziesz, będę walczył u twego boku. Będziemy razem mieszkali, kochali się i stworzymy rodzinę.

– Muszę... muszę na chwilę wstać. – Podniosła się na drżące nogi i podeszła do fontanny, żeby złapać oddech i ochłodzić twarz zimnymi kroplami.

– Nigdy nikt tak mnie nie kochał. Tak naprawdę wcale nie jestem pewna, czy przed tobą w ogóle ktoś mnie kochał. Nikt nigdy nie ofiarował mi tego, co ty chcesz mi dać. – Odwróciła się twarzą do Larkina. – Byłabym głupia, gdybym to odrzuciła. Nie jestem głupia. Kiedyś myślałam, że kogoś kocham, ale tamto było tak blade w porównaniu z tym, co czuję do ciebie. Myślałam, że będę musiała być wystarczająco silna, żeby cię tu zostawić. Nie wiedziałam, że ty jesteś wystarczająco silny, by pójść ze mną. Powinnam była wiedzieć.

Podeszła do niego, a gdy wstał, podała mu dłoń.

– Wyszłabym za ciebie wszędzie. Będę dumna, zostając twoją żoną.

Ucałował jej dłonie, po czym delikatnie ją objął.

– Przytul mnie porządnie, co? – poprosiła. – Jestem łowczynią demonów, nie lalką z porcelany.

Roześmiał się i uniósł ją nad ziemię.

– Ostrożnie! Straciłeś rozum? – Moira pędziła w ich stronę.

Larkin tylko się roześmiał i jeszcze raz zakręcił Blair w powietrzu.

– Trochę. Zaręczyliśmy się.

– Och! – Moira zatrzepotała dłońmi i położyła je na sercu. – Och, to cudownie. Błogosławieństwo dla was obojga. Tak bardzo się cieszę.

Podeszła do nich i pocałowała w policzek najpierw Blair, a potem Larkina.

– Musimy to uczcić. Pójdę powiedzieć pozostałym. Cian miał pomysł... ale to może poczekać.

– Jaki pomysł? – chciała wiedzieć Blair.

– Sposób, żeby... jak on to powiedział? Zagrać Lilith na nosie. Ale...

– Wchodzę w to. – Blair poklepała Larkina po ramieniu. – Idź, ja zaraz przyjdę. Chciałabym porozmawiać chwilę z Moirą.

– Dobrze. Ale nie stój za długo.

– I kto to mówi, po tym jak podrzucał cię w powietrze. Tak bardzo życzę wam szczęścia, Blair.

– Chcę, żebyś wiedziała, że będę próbowała, każdego dnia mojego życia, uczynić go szczęśliwym. Chcę, żebyś o tym wiedziała.

– Już dajesz mu szczęście. – Moira przechyliła głowę. – Jesteśmy przyjaciółkami, prawda?

– Ty, Glenna, Hoyt, Cian. Najlepsi przyjaciele, jakich miałam w życiu.

– Czuję to samo, dlatego będę z tobą szczera. Będę bardzo cierpiała, kiedy odejdzie. To mi złamie serce i gdy znikniecie nam z oczu, będę płakała tak długo, aż nie będę miała już więcej łez. Jednak potem poczuję się lekko, będę szczęśliwa, bo wiem, że ma wszystko, czego potrzebuje i pragnie, na co zasługuje.

– Jeśli jest jakiś sposób, żebyśmy wracali, odwiedzali was co jakiś czas, znajdziemy go.

– Będę się trzymać tej nadziei. Chodźmy już, powinnaś usiąść.

– Nigdy w życiu nie czułam się lepiej.

– To miłość, ale i tak będziesz potrzebowała siły, żeby zrealizować pomysł Ciana.

Zagrają Lilith na nosie całą serenadę, pomyślała Blair. Pomysł był genialny.

– Jesteś pewna, że masz dosyć siły? – zapytała Glenna.

– Oczywiście. To takie bezczelne. – Blair błysnęła zębami w uśmiechu i popatrzyła na Ciana. – Świetnie to wymyśliłeś.

Cian podniósł wzrok na niebo i popatrzył, jak gwiazdy budzą się do życia.

– Dobrze, że noc jest jasna. Trudno to nazwać strategią bitwy, ale...

– Demoralizowanie wroga jest cholernie dobrą strategią. – Blair obróciła w dłoni miecze. – Są przygotowane? – zapytała Glennę.

– Tak.

– No dobra, przystojniaku, dawaj tu smoka.

– Za chwilę. Mam coś dla ciebie i chciałbym dać ci to tutaj, w obecności naszego kręgu. Jednym z symboli Geallii jest smok, który jest także naszym, twoim i moim, znakiem. Dlatego chciałbym, żebyś to nosiła na znak naszego narzeczeństwa.

Wyjął jasnozłoty pierścionek z oczkiem w kształcie smoka.

– Złotnik wykonał go według rysunku Glenny.

– Jest idealny – wyszeptała, gdy Larkin wsunął pierścionek na jej palec.

– Żeby to przypieczętować. – Ujął twarz Blair w dłonie i czule ją pocałował, po czym odsunął się i uśmiechnął szelmowsko. – A teraz chodźmy, zagramy tej suce na nosie.

Zamienił się w smoka, a Blair wskoczyła na jego grzbiet i uniosła wysoko miecz.

* * *

– Unieśli się w niebo – opowiadał starzec. – Minęli księżyc i gwiazdy i zniknęli w ciemności. A nad światem Geallii zapłonęły miecze, tak by wszyscy je widzieli. I właśnie nimi łowczyni demonów wypisała na niebie te słowa:

„Błogosławiona niech będzie Geallia i cała ludzkość. My jesteśmy przyszłością".

Starzec wziął do ręki kielich z winem.

– Powiadają, że królowa wampirów stała pod nimi, przeklinała i wygrażała pięściami, widząc te słowa, jaśniejące na niebie jak słońce w ciemności.

Napił się wina i uniósł dłoń, gdy dzieci zbliżyły się do niego, protestując, że to nie może być koniec opowieści.

– Och, i nie jest. Mam wam jeszcze dużo więcej do opowiedzenia, ale nie dzisiaj. A teraz idźcie, słyszałem, że w kuchni są ciasteczka imbirowe na małą przekąskę przed snem. Ja też mam słabość do imbirowych ciasteczek.

Gdy został sam i w pokoju zapadła cisza, ponownie napił się wina i zapadł w drzemkę. Ogień grzał mu stopy, a myśl odpłynęła ku zakończeniu opowiadanej historii.